EDUARDO DIOGO

MUDA BRASIL

EDUARDO DIOGO

MUDA BRASIL

A democracia dos Estados Unidos,
a eleição que estremeceu o mundo
e uma proposta para a nação brasileira

2018

Título original: *It Was about Hope*

Muda Brasil – A democracia dos Estados Unidos, a eleição que estremeceu o mundo e uma proposta para a nação brasileira

1ª edição: Outubro de 2018

Autor:
Eduardo Diogo

Tradução e preparação de texto:
Lúcia Brito

Revisão ortográfica:
3GB Consulting

Criação e diagramação:
Dharana Rivas

DADOS INTERNACIONAIS DE CATALOGAÇÃO NA PUBLICAÇÃO (CIP)

D591m Diogo, Eduardo.
Muda Brasil / Eduardo Diogo – Porto Alegre : CDG, 2018.
352 p.

ISBN: 978-85-68014-68-4
1. Política. 2. Estados Unidos. 3. Eleições. I. Título.

CDD - 320

Produção editorial e distribuição:

contato@citadeleditora.com.br
www.citadeleditora.com.br

OS DIAS SÃO LONGOS, MAS AS DÉCADAS SÃO CURTAS.

(ANÔNIMO)

Para meus pais, Antonio e Regina, de onde eu venho.

Para minha esposa, Melaine, com quem compartilho o mais profundo de mim.

Para meus filhos, Iago e Caique, que me manterão vivo em suas memórias e ações, e para meus netos e bisnetos, que deles descenderão.

E para quem quer que considere este livro valioso em alguma medida.

SUMÁRIO

PREFÁCIO

Após concluir a longa, instrutiva e agradável jornada navegando pelas águas de *Muda Brasil*, passo à elaboração do prefácio da obra, atendendo ao amável e honroso convite com que fui distinguido pelo autor, Eduardo Diogo.

Conheci Eduardo no início dos anos 1990, como seu professor de Direito Econômico no curso de Bacharelado em Direito da Universidade de Fortaleza (Unifor), no Ceará. Tornamo-nos amigos, pois, embora fosse ele então ainda bem jovem, já se destacava por ser maduro, cordial, inteligente e extremamente curioso e aplicado nos estudos. Demonstrava forte vocação para liderança e, apesar de nascido em família abastada, tinha muita disposição para trabalhar e sincera preocupação com os problemas políticos, econômicos e sociais do país, procurando envolver-se na busca de soluções.

Não causou surpresa, assim, o sucesso e o reconhecimento que logo alcançou com sua atuação na iniciativa privada, com empreendimentos no setor imobiliário e de consultoria em recursos humanos. Integrou importantes entidades de representação empresariais. Com isso, qualificou-se para eficiente atuação na vida pública, participando do governo do estado do Ceará entre os anos de 2007 e 2014, primeiro como diretor da Agência de Desenvolvimento do Estado e, em seguida, como secretário do Planejamento e Gestão, quando foi escolhido presidente do Conselho Nacional dos Secretários de Estado da Administração, que reúne os secretários de Administração de todo o Brasil. Depois, trabalhou no Banco Mundial, em Washington, D.C. Seguiu aprimorando sua sólida formação humanística e social, estudando na Wharton School of the University of Pennsylvania (Estados Unidos), na London School of Economics and Political Science

(LSE) (Inglaterra) e no International Institute for Management Development (IMD) (Suíça). Graduou-se mestre em liderança na McDonough School of Business da Georgetown University, em Washington, D.C. (Estados Unidos).

Sempre incansável e buscando conhecimento, Eduardo Diogo agora surpreende trazendo a público o livro *Muda Brasil*, uma impressionante produção intelectual que aborda em detalhes, obtidos em dedicadas pesquisas, a mais recente eleição presidencial nos Estados Unidos, primordialmente quanto aos fatos ocorridos a partir de 1º de agosto de 2016 até 20 de janeiro de 2017, com a posse de Donald Trump como presidente.

A obra trata do tema sob a invulgar perspectiva de um estrangeiro residente nos Estados Unidos tentando compreender toda uma cultura que as pessoas pelo mundo em geral admiram, mas desconhecem em profundidade. É densa, apresentada de forma sistematizada, dividida em interessantes capítulos, com estilos variados, ora histórico-científico, ora jornalístico, ora literário e filosófico, adequados aos assuntos tratados, que vão gradualmente esclarecendo e atraindo o leitor ao prosseguimento da trajetória iniciada, até seu desfecho. Ao revelar as proposições de sua cuidadosa investigação, o autor exibe firme convicção, mas sem subtrair do leitor em nenhum momento o direito à dialética, sempre estimulada ao longo da exposição.

Começa trazendo subsídios históricos essenciais para a compreensão dos fundamentos da nação norte-americana, tratando de seus fundadores, do processo de independência, da elaboração da Constituição e da estrutura e dinâmica dos Poderes do Estado. Prossegue com explanação importante sobre o intrincado processo eleitoral norte-americano. Com isso, fica o leitor habilitado a mergulhar em profundidade crescente no vasto oceano da eleição presidencial de 2016. Na sequência, cada momento da disputa, cada assunto debatido, cada acusação surgida, tudo é esmiuçado e exposto. Descreve-se então o dia da eleição, o impactante resultado e as antagônicas reações despertadas, a fase de transição de governo e a posse do novo presidente.

Após a narrativa do embate eleitoral, o autor apresenta uma proposta de conciliação nacional. Essa harmonização é condizente com as melhores tradições e o espírito de liberdade e trabalho. Por fim, fica registrado que o potencial de duração do triunfo de Donald Trump também exigirá deste um governo voltado para todos, e não apenas para seus eleitores. A capacidade de distribuir esperança leva à vitória eleitoral, mas a aptidão para governar exige muito mais. Então, é realmente sobre esperança, sobre aptidão para entregar esperança às pessoas, sobre contribuição para um mundo melhor, que Eduardo Diogo produziu a obra sob apresentação.

É hora de concluir este prefácio, que, como um pequeno bote, visa somente auxiliar o bom marinheiro a superar as primeiras ondas que arrebentam na praia e a embarcar na grande nau que o aguarda para singrar mares profundos em busca de vastos horizontes de esperança e das maravilhosas descobertas que o aguardam.

Boa viagem!

RAUL ARAÚJO
Ministro do Superior Tribunal de Justiça

NOTA DO AUTOR

Escrever este livro foi uma odisseia. Confesso que escrever um livro não estava na minha lista de coisas obrigatórias a serem feitas na vida, e, de repente, aqui estamos nós! Agora, é difícil para mim identificar o adjetivo ideal para descrever o quão boa essa jornada foi; então, vou me poupar da tarefa.

Uma certeza é que, ao longo dessa viagem, fui constantemente guiado por duas premissas estabelecidas por dois gênios da humanidade:

> O desejo natural dos homens bons é o conhecimento.
>
> Leonardo Da Vinci (1452–1519)

> Se você não consegue explicar algo de modo simples, você não entende bem o suficiente.
>
> Albert Einstein (1879–1955)

Infelizmente, existem pessoas tão pobres que têm apenas enormes quantias de dinheiro e orgulho, mas não têm a curiosidade de perseguir e a capacidade de valorizar o conhecimento. Essa é uma enfermidade horrenda da alma, do espírito e da mente.

Em contraste, acredito que a busca e o apreço pelo conhecimento são virtudes cardeais, que condensam a definição mais apurada de riqueza geracional. Eu crio meus filhos, Iago e Caique, para serem pessoas orientadas para o conhecimento. Eu os crio para ensinar seus próprios filhos a seguirem o exemplo. Para ser mais preciso, ensino uma positiva obsessão pelo conhecimento ao longo de toda a vida, o que levará a um reconhecimento do quão pouco sabemos e a enormidade do quanto não sabemos. Esse reconhecimento tanto exige como oferece humildade, o que garante o estabelecimento de um círculo virtuoso. Assim, esse círculo também nos ajuda a ter mais compaixão com os outros.

Dito isso, reconheço plenamente que, onde quer que estejamos na nossa expedição do aprendizado, ou seja, independentemente da quantidade de conhecimento que tenhamos, ele sempre será limitado. Assim, o conhecimento é o ponto de partida que nos impulsiona para a imensidão incalculável do universo das novas conceituações, da criatividade e da imaginação. Desse ponto em diante, a engenhosidade humana é ilimitada. E todos e cada um de nós devemos ser constantemente sensíveis e interessados em aproveitar essa inventividade humana para resolver os problemas presentes na vida de pessoas comuns – para trazer mais satisfação à nossa existência.

Enquanto perseguimos esse cenário ideal, o conhecimento é primordial porque não apenas nos protege dos aproveitadores maliciosos, mas também é imprescindível para nos tornarmos os nossos próprios defensores. O conhecimento nos assegura tanto autoconfiança quanto o que chamo de interindependência. No universo da interindependência, em vez de nossas relações serem baseada em dependência mútua, elas se baseiam tanto em independência mútua como em reciprocidade. Ou seja, cooperamos uns com os outros não porque precisamos ou somos obrigados, mas porque livremente optamos. Estou convencido de que a perfeita harmonia entre conhecimento e sabedoria é o fenômeno mais próximo de uma panaceia universal já conhecido.

Nesse contexto, o que diferencia conhecimento e sabedoria? Nunca deparei com nada tão perfeito como a definição seguinte, atribuída ao guitarrista norte-americano Jimi Hendrix (1942–1970): "O conhecimento fala, a sabedoria escuta". Essa definição é uma espécie de derivativo da interpretação do médico e poeta norte-americano Oliver Wendell Holmes Sr. (1809–1894): "É da esfera do conhecimento falar, e é privilégio da sabedoria escutar".

Diante de tudo isso, seria um enorme privilégio e honra para mim se sua sabedoria pudesse ouvir o que meu minúsculo conhecimento fala ao longo deste livro.

Tendo dito tudo isso, vou agora convidá-lo para um mergulho ainda mais profundo no meu íntimo; e não há nada melhor para começar do que falando sobre Ele. Como Deus escreve certo por linhas tortas, às vezes precisamos dedicar especial atenção para compreender a perfeição da mensagem que transmite. Quando São Tomé confessou "A menos que eu veja, eu não acredito" (o ver para crer), Jesus, sábia e gentilmente, professou: "Porque me viste, Tomé, creste; bem-aventurados os que não viram e creram".

Neste ponto da minha vida, vejo com clareza o ensinamento contido nessas palavras. A meu ver, Jesus Cristo quis dizer que todos nós devemos acreditar antes de sermos dotados do dom de ver. O ponto crucial dessa diretriz pode ser aplicado de maneira geral, não é restrito à ideia de ver Deus. Dizendo de forma diferente, para que possamos ver nossos sonhos se tornando realidade, devemos confiar primeiro em nossas crenças, competências e ações. A essência desse memorando divino também permeia a citação do ator norte-americano Gary Busey (nascido em 1944): "Reze pelo melhor, prepare-se para o pior e espere o inesperado". Mais uma vez, instruo meus dois filhos a fazer disso o lema de suas vidas. No entanto, adiciono "Trabalhe e". Assim, o mantra se torna: "Trabalhe e reze pelo melhor, prepare-se para o pior e espere o inesperado".

Particularmente, me considero uma espécie de explorador. Para despistar o inexorável processo de envelhecimento, o que funciona bem para mim é o que chamo de o rejuvenescedor processo de desaprendizagem e reaprendizagem, além de me envolver frequentemente em novas atividades. Quanto mais recente foi a última vez que fiz algo pela primeira vez, melhor me sinto. Essa é uma boa métrica para mim. Envolver-me frequentemente em novas atividades não significa fazer as coisas pela metade ou ir tocando com displicência. Muito pelo contrário. Faz parte das minhas convicções mais profundas um preceito estabelecido pelo poeta português Fernando Pessoa (1888–1935), que faço o meu melhor para cumprir integralmente: "Para ser grande, sê inteiro. Nada teu exagera ou exclui. Sê todo em cada coisa. Põe quanto és no mínimo que fazes. Assim, em cada lago, a lua toda brilha, porque alta vive".

Por fim, incluo um ensinamento que incorporo plenamente à minha vida e à vida da minha família. Neste instante, nosso mestre é o poeta espanhol Antonio Machado (1875–1939): "Caminhante, não há caminho, o caminho se faz ao caminhar. Ao caminhar se faz o caminho, e, ao olhar para trás, vê-se o caminho que nunca se voltará a trilhar".

Concluindo, enfatizo que decidi consignar aqui, para sempre, todos esses pensamentos porque eles representam o núcleo central das minhas convicções. Este é o coração do âmago da minha doutrina!

INTRODUÇÃO

Caro leitor, expresso minha gratidão por sua vontade de percorrer estas linhas. Elas dissecam as nuances fundamentais da eleição presidencial de 2016 nos Estados Unidos e oferecem muito mais. Apresento tópicos e revelo perspectivas que considero essenciais não só para compreender a cultura política contemporânea dos Estados Unidos, mas também para refinar nosso julgamento além da arena política.

Estou ciente da complexidade do tema, por isso não declaro ter abordado em sua plenitude cada assunto relacionado. Todavia, tenho a intenção de instigar sua curiosidade e com isso estimulá-lo a prosseguir em estudos próprios de acordo com seus pontos de maior interesse. Em outras palavras, esta odisseia tem um objetivo principal: compartilhar fatos e *insights* que possam ser examinados e dar origem a novos pensamentos, novas teorias e novas conclusões.

Esse salutar efeito cascata seria extraordinariamente gratificante, em primeiro lugar porque este trabalho honra um elemento vital: todos nós temos o direito de fazer críticas de forma respeitosa e franca, bem como de livremente fazer avaliações e tomar decisões. Nesse contexto, o alicerce desta jornada é o seguinte: escrevi minhas análises e previsões durante o desenrolar dos acontecimentos. Uma vez escritas, mantive todas as minhas percepções intactas, independentemente de os eventos futuros mostrarem o quão certas ou erradas estavam.

Enfatizo que esse alicerce só é possível graças a meu modelo de trabalho: produzo todo o meu exame simultaneamente à narrativa cronológica dos incidentes ao longo dos quase seis meses abrangidos neste livro – aproximadamente de 1º de agosto de 2016 (início das eleições gerais) a 20 de janeiro de 2017 (dia da posse). A título de curiosidade, o trabalho original do qual provém este livro cobre o período de 8 de setembro de 2015 (que chamei de "marco zero") a 20 de janeiro de 2017, tem 765 páginas e foi lançado nos Estados Unidos em dezembro de 2017 com o título *It Was About Hope – Fact-Based Analytic Research. Untold Stories. And More...* Em ambos os casos, o modelo de trabalho adotado proporciona a oportunidade de revisitar e reviver os episódios principais desse drama inédito e entender o sentimento dominante na época em que ocorreram.

Além disso, não apenas faço o escrutínio de uma série de fatos em tempo real, como também acredito que minha investigação representa mais do que a soma de suas partes. Para ser exato, tento conectar pontos que poderiam passar despercebidos a olho nu ou que se situam fora da estrutura tradicional. Consequentemente, esse intricado quebra-cabeça pode revelar imagens chocantes, e o conjunto de imagens pode desafiar suposições corriqueiras. Assim, esteja preparado e mantenha a cabeça aberta.

É oportuno salientar que os entendimentos contidos nesta publicação não provêm de um cidadão norte-americano, nem de um especialista formal, nem de um historiador. Sou brasileiro, um estudante dedicado e ávido para captar todas as sutilezas da democracia norte-americana, pois tenho genuíno interesse pelo conjunto dos atributos dessa nação, assim como muitos outros indivíduos por todo o mundo.

Nos Estados Unidos, fui um estrangeiro que viveu em Washington, D.C., por mais de três anos, de 8 de janeiro de 2015 a 23 de maio de 2018. Nasci no Brasil há 47 anos, onde cresci e vivi minha vida adulta. Ao me mudar para Washington e começar a prestar mais atenção à política norte-americana no dia a dia, tive de revisar premissas que levara comigo. Minha proximidade e dedicação ao estudar a política norte-americana revelaram imagens chocantes que deflagraram um intenso conflito entre minhas convicções e a realidade.

Com isso, adotei a mentalidade receptiva de principiante, aceitei a premissa de que os dados suplantam as crenças e acolhi o processo rejuvenescedor de desaprender e reaprender. Por conseguinte, me senti intensamente compelido a documentar e compartilhar meus *insights* sobre essa nova realidade, o que nos traz a este livro.

Levando tudo isso em conta, caso você procure uma abordagem convencional ou típica de um escritor de carreira, temo que ficará decepcionado. Caso contrário, garanto que você terá uma caminhada instigante ao longo destas páginas. Abordo assuntos sérios com o devido respeito, mas de modo lúdico. Porque é assim que eu sou. Vejo valor em ser alegre. Essa é a minha natureza. Essa é a história deste livro.

Por falar em história, embora eu não seja historiador, este trabalho tem uma relação explícita e intrínseca com a história. Obviamente a história não se restringe ao passado. Pelo contrário, abrange todas as nossas experiências no presente. Nossas experiências constroem e moldam a história – a história de nosso tempo e a história de nossas vidas.

Este livro é uma fração da história de nosso tempo e de nossas vidas. Essa noção é irrefutável, pois o tema central desta obra – a eleição presidencial norte-americana de 2016 – é uma história cujo final o mundo inteiro conhece e que está fresca na mente de todos. Ou seja, é arriscado e desafiador discorrer sobre essa disputa notável; ainda assim, de bom grado me coloco na arena e me exponho. Peço perdão por erros e incompreensões que possam ter ocorrido a despeito de minha motivação e rigor para ser inteiramente certeiro.

Se você não está muito familiarizado com alguns princípios sobre os quais os Estados Unidos foram fundados ou com os elementos básicos de seu processo eleitoral, aqui está uma oportunidade para entendê-los melhor. Nos dois primeiros capítulos, vamos olhar para trás e recordar os fatos básicos. Também vamos analisar o passado em algumas outras oportunidades. O passado tem valor intrínseco; às vezes é imprescindível usá-lo para discernir as dinâmicas do presente e tecer hipóteses sobre tendências do futuro.

No início desta introdução, destaquei o objetivo principal dessa odisseia. Agora, como expressão de um desejo verdadeiro, enfatizo meu mais abrangente propósito com este livro: proporcionar uma minúscula contribuição para garantir um mundo melhor para todos nós. Esse propósito me garantiu o ímpeto necessário e me inspirou em cada momento da jornada. Atingir esse propósito seria minha inestimável e eterna recompensa.

Acredito que todos nós devemos ser interindependentes (conceito que detalho na Nota do autor) e que cada um de nós é parte interessada em tudo o que o planeta Terra tem a nos oferecer. Somos, e nossos descendentes serão, partes interessadas nesse mundo melhor (propósito mais abrangente), que consequentemente será habitado por seres humanos mais felizes. Todo ser humano está em busca da mesma coisa: felicidade. Vamos abraçar e replicar essa ideia! É hora de todos nós reconhecermos sinceramente que melhorar a humanidade começa com a nossa melhora individual – começa dentro de nós.

Para concluir, espero que você considere este livro valioso em alguma medida. É uma honra e um privilégio tê-lo a bordo. Sou extremamente grato. Boa sorte para nós!

Eduardo Diogo

1

O NASCIMENTO DA NAÇÃO: PILARES DA FUNDAÇÃO

Os Estados Unidos da América de fato são um país afortunado. Isso pode ser identificado até mesmo em sua concepção, que pressagiou e garantiu o surgimento de uma nação impressionante. Alguns dos acontecimentos do final do século 18 não apenas serviram de alicerce para os Estados Unidos, como também seguem constantemente em cena quando os norte-americanos de hoje debatem política. Essa característica da nação é extraordinária.

Por conseguinte, é aconselhável ter ao menos uma noção mínima dos acontecimentos iniciais a fim de se obter melhor entendimento do que ocorre atualmente. Imbuído desse espírito, convido o leitor para uma caminhada preliminar através de alguns fatos essenciais.

Os pais fundadores

Os pais fundadores (The Founding Fathers) são os responsáveis pela redação dos documentos que deram origem aos Estados Unidos. Eles demonstraram uma perspectiva estratégica espetacular e de longo prazo, antecipando armadilhas que poderiam ocorrer ao longo de décadas e séculos e buscando uma "união perpétua". É por isso que ainda hoje são citados e louvados com tanta frequência. São eles, por exemplo: George Washington, John Adams, Thomas Jefferson, James Madison, Alexander Hamilton, James Monroe, Benjamin Franklin, John Jay e John Hancock.

A história reservou a George Washington especial distinção. A essência de soldado e a natureza de servidor público combinadas deram origem a um grande general e estadista, um pai fundador que agiu de forma estratégica e ousada. Talvez seja esse o traço mais conhecido e admirado da personalidade de George Washington e que fez dele um líder com seguidores muito leais. Todavia, outro atributo desempenhou papel complementar de destaque: a falta de apego ao poder. Isso foi particularmente inspirador naquele tempo e também é hoje, visto tratar-se de virtude atemporal. Acredita-se que Washington poderia ter se tornado rei ou mesmo imperador do novo país. Dois episódios vão ilustrar a que me refiro.

O primeiro ocorreu quando os pais fundadores declararam a independência e Washington foi escolhido para liderar o Exército Continental durante os oito longos e sangrentos anos da Guerra Revolucionária (1775–1783), também conhecida como Guerra da Independência Americana ou Guerra Revolucionária Americana. Em 14 de junho de 1775, o Segundo Congresso Continental (SCC), que funcionou de 10 de maio de 1775 a 1º de março de 1781, indicou Washington comandante do recém-nomeado Exército Continental. Em 3 de setembro de 1783, o Tratado de Paris, assinado entre Grã-Bretanha e Estados Unidos, pôs fim à Guerra Revolucionária e reconheceu a independência norte-americana.

Após essa campanha bem-sucedida, Washington apresentou-se ao Congresso da Confederação em 23 de dezembro de 1783 (ver Artigos da Confederação) e renunciou ao cargo de comandante em chefe. Ao fazer isso, abriu mão de todos os poderes concedidos pelo SCC, que poderiam ser comparados aos de um ditador. Washington detinha controle suficiente para continuar a moldar a nação segundo suas regras. Em vez disso, entregou o cargo poderoso e a força militar pessoal, estabelecendo um precedente fundamental. Esse ato foi basilar na construção dos Estados Unidos.

Segundo, após dois mandatos como presidente dos Estados Unidos, Washington decidiu não ir em busca do terceiro e, em 4 de março de 1797, transferiu a presidência para John Adams. Adams derrotou Thomas Jefferson, que se tornou vice-presidente. Sem dúvida Washington continuou sendo figura influente durante a aposentadoria em sua fazenda em Mount Vernon, Virgínia, nos arredores de Washington, D.C., onde morreu em 1799.

Com essas duas atitudes, Washington primeiro reafirmou vigorosamente que o poder militar está sujeito ao comando social e civil. Segundo, aniquilou quaisquer ideias de presidência vitalícia nos Estados Unidos. É evidente que a sagacidade e sabedoria de Washington assentaram várias pedras angulares da democracia norte-americana.

Como adendo, deixe-me observar que George e Martha Washington eram muito ricos e detinham grande quantidade de escravos. À medida que ficou mais velho, Washington entendeu a incompatibilidade entre uma nação fundada sobre o princípio da liberdade e um país no qual a escravidão permanecia disseminada. Ele nunca abordou o assunto em público, mas fez uma declaração silenciosa, libertando todos os seus escravos em seu testamento. Esse foi o último ato de liderança pelo exemplo do primeiro presidente.

A Declaração de Independência

"A declaração unânime dos treze Estados Unidos da América" foi promulgada em 4 de julho de 1776. As antigas colônias tornaram-se os estados de New Hampshire, Massachusetts, Rhode Island, Connecticut, Nova York, New Jersey, Pensilvânia, Delaware, Maryland, Virgínia, Carolina do Norte, Carolina do Sul e Geórgia. Nascia uma grande nação, tendo a Filadélfia como ventre ou berço. Thomas Jefferson foi o principal autor do texto, e a seguinte citação sumariza a Declaração de Independência, cujas ideias prevalecem até hoje:

> Consideramos estas verdades por si mesmo evidentes, que todos os homens são criados iguais, sendo-lhes conferidos pelo seu Criador certos direitos inalienáveis, entre os quais a vida, a liberdade e a busca da felicidade. Que, para garantir esses direitos, são instituídos governos entre os homens, derivando os seus justos poderes do consentimento dos governados. Que, sempre que qualquer

> forma de governo se torne destruidora de tais propósitos, o povo tem o direito a alterá-la ou aboli-la, bem como a instituir um novo governo, assentando os seus fundamentos nesses princípios e organizando os seus poderes do modo que lhe pareça mais adequado à promoção da sua segurança e felicidade.

O Segundo Congresso Continental (SCC) reuniu-se no Independence Hall, na Filadélfia, de 10 de maio de 1775 a 1º de março de 1781, e foi esse fórum que levou à Declaração. O sentimento dominante no encontro de fato refletia as influências externas. Suponho que a visão equivocada – ou arrogância – exibida pelo rei britânico George III tenha servido para galvanizar o movimento de independência.

Em 5 de julho de 1775, os membros do SCC assinaram a Petição do Ramo de Oliveira, endereçada "À mais excelente majestade do rei. Soberano mais gracioso". Os signatários representavam doze colônias; a Geórgia só enviou delegados depois, a fim de que não desafiassem o rei como uma organização legalmente constituída. Na época a ideia de agir a favor da independência na verdade ainda precisava reunir apoio.

Contudo, quando a petição de conteúdo e abordagem humildes chegou a Londres, o rei recusou-se a recebê-la e até mesmo vê-la. A resposta explícita veio em 23 de agosto, quando o soberano declarou as colônias "em franca rebelião". Além da lamentável proclamação, o rei contratou soldados mercenários (hessianos) para apoiar sua posição nas colônias e quis levar os rebeldes à justiça. A determinação real com certeza teve efeito adverso: em vez de aplacar os ânimos, jogou lenha na fogueira. Como resultado, os "patriotas" (defensores da independência) puderam enfatizar sua causa contra os agora frustrados "legalistas" (defensores da causa britânica) e frente aos indecisos. A arrogante resolução real provocou uma situação intolerável e tornou a declaração de independência iminente.

A Carolina do Norte foi a primeira colônia a instruir seus delegados a "concordar com os delegados das outras colônias em declarar independência e formar alianças estrangeiras". Em contrapartida, Nova York foi a

13ª e última província a aderir. Ironicamente, Nova York estivera à frente nas convocações iniciais do Primeiro Congresso Continental, ocorrido no Carpenter's Hall da Filadélfia de 5 de setembro a 16 de outubro de 1774. Em consequência, "A declaração unânime dos treze Estados Unidos da América" tornou-se realidade.

Os Artigos da Confederação

Em 15 de novembro de 1777, os "Artigos da Confederação e União Perpétua" foram assinados; em 1º de março de 1781, foram ratificados. O esboço foi redigido em York, na Pensilvânia, por um comitê designado pelo Segundo Congresso Continental. Os Artigos não só representaram a primeira Constituição dos Estados Unidos, como também definiram o formato de sua administração, permanecendo até a atual Constituição entrar em vigor.

O documento estabeleceu as funções do novo governo nacional, constituído pelos membros do Congresso da Confederação, também conhecido como Congresso Conjunto dos Estados Unidos. O organismo trabalhou de 1º de março de 1781 a 4 de março de 1789, sucedendo o SCC e precedendo o primeiro Congresso dos Estados Unidos (Poder Legislativo), que coincidiu com o primeiro mandato oficial de um Poder Executivo separado.

Quando mencionei que Washington se apresentou ao Congresso da Confederação e renunciou ao cargo de comandante em chefe, me referi à autoridade nacional representada pelo organismo, cujos membros estavam sujeitos às regras dos Artigos da Confederação. O grande problema é que essas regras produziram uma confederação de treze estados soberanos. Claro que havia algumas restrições; por exemplo, os estados individualmente não podiam conduzir sua diplomacia estrangeira. Mas o fato é que os Artigos da Confederação se mostraram impraticáveis e insustentáveis da maneira como foram originalmente delineados. Afinal, a maior parte do poder permanecia com os governos estaduais, e faltava um comando central.

Por isso, foi proposto que os estados resolvessem o problema estabelecendo um governo federal mais forte e definitivo. Essa noção não só levou à Convenção Constitucional – que tinha por objetivo inicial apenas revisar os Artigos da Confederação –, como também ganhou destaque enquanto a nova Constituição era escrita. No fim, a ideia ajudou a moldar um tipo distinto de autoridade nacional. A Convenção Constitucional, também conhecida como Convenção da Filadélfia ou Convenção Federal, funcionou de 25 de maio a 17 de setembro de 1787. Os delegados elegeram George Washington para presidir a convenção.

A Constituição dos Estados Unidos

Em 17 de setembro de 1787, a "Constituição para os Estados Unidos da América" foi assinada no Independence Hall, na Filadélfia, mesmo local em que a Declaração da Independência fora assinada. Ratificada em 21 de junho de 1788, a Constituição originalmente continha sete artigos que abordavam os três poderes do governo, a relação entre autoridade nacional, estados e cidadão, e o processo de emenda e ratificação. O preâmbulo da Carta é o seu coração:

> Nós, o povo dos Estados Unidos, a fim de formar uma união mais perfeita, estabelecer a justiça, assegurar a tranquilidade doméstica, prover a defesa comum, promover o bem-estar geral e garantir as bênçãos da liberdade para nós e para a nossa posteridade, ordenamos e estabelecemos esta Constituição para os Estados Unidos da América.

A Constituição não enfoca a garantia dos direitos dos cidadãos porque "nós, o povo" está no comando, ordenando e estabelecendo a Constituição. Como resultado, o seu conteúdo controla e direciona a ação do governo, restringindo as atividades da administração ao especificar o que é proibido e o que pode ser feito. Essa característica é muito rara na história das nações; de fato, o comum é o oposto, ou seja, o Estado dizendo o que os cidadãos têm de direito. De certa forma, a ideia contida na Constituição espelha a concepção da Declaração da Independência, que condensou treze colônias, unindo esforços divergentes para criar uma nação. Aqui repousa um atributo vital e uma enorme vantagem da democracia norte-americana.

Os pais fundadores intencionalmente estabeleceram um texto constitucional que seria difícil de emendar. O processo de emenda estipulado no Artigo 5 exige que qualquer proposta primeiro seja aprovada ou por dois terços da Câmara dos Deputados e do Senado ou por uma Convenção Constitucional convocada por dois terços das legislaturas dos estados. Esta última jamais ocorreu. Depois da primeira fase, a emenda criada e aprovada precisa ser enviada para ratificação, que necessita de três quartos dos estados – 38 de 50. Até hoje, 33 emendas foram enviadas para os estados, das quais 27 foram ratificadas e alteraram o conteúdo original. Via de regra, uma emenda aprovada também define o período em que os estados devem ratificá-la, o que é benéfico para instigá-los à ação.

Após a ratificação da Constituição, em 1788, foi acertado que ela entraria em vigor em 4 de março de 1789. Como já comentado, a data coincidiu com a instauração do primeiro Congresso dos Estados Unidos e o início oficial do primeiro mandato presidencial e do governo federal, tudo sob as regras da nova Carta.

Em 6 de abril, ocorreu a primeira sessão conjunta do Congresso, ocasião em que foram contados os votos da primeira eleição presidencial, realizada em 7 de janeiro. A contagem confirmou que todos os 69 eleitores haviam dado um de seus dois votos para presidente a George Washington. Isso significou uma eleição unânime, visto que cada eleitor tinha que escolher dois candidatos diferentes, e não houve outro candidato eleito por unanimidade.

Essa era a metodologia utilizada anteriormente à 12ª Emenda, que entrou em vigor em 1804. De início não havia voto para vice-presidente, mas duas cédulas para presidente. A vice-presidência era uma espécie de grande prêmio de consolação, ocupada pelo segundo mais votado. Na primeira eleição, John Adams somou 34 votos e tornou-se o primeiro afortunado vice.

Quando Washington recebeu a notificação formal de que fora eleito presidente, deixou Mount Vernon e foi para a cidade de Nova York, em 16 de abril. Em 30 de abril de 1789, foi realizada a primeira cerimônia de posse presidencial, na sacada do Federal Hall, em Nova York – localizado nas vizinhanças de Wall Street.

Dois anos após a promulgação, a Carta passou por uma alteração drástica. De fato, a revisão teve início logo após a entrada em vigor; em 25 de setembro de 1789, o Congresso propôs doze emendas. Em 15 de dezembro de 1791, foram ratificados os artigos 3 a 12 e, combinados, passaram a ser conhecidos como Carta dos Direitos (*Bill of Rights*). Portanto, a Carta dos Direitos consiste nas dez primeiras emendas da Constituição.

Curiosamente, embora os federalistas – defensores de uma autoridade central forte – tenham conseguido impor sua visão no texto original da Constituição, essas emendas podem ser interpretadas como a reação dos antifederalistas e serviram para limitar o poder da administração central. A ideia por trás das emendas foi, acima de tudo, decretar a plena proteção de numerosas liberdades civis, conforme ilustro a seguir:

- 1ª Emenda: assegura a liberdade de religião, de expressão e de imprensa. Também, a liberdade de reunião e de peticionar o governo.
- 2ª Emenda: permite aos cidadãos a posse e o porte de armas.
- 3ª Emenda: proíbe que soldados sejam aquartelados em residências particulares sem a permissão do proprietário, em tempos de paz.
- 4ª Emenda: restringe as buscas e apreensões, instituindo a necessidade de mandado judicial baseado em causa razoável.
- 5ª Emenda: garante julgamento justo, punição proporcional e compensação por propriedade apreendida ou tomada.
- 6ª Emenda: define os direitos dos cidadãos que enfrentam julgamentos e júris, inclusive julgamento rápido e acareação de testemunhas.
- 7ª Emenda: assegura o direito a julgamento por júri.
- 8ª Emenda: impede a imposição de "multas excessivas" e "punições cruéis e incomuns".
- 9ª Emenda: assegura que os direitos enumerados na Constituição não são necessariamente os únicos que cabem aos cidadãos, de modo

que "não devem ser interpretados como anulando ou restringindo outros".

- 10ª Emenda: protege o poder dos estados e do povo em relação a todos os assuntos não delegados ao governo federal nem proibidos aos estados pela Constituição.

Como podemos observar, a Carta dos Direitos de certa forma diminuiu a qualidade que enfatizei como muito rara na história das nações, pois ela assegura alguns direitos aos cidadãos. Em todo caso, ela realmente garantiu que o equilíbrio adequado fosse alcançado e que uma arquitetura duradoura fosse enfim estabelecida. Como prova disso, a Carta foi alterada apenas dezessete vezes depois. Levando isso em conta, a Constituição foi alterada em média a cada treze anos durante o longo período de 227 anos desde que a Carta dos Direitos foi estabelecida. Como o total de 27 emendas efetivas é resultado da ratificação das 33 propostas pelo Congresso, seis delas ainda não foram confirmadas.

O Congresso foi solicitado a considerar mais de 11 mil proposições até agora, então eu diria que o funil é largo no topo e extremamente estreito na parte inferior. Os pais fundadores sabiamente reconheceram a distinção entre uma peça comum de legislação e um caso constitucional. O rigor imposto a qualquer modificação proposta é o abençoado guardião da código norte-americano e impede que caprichos políticos destruam sua essência.

Com respeito às 27 emendas aprovadas, é interessante que a última constitui a ratificação do Artigo 2 das doze emendas originais propostas em 1789. A aceitação ocorreu em 1992 – 203 anos depois – e foi a única alteração desde 1971. A propósito, o Artigo 1 da Carta dos Direitos de 1789 ainda não foi ratificado. Além disso, duas das 27 modificações acabaram anuladas, porque a 21ª Emenda revogou a 18ª, ou seja, o status original foi restaurado. As raras melhorias incorporadas à Constituição têm em comum a monumental relevância e a característica de serem publicamente reconhecidas por seus números específicos, como as dez primeiras:

- 11ª Emenda (1795): determina a jurisdição da Suprema Corte.

- 12ª Emenda (1804): delineia como o Colégio Eleitoral elege o presidente e o vice-presidente.
- 13ª Emenda (1865): abole a escravidão.
- 14ª Emenda (1868): aborda os direitos dos cidadãos e questões do pós-guerra.
- 15ª Emenda (1870): bane "raça, cor ou prévia condição de servidão" como qualificação para votar.
- 16ª Emenda (1913): autoriza o governo a cobrar imposto de renda.
- 17ª Emenda (1913): estabelece que os senadores devem ser eleitos pelo povo de seu respectivo estado.
- 18ª Emenda (1919): proíbe a importação, produção, transporte e venda de bebida alcoólica (conhecida como "Proibição").
- 19ª Emenda (1920): garante o direito de voto a homens e mulheres, instituindo o direito a voto das mulheres.
- 20ª Emenda (1933): aborda questões do Congresso, do mandato presidencial e da sucessão.
- 21ª Emenda (1933): revoga a Proibição, a 18ª Emenda.
- 22ª Emenda (1951): restringe o cargo de presidente a dois mandatos de quatro anos.
- 23ª Emenda (1961): garante votos no Colégio Eleitoral a Washington, D.C., na mesma quantidade que o estado menos populoso.
- 24ª Emenda (1964): assegura o direito de voto dos cidadãos mesmo em caso de pendência de pagamento de qualquer imposto eleitoral ou outro imposto.
- 25ª Emenda (1967): dispõe sobre a linha de sucessão presidencial.
- 26ª Emenda (1971): garante o voto para cidadãos de 18 anos de idade.
- 27ª Emenda (1992): aborda a remuneração dos membros do Congresso.

Ler as modificações acima é como revisitar alguns dos grandes marcos da história norte-americana.

O Poder Legislativo

Esse Poder essencialmente faz as leis e supervisiona o Poder Executivo. O Congresso Nacional representa o Poder Legislativo em nível federal. O Congresso norte-americano é um organismo bicameral, composto pelo Senado (U.S. Senate – que é a Câmara Alta, localizada na ala norte do Capitólio) e a Câmara dos Deputados (U.S. House of Representatives – que é a Câmara Baixa, localizada na ala sul do Capitólio).

Os 535 congressistas, cem senadores e 435 deputados são eleitos por voto livre e confidencial. Além deles, a Câmara tem outros seis membros sem direito a voto; um representa Washington, D.C., e os outros, os cinco territórios norte-americanos: Porto Rico, Samoa Americana, Guam, Marianas Setentrionais e Ilhas Virgens Americanas.

Na Câmara e no Senado, o membro que representa o partido que tem a maioria dos assentos – seja republicano, seja democrata – é chamado de *majority leader* (líder da maioria), e o colega que auxilia o líder da maioria na gestão do programa do partido no Legislativo é o *majority whip* (que é como um vice-líder). O sistema é semelhante para o partido que detém a minoria dos assentos: suas principais figuras são chamadas de *minority leader* (líder da minoria) e *minority whip*.

Os senadores devem ter pelo menos 30 anos de idade e cumprem mandatos de seis anos. Os assentos do Senado são divididos em dois para cada estado, independentemente do tamanho de território, população, relevância econômica etc. Existem vários poderes exclusivos dos senadores, como confirmar ministros nomeados para o Gabinete Presidencial e nomear juízes para a Suprema Corte. O Senado norte-americano, autointitulado "o maior corpo deliberativo do mundo", também tem o poder de ratificar as indicações diplomáticas para embaixadores e oficiais militares, bem como conceder permissão ao Poder Executivo para celebrar tratados internacionais.

O cargo de presidente do Senado é ocupado pelo vice-presidente do país, cabendo ao ocupante presidir a sessão conjunta do Congresso que conta os votos do Colégio Eleitoral e oficialmente declara os presidente e vice-presidente seguintes, assim como dar o voto de minerva em votações empatadas no Senado. Como o vice-presidente da República tem atividades próprias diárias, o Senado é comandado por um presidente *pro tempore* eleito pelos senadores. Conforme a tradição, o senador mais antigo do partido majoritário ocupa o cargo. O mandato do presidente *pro tempore* coincide com o mandato do presidente do Senado, a menos que uma eleição de meio de mandato faça com que o partido majoritário perca sua vantagem.

Por falar em eleições, os senadores são escalonados em três classes de 33 ou 34 membros cada. Em vez de eleições para todos os cem assentos de uma só vez, a cada dois anos ocorre uma eleição para cerca de um terço dos assentos; ou seja, a cada dois anos, pode haver renovação de aproximadamente um terço dos assentos. Para ilustrar, em 2016 houve eleição para os 34 assentos dos senadores da classe 3; em 2018, será a vez dos 33 assentos da classe 1; em 2020, dos 33 da classe 2.

Os dois assentos de cada estado são atribuídos a diferentes classes, de modo que um estado nunca tem o mandato de ambos os senadores em jogo na mesma eleição. As designações senador sênior e senador júnior são usadas para diferenciar os dois parlamentares de determinado estado. O título é baseado em sua antiguidade no Senado.

Na Câmara dos Deputados, o congressista deve ter pelo menos 25 anos, e o mandato é de dois anos – a única exceção é Porto Rico, com mandato de quatro anos. Não há limite para o número de mandatos que um deputado possa cumprir. A quantidade de assentos a que cada estado tem direito é determinada pelo tamanho da respectiva população, averiguado em censos decenais.

O processo de distribuição dos 435 assentos é chamado *apportionment* (rateio), e o último foi feito com base no censo de 2010. Após o rateio vem o *redistricting*, que é o processo de redesenhar os limites geográficos dos distritos congressionais de um estado. O *redistricting* é realizado em cada estado em conformidade com os requisitos de suas constituições e leis ordinárias.

O *redistricting* divide o território do estado em vários distritos congressionais, equivalentes ao número de deputados determinados pelo censo: um deputado federal, um distrito. Para ser preciso, existe uma disposição legal que proíbe os estados com mais de um membro na Câmara Federal de eleger um representante geral (em nível estadual). A votação geral só acontece em estados com um único congressista, uma vez que estado e distrito têm limites territoriais idênticos. Sete estados enquadram-se nessa categoria: Alasca, Dakota do Norte, Dakota do Sul, Delaware, Montana, Vermont e Wyoming. Os estados com maior número de representantes são Califórnia (53), Texas (36) e Flórida e Nova York (27 cada).

Tanto o *apportionment* quanto o *redistricting* permanecem em vigor por dez anos (cinco ciclos eleitorais da Câmara), até que o censo seguinte mude os requisitos – apesar de o *redistricting* ser mais suscetível a eventuais alterações. As regras atualmente em vigor cobrem o período 2012–2020 e serão alteradas pelos resultados do censo de 2020, que serão utilizados de 2022 a 2030.

O presidente da Câmara, responsável pela liderança administrativa, historicamente é escolhido entre os membros do partido majoritário, embora não haja disposição legal restringindo o cargo a um congressista. Ou seja, teoricamente o partido majoritário pode escolher um não membro da Câmara para a posição. O presidente da Câmara é o segundo na linha da sucessão presidencial, depois do vice-presidente e seguido pelo presidente *pro tempore* do Senado.

A seguir, o número de representantes de cada estado na Câmara dos Deputados:

- Alabama (AL): 7
- Alasca (AK): 1
- Arizona (AZ): 9
- Arkansas (AR): 4
- Califórnia (CA): 53
- Carolina do Norte (NC): 13

- Carolina do Sul (SC): 7
- Colorado (CO): 7
- Connecticut (CT): 5
- Dakota do Norte (ND): 1
- Dakota do Sul (SD): 1
- Delaware (DE): 1
- Flórida (FL): 27
- Geórgia (GA): 14
- Havaí (HI): 2
- Idaho (ID): 2
- Illinois (IL): 18
- Indiana (IN): 9
- Iowa (IA): 4
- Kansas (KS): 4
- Kentucky (KY): 6
- Louisiana (LA): 6
- Maine (ME): 2
- Maryland (MD): 8
- Massachusetts (MA): 9
- Michigan (MI): 14
- Minnesota (MN): 8
- Mississippi (MS): 4
- Missouri (MO): 8
- Montana (MT): 1
- Nebraska (NE): 3
- Nevada (NV): 4
- New Hampshire (NH): 2
- New Jersey (NJ): 12
- Nova York (NY): 27
- Novo México (NM): 3
- Ohio (OH): 16
- Oklahoma (OK): 5

- Oregon (OR): 5
- Pensilvânia (PA): 18
- Rhode Island (RI): 2
- Tennessee (TN): 9
- Texas (TX): 36
- Utah (UT): 4
- Vermont (VT): 1
- Virgínia (VA): 11
- Virgínia Ocidental (WV): 3
- Washington (WA): 10
- Wisconsin (WI): 8
- Wyoming (WY): 1

O Poder Executivo

Esse Poder essencialmente implementa políticas públicas e faz cumprir as leis. O presidente, o vice-presidente e o Gabinete representam o Poder Executivo em nível federal. O presidente é o principal líder do país, é o chefe de Estado, gestor do governo federal e comandante em chefe das Forças Armadas.

A Constituição prescreve que o presidente eleito, antes de assumir o cargo, deve fazer o juramento (ou afirmação), determinando as palavras que devem ser pronunciadas: "Juro (ou afirmo) solenemente exercer fielmente o cargo de presidente dos Estados Unidos e, da melhor maneira ao meu alcance, preservar, proteger e defender a Constituição dos Estados Unidos".

Cada presidente serve por um mandato de quatro anos e pode ser reeleito apenas uma vez. A restrição aplica-se até mesmo a um presidente que tenha exercido o mandato de outro por mais de dois anos. Os requisitos para o cargo de presidente são ter nascido nos Estados Unidos, ter no mínimo 35 anos de idade e ter residido no país por pelo menos quatorze anos.

A linha de sucessão presidencial está sujeita à seguinte ordem:

1. Vice-presidente

2. Presidente da Câmara dos Deputados
3. Presidente *pro tempore* do Senado Federal
4. Secretário de Estado
5. Secretário do Tesouro
6. Secretário de Defesa
7. Procurador-geral
8. Secretário do Interior
9. Secretário da Agricultura
10. Secretário do Comércio
11. Secretário do Trabalho
12. Secretário de Saúde e Serviços Humanos
13. Secretário de Habitação e Desenvolvimento Urbano
14. Secretário dos Transportes
15. Secretário de Energia
16. Secretário da Educação
17. Secretário de Assuntos de Veteranos
18. Secretário de Segurança Interna

A ordem cronológica da criação dos departamentos (ministérios) determina a posição do respectivo secretário (ministro) na linha sucessória. Em caso de vacância da Vice-Presidência, o presidente indicará um novo vice-presidente. O candidato escolhido pelo presidente deve ser confirmado pelo voto da maioria do Senado e da Câmara.

O Poder Judiciário é excluído da linha de sucessão presidencial dada a necessidade de preservar a Suprema Corte, que em teoria é apolítica por natureza. Na prática, a realidade nem sempre reflete o ideal.

Entre as principais prerrogativas do presidente está a nomeação dos juízes da Suprema Corte, que também exige confirmação posterior pelo Senado. O presidente tem jurisdição sobre a criação de tratados e a nomeação de embaixadores e cônsules – novamente com o aconselhamento e consentimento obrigatório do Senado. A nomeação do Gabinete Presidencial e outros cargos de nível ministerial seguem essa norma.

O Gabinete (ministério) é composto pelo vice-presidente e pelos ocupantes dos quinze cargos listados de 4 a 18 na linha de sucessão. Após o voto "sim" de pelo menos 51 membros do Senado, os chefes dos departamentos recebem o título de secretário (ministro). A única exceção é o líder do Departamento de Justiça, nomeado procurador-geral. Além desses, existem outros sete cargos com *status* de ministro:

- Chefe de Gabinete da Casa Branca
- Chefe da Agência de Proteção Ambiental
- Chefe do Escritório de Gestão e Orçamento
- Chefe do Escritório do Representante de Comércio
- Chefe da Missão dos Estados Unidos nas Nações Unidas
- Chefe do Conselho de Assessores Econômicos
- Chefe da Administração de Pequenas Empresas

Devido à óbvia proximidade com o presidente, o chefe de Gabinete da Casa Branca é o único que não requer confirmação. Existe ainda mais uma equipe que auxilia o presidente formal e diretamente, os chamados *senior advisors* (conselheiros sêniores). Quantidade, área de influência e papel específico variam a critério de cada presidente.

Existem duas prerrogativas muito poderosas exclusivas do presidente: a emissão de ordens executivas (*executive orders*) e de perdões (*pardons*). A Constituição não assegura especificamente a provisão de ordens executivas, mas proclama: "O Poder Executivo será investido em um presidente dos Estados Unidos da América". Embora tais ordens executivas estejam sujeitas à revisão judicial, as mais polêmicas e abrangentes muitas vezes resultam de dificuldades no relacionamento entre os poderes Executivo e Legislativo. Ou seja, via de regra, a principal motivação para as ordens executivas se resume à intenção do presidente de implementar ações que não têm apoio entre os membros do Congresso. A medida é uma maneira de contornar o Congresso, pois não exige aprovação legislativa nem pode ser derrubada pelos congressistas. No entanto, um passo que o Congresso pode dar em desfavor de ordens executivas é adotar legislação para cortar fundos relacionados a elas.

Quanto aos perdões, o Artigo 2 da Constituição determina que o presidente "terá o poder de conceder indulto e perdão por delitos contra os Estados Unidos". Como podemos verificar, a disposição não se refere a comutação (*commutation*). Não obstante, uma vez que o poder de perdão é maior que o da comutação, entende-se que o primeiro engloba o último. A seguinte definição os diferencia muito bem: "O perdão apaga a condenação, enquanto a comutação deixa a condenação intacta, mas reduz ou até elimina a pena".

O perdão é uma absolvição executiva de um crime, que pode ser concedida em antecipação a uma condenação ou posteriormente a ela. A comutação é uma redução executiva de uma pena; portanto, só pode ser concedida após a condenação e o pronunciamento da sentença. Do meu ponto de vista, tal autoridade representa uma espécie de distorção, pois pode ser injusto que uma única pessoa tenha a capacidade de reverter o trabalho realizado por todo o sistema judicial. O presidente não precisa nem sequer justificar um perdão concedido.

Vários presidentes concederam perdões controversos. O primeiro foi o perdão geral emitido pelo presidente Andrew Johnson em 25 de dezembro de 1868. O ato garantiu a anistia aos estados confederados e a todos os veteranos confederados da Guerra Civil (1861–1865). O perdão chegou aos detentores de cargos da Confederação, como o presidente Jefferson Davis, e beneficiou até o Dr. Samuel Mudd, que havia sido condenado e preso por conspirar com John Wilkes Booth, o assassino de Abraham Lincoln.

Atualmente, o presidente "deve ganhar" um salário anual de US$ 400 mil. Desde 2001, o salário é o mesmo e deve permanecer constante durante todo o mandato presidencial. Além disso, o cargo mais alto do país confere aos presidentes mais US$ 169 mil por ano: US$ 100 mil em uma conta de viagem; US$ 50 mil em uma conta de outras despesas; e US$ 19 mil para entretenimento. Além das compensações financeiras diretas, há uma ampla lista de benefícios; o mais óbvio é a moradia gratuita na Casa Branca.

Depois de deixar o cargo, os ex-presidentes têm direito a uma pensão equivalente ao salário dos secretários – aproximadamente US$ 200 mil por ano. Além disso, o ex-presidente pode ter uma equipe de assessores e um escritório, seguro médico e proteção vitalícia do serviço secreto para si e para o cônjuge, bem como para qualquer filho menor de 16 anos. Cônjuges de ex-presidentes podem receber pensão vitalícia anual adicional de US$ 20 mil.

A Presidência dos Estados Unidos tem alguns símbolos muito reconhecíveis, como o selo, a aeronave Air Force One e até mesmo a limusine presidencial. Também conhecido como The Beast, Cadillac One, ou First Car, o veículo presidencial é uma limusine superblindada, uma fortaleza móvel; no entanto, não é tão famoso quanto o avião Air Force One. Em cerca de 370 metros quadrados, a aeronave tem várias salas, inclusive um centro médico, oferecendo condições para descansar e trabalhar a bordo, não só para o presidente, mas também para sua equipe pessoal, tripulação e membros da imprensa.

O Air Force One garante que o presidente possa viajar com segurança para qualquer lugar do mundo a qualquer momento. Além disso, no caso de um ataque aos Estados Unidos, a estrutura de última geração do avião permite que o presidente a bordo gerencie o país e fale à nação. Como é possível o reabastecimento em voo, a aeronave tem condições de aterrissar apenas quando a situação estiver sob controle.

O selo presidencial era originalmente aplicado à correspondência do presidente com o Congresso. Em torno da borda externa está escrito "Selo do presidente dos Estados Unidos", e o desenho espelha o grande selo dos Estados Unidos. A imagem mostra uma águia segurando no bico a inscrição *E pluribus unum*, "entre muitos, um" em latim. As treze letras da frase coincidem com as treze colônias originais, e *E pluribus unum* foi reconhecido como lema do país até 1956. Naquele ano, o Congresso aprovou e o presidente Dwight Eisenhower assinou um projeto de lei que estabeleceu como lema oficial do país "Em Deus confiamos".

Quanto à comunicação com o público, via de regra o presidente fala diretamente ao povo norte-americano toda semana por uma mensagem de vídeo conhecida como *Weekly Address*. No pronunciamento, veiculado aos sábados de manhã, o presidente transmite sua visão sobre questões atuais de importância e presta informações sobre temas relevantes relacionados à administração federal. Além disso, o secretário de Imprensa da Casa Branca realiza uma conferência diária de segunda a sexta-feira. O secretário de Imprensa é o porta-voz do presidente e deve estar preparado para expressar com precisão a posição do Executivo em uma infinidade de questões.

O Poder Judiciário

Esse Poder essencialmente avalia e aplica as leis. A Suprema Corte e outras cortes federais representam o Judiciário em nível federal. A Suprema Corte é constituída por nove membros – um presidente (*chief justice*) e oito ministros associados (*associate justice*) –, nomeados pelo presidente do país, cabendo ao Senado realizar audiências e confirmar ou rejeitar a nomeação. Esse processo de nomeação e confirmação se aplica tanto aos ministros associados como ao presidente da Suprema Corte, e não é obrigatório que este tenha anteriormente servido como ministro associado.

O atual ocupante do posto mais alto no Judiciário, John Roberts, se enquadra nessa categoria. O presidente George W. Bush inicialmente nomeou John Roberts para ministro associado, sucedendo à ministra aposentada Sandra Day O'Connor. Antes de o Senado realizar as audiências e votar a confirmação, o então presidente da Suprema Corte, William Rehnquist, faleceu. Assim, o presidente Bush decidiu nomear John Roberts para ocupar o cargo de *chief justice*. Como resultado, John Glover Roberts Jr. é o presidente da Suprema Corte desde 29 de setembro de 2005.

O mandato dos nove membros da Suprema Corte é vitalício, e os magistrados permanecem no cargo até que livremente decidam se aposentar. No entanto, um juiz pode ser removido em circunstâncias extraordinárias, como má conduta. O processo para afastar um juiz é idêntico ao de afastamento do presidente do país: a Câmara dos Deputados tem que fazer o *impeachment* e depois o Senado tem que condenar.

Historicamente, os ministros têm servido em média dezesseis anos, e ninguém se aproximou do recorde de William O. Douglas, que passou 36 anos, sete meses e oito dias no cargo, de 1939 a 1975. Na posição de presidente da Suprema Corte, John Marshall também é imbatível: serviu por 34 anos, cinco meses e onze dias, de 1801 a 1835. A lista de proezas inclui William Howard Taft, que serviu como 27º presidente dos Estados Unidos de 1909 a 1913 e depois como décimo presidente da Suprema Corte, de 1921 a 1930. Taft foi o único a ocupar os dois cargos.

Aqui não vou abordar o sistema de cortes estaduais em detalhes, mas duas características são dignas de nota. Primeiro, as Supremas Cortes Estaduais (State Supreme Courts), também chamadas de Tribunal de Última Instância (Court of Last Resort) ou Corte de Apelação (Court of Appeals), produzem decisões finais. Segundo, uma parte insatisfeita com tais decisões pode recorrer à Suprema Corte dos Estados Unidos, que decide se deve ou não ouvir tais casos.

O sistema da justiça federal consiste em três níveis fundamentais: tribunais de primeira instância, chamados tribunais distritais (U.S. District Courts), que são 94; tribunais de segunda instância ou de apelação (U.S. Circuit Courts of Appeals), que são treze; e a Suprema Corte. As determinações dos treze tribunais de apelação têm condições de criar precedentes legais.

Existem doze tribunais de apelação regionais, repartidos geograficamente, acima dos 94 tribunais distritais. O 13º, chamado Tribunal de Apelação do Circuito Federal (U.S. Court of Appeals for the Federal Circuit), localizado em Washington, D.C., tem jurisdição nacional e exclusiva sobre os recursos dos dois tribunais especializados estabelecidos pelo Congresso: o Tribunal de Reclamações Federais (U.S. Court of Federal Claims), localizado em Washington, D.C., que trata de danos monetários contra os Estados Unidos, e o Tribunal de Comércio Internacional (U.S. Court of International Trade), que lida com o comércio internacional e as leis alfandegárias, localizado na cidade de Nova York. O Tribunal de Apelação do Circuito Federal também é a divisão de recurso dos 94 tribunais de primeira instância em certos casos específicos. Por exemplo, quando os Estados Unidos ou suas agências são réus, ou quando o processo é relativo a uma patente ou marca registrada.

Como os casos de falência não podem ser apresentados dentro do sistema de justiça estadual, cada um dos 94 tribunais federais de primeira instância tem uma unidade específica chamada Tribunal de Falências (U.S. Bankruptcy Court). Os juízes do Tribunal de Falências cumprem mandatos renováveis de quatorze anos, sendo indicados por uma maioria dos juízes do Tribunal de Apelação a que sua corte está vinculada. Os demais juízes federais devem ser indicados pelo presidente e confirmados pelo Senado. A permanência na função depende da conduta adequada; assim, o cargo pode se tornar vitalício.

Existem nuances e especificidades adicionais, como a figura dos juízes magistrados (*magistrate judges*). A maioria dos juízes de determinado distrito nomeia os juízes magistrados, que cumprem mandatos ilimitados de oito anos e têm a missão de auxiliar os juízes federais.

Como já observei a respeito da dificuldade de emendar a Constituição norte-americana, o funil é largo no topo e extremamente estreito na parte inferior. Essa característica não apenas está profundamente interconectada com o papel da Suprema Corte, mas também multiplica exponencialmente a relevância de suas decisões. Por ser tão difícil alterar a Constituição, a forma como a Suprema Corte interpreta o documento se torna elemento vital na formação de toda a sociedade. Existem basicamente duas maneiras de interpretar a lei, representadas pelos originalistas (*originalists*) e construcionistas (*constructionists*).

Os originalistas afirmam que o significado da Constituição é estável e que a intenção original dos autores deve ser preservada. Esse bloco entende que o único caminho para mudanças no código são as emendas oficiais. Por outro lado, os construcionistas defendem a visão da Constituição como um instrumento vivo, com significado dinâmico. Nada é mais relevante para os Estados Unidos, no presente e no futuro, do que esse ponto. Por conseguinte, aqui reside uma distinção fundamental entre republicanos e democratas: os republicanos defendem o originalismo, enquanto os democratas defendem o construcionismo.

O sistema de pesos e contrapesos

A Constituição assegura um sistema com total separação de poderes, no qual os três poderes podem verificar, fiscalizar e equilibrar uns aos outros (*the check and balance system*). Os pais fundadores assim estipularam a fim de evitar que um poder se tornasse excessivamente forte. Como vimos, cada poder age de acordo com regulamentos próprios, verificando e controlando os outros de várias maneiras.

Se um poder específico considera necessário para o bem comum e interesse do povo norte-americano, pode aperfeiçoar um ato realizado por outro poder. Por exemplo, o Congresso pode rejeitar as nomeações do presidente e ainda tem o poder de fazer o *impeachment* e a condenação de um presidente em circunstâncias excepcionais. Já o presidente pode vetar leis aprovadas no Congresso. Como mencionei anteriormente, o Congresso pode adotar legislação para reduzir os fundos relacionados à implementação das ordens executivas, mas o presidente também pode vetar isso. Ainda assim, o Congresso depois pode derrubar o veto.

Embora o presidente seja o comandante em chefe das Forças Armadas, apenas o Congresso tem autoridade para declarar guerra. Junto com a prerrogativa exclusiva de autorizar nova legislação, o Congresso também determina não apenas o número de ministros da Suprema Corte, mas também a arquitetura do Judiciário federal.

No entanto, a Suprema Corte tem o poder de anular legislação aprovada pelo Congresso em todos os casos que interprete como inconstitucionais. Enquanto a Suprema Corte pronuncia as decisões finais em disputas legais pertinentes, o presidente pode perdoar crimes e comutar sentenças judiciais.

2

ELEMENTOS FUNDAMENTAIS DO PROCESSO ELEITORAL

Os Estados Unidos têm um processo de indicação e eleição presidencial extremamente participativo, caro, longo e complexo. Comecei com o adjetivo "participativo" intencionalmente, para ressaltar que, mesmo com a existência do Colégio Eleitoral (Electoral College) – que restringe em muito o conceito de uma pessoa, um voto –, o espírito de envolvimento dos eleitores permanece intacto no todo. Não estou dizendo que o processo seja justo no todo – embora a falta de justiça não seja, infelizmente, uma singularidade do sistema norte-americano. Tendo em mente a busca por justiça, afirmo categoricamente que os Estados Unidos merecem um sistema mais simplificado para as eleições primárias e gerais.

Para uma melhor compreensão do que vem pela frente, é necessário estabelecer alguns fundamentos do processo.

Os eleitores

Como vimos, a 26ª Emenda garante o direito de voto a todos os cidadãos norte-americanos com mais de 18 anos. Os eleitores são de fato os personagens principais na eleição, fundamentais para a noção da administração ideal sabiamente descrita pelo presidente Abraham Lincoln em seu discurso de Gettysburg em 1863, durante a Guerra Civil.

Ao declarar que "esta nação, sob Deus, terá um novo nascimento de liberdade", Lincoln revisitou as crenças morais da Declaração de Independência e assegurou que a Batalha de Gettysburg e a Guerra Civil visavam tornar esses ideais realidade – sem escravidão. Lincoln afirmou que as democracias populares "não perecerão da Terra" e caracterizou esse regime perfeito como "governo do povo, pelo povo, para o povo".

Os partidos

Os Estados Unidos têm um número considerável de partidos políticos qualificados para votação. O número flutua na medida em que os partidos cumprem ou não os critérios oficiais, definidos individualmente pelos cinquenta estados e pelo Distrito de Colúmbia – os cinco territórios votam nas primárias, mas não nas eleições gerais.

Visto que os partidos são estabelecidos em cada unidade federativa, em abril de 2016 havia 214 partidos em nível estadual, segundo a Ballotpedia. Devido a essa enorme autonomia, alguns estados diferenciam partidos maiores de menores. Essa categorização é usada para conceder ou negar acesso às campanhas primárias.

A proibição de participar das primárias restringe a chance de um partido menor de energizar e galvanizar adeptos durante as eleições gerais, o que cria obstáculos estratosféricos para seu crescimento. Em abril de 2016, havia 39 partidos políticos qualificados para a votação. Curiosamente, mesmo que um partido não esteja totalmente qualificado para a votação, algumas disposições estaduais especiais podem permitir que assegure seu candidato presidencial na cédula.

Os maiores partidos norte-americanos são bem conhecidos em todo o mundo. Somente o Partido Democrata e o Partido Republicano estão ativos em Washington, D.C., e todos os estados. Os dois representam 102 dos 214 partidos estaduais mencionados anteriormente: 50 estados + D.C. = 51; 51 x 2 partidos (um democrata e um republicano) = 102.

O Partido Republicano é amplamente conhecido como GOP (Grand Old Party), Grandioso Partido. Contudo, o Partido Democrata é mais antigo. Podemos dizer que eles compartilharam do mesmo berço – ou pelo menos de uma herança.

Quando a Constituição dos Estados Unidos foi escrita, os pais fundadores não abordaram a questão dos partidos políticos. Portanto, quando George Washington foi eleito primeiro presidente, em 1789, ele não tinha filiação partidária formal. De fato, Washington foi o único presidente eleito como independente. Ele permaneceu independente durante todo o mandato, de 30 de abril de 1789 a 4 de março de 1797. Acredita-se que ele considerava a formação dos partidos políticos um caminho para o conflito e a estagnação. Todavia, não conseguiu evitar a criação do sistema bipartidário dentro de seu ciclo mais próximo.

Alexander Hamilton, um dos fundadores da nação e o primeiro secretário do Tesouro dos EUA, liderou a criação da primeira associação política dos Estados Unidos – o Partido Federalista (*Federalist Party*). O nome sublinha a ideia por trás dele – um governo nacional robusto. Essa ideologia prevaleceu por mais de dez anos após a fundação do partido, em 1790. Washington era simpatizante desses ideais, assim como seu sucessor, o fundador John Adams, presidente de 1797 a 1801 e membro do Partido Federalista.

A antítese do Partido Federalista surgiu alguns anos depois, sob a bandeira do Partido Democrata-Republicano (Democratic-Republican Party). Os pais fundadores Thomas Jefferson, o terceiro presidente (de 1801 a 1809), e James Madison, o quarto presidente (de 1809 a 1817), foram os líderes do novo partido. Destaco a extensão de seus mandatos combinadas para explicar como o federalismo foi ofuscado e o Partido Federalista acabou sucumbindo. Em 1828 o chamado primeiro sistema partidário (First Party System) acabou. O ponto de virada foi a tentativa fracassada de John Quincy Adams, filho de John Adams e sexto presidente (de 1825 a 1829), de obter o segundo mandato.

Em 1828 Andrew Jackson foi eleito o primeiro presidente democrata, servindo de 1829 a 1837. Isso marcou o início do segundo sistema partidário (Second Party System), no qual os partidos Whig e Democrata lutavam entre si. Esse período durou até 1850. O Partido Democrata-Republicano foi dissolvido em 1828, e depois disso o Partido Democrata moderno, que remonta às mesmas tradições, foi fundado. Isso faz do Partido Democrata o mais antigo da nação.

Em 1854 ativistas antiescravistas e ex-membros dos recém-dissolvidos partidos Whig e Free Soil fundaram o Partido Republicano contemporâneo. Abraham Lincoln se tornou o primeiro presidente republicano, servindo de 1861 a 1865. Desde Lincoln, todos os presidentes americanos foram democratas ou republicanos. Até o presidente Donald Trump, foram 19 republicanos e 16 democratas. George Washington foi o único presidente independente, John Adams foi o único federalista. Houve ainda quatro presidentes do Partido Democrata-Republicano e quatro do Partido Whig – o que completa o total de 45 presidentes.

Antes de analisar os dois partidos dominantes, deixe-me esclarecer que, mesmo hoje em dia, não é obrigatória uma filiação partidária para concorrer ao cargo de presidente, basta preencher os pré-requisitos já citados. Um concorrente sem filiação partidária é conhecido como "independente" (*independent*).

Republicanos e democratas têm poucas semelhanças e uma enormidade de distinções. Dizem que o estadista britânico Winston Churchill (1874–1965) cunhou o seguinte aforismo: "Se você não é liberal aos vinte anos, não tem coração; se não é um conservador aos quarenta anos, não tem cérebro". Inspirados na frase, os republicanos brincam que os liberais não têm cérebro, enquanto os democratas brincam que os conservadores não têm coração. Agora, vamos identificar algumas diferenças específicas entre democratas e republicanos:

PARTIDO DEMOCRATA

O Comitê Nacional Democrata (Democratic National Committee – DNC) é o corpo diretivo, sendo liderado por um presidente. O símbolo do partido é um burro, e azul é a cor que representa seus membros, chamados de democratas ou liberais. As ideologias predominantes são o progressismo, o liberalismo moderno e o liberalismo social. Via de regra, os democratas são *pro-choice* (pró-escolha, ou seja, uma mulher grávida tem o direito de interromper a gravidez a qualquer momento), são favoráveis ao corte de impostos apenas para famílias de baixa e média renda, são brandos nas políticas de imigração, defendem o ensino comum na educação K-12 (um conjunto de padrões a serem alcançados por cada aluno em todo o país até a conclusão do ensino médio), pregam por mais empréstimos e subsídios governamentais para o ensino superior, apoiam a diminuição dos gastos militares, advogam pela responsabilidade do governo em fornecer cuidados de saúde e apoiam a ideia de um governo maior (mais programas administrados pelo governo), com mais regulamentação sobre o setor privado. Em relação à interpretação da Constituição, os democratas são construcionistas.

PARTIDO REPUBLICANO

O Comitê Nacional Republicano (Republican National Committee – RNC) é o corpo diretivo, sendo liderado por um presidente. O símbolo do partido é um elefante, e vermelho é a cor que representa seus membros, chamados de republicanos ou conservadores. As ideologias predominantes são o liberalismo econômico, o conservadorismo fiscal e o conservadorismo social. Via de regra, os republicanos são *pro-life* (pró-vida, ou seja, antiaborto), são a favor do corte de impostos para todos, incluindo corporações, são duros nas políticas de imigração, defendem a autonomia dos estados e dos municípios para estabelecer seus próprios parâmetros na educação K-12 (até a conclusão do ensino médio), apoiam a proeminência do setor privado no financiamento do ensino superior, argumentam pelo aumento nos gastos militares, advogam pelo envolvimento de empresas privadas na prestação de cuidados de saúde e apoiam a ideia de um governo menor, que permita aos indivíduos competir e prosperar. Em relação à interpretação da Constituição, os republicanos são originalistas.

Quando um estado não é nem considerado azul (*blue*), nem vermelho (*red*), isto é, não vota predominante e historicamente no Partido Democrata ou no Partido Republicano, é chamado de estado campo de batalha (*battleground state*), estado de balanço (*swing state*) ou estado roxo (*purple state*). Nesses estados, candidatos democratas e republicanos recebem forte apoio, mas sem maioria esmagadora de nenhum dos lados. Portanto, é precisamente nesses estados onde a eleição presidencial americana é decidida, pois eles são suscetíveis de oscilar a destinação de seus votos no Colégio Eleitoral, podendo pender tanto para o candidato democrata como para o republicano.

Após rapidamente os cerca de duzentos anos descritos acima, podemos concluir que a concentração de poder em apenas dois grandes partidos tem sido uma espécie de marca natural da democracia norte-americana: Partido Federalista *versus* Partido Democrata-Republicano, Partido Whig *versus* Partido Democrata, Partido Democrata *versus* Partido Republicano.

Os Estados Unidos desenvolveram um bipartidarismo próprio, disfuncional, que estou batizando de "um partidarismo por vez" (*one partisanship at a time*). Ou seja, cada vez que um dos partidos está no comando, esquece de compartilhar o poder com o outro. Pelo menos atualmente, o sistema bipartidário norte-americano restringe o significado teórico de bipartidarismo, e a falta de consenso se torna mais evidente a cada dia. Nesse sistema peculiar, o obstrucionismo mútuo prevalece; quem detém a Presidência e o dever constitucional de fazer cumprir as leis e implementar as políticas públicas tem cada vez menos margem de manobra. Talvez o saudável e auspicioso sistema de pesos e contrapesos tenha sido distorcido. Aponto essa possibilidade porque, quando o partido do presidente não coincide com o partido dominante em ambas as casas do Congresso, a agenda executiva é drasticamente comprometida. Com isso o alcance da administração se restringe a atos burocráticos rotineiros e iniciativas superficiais.

Essa situação prejudicial resulta da miopia crônica da oposição. Para que a nação prospere nesse ambiente hostil, não apenas deve o presidente ser um estadista habilidoso, como também senadores e deputados da oposição devem superar o egocentrismo mórbido e colocar os interesses do país em primeiro lugar. Uma reviravolta de 180 graus é inequivocamente exigida, não apenas no sistema em si, mas também, antes de tudo, na mentalidade e na atitude dos políticos. Não apenas para o bem dos Estados Unidos, mas também para o bem do mundo inteiro.

As eleições primárias

Antes de uma eleição geral ter início, acontecem milhares de coisas em uma campanha presidencial nos Estados Unidos. O primeiro passo oficial é a temporada das eleições primárias, que consiste em competições em nível estadual, conduzidas particularmente pelo Comitê Nacional Democrata e pelo Comitê Nacional Republicano. Os comitês são responsáveis por estabelecer as diretrizes nacionais e delegar certas decisões aos filiados estaduais.

As primárias resumem-se ao momento em que os partidos determinam seus indicados para a eleição geral seguinte, presumivelmente selecionando as melhores figuras possíveis. Os candidatos fazem campanha em cada estado, a fim de conquistar delegados que os indiquem candidato do partido à Presidência. Os delegados confirmam seus votos nas convenções nacionais.

Podemos presumir, portanto, que as eleições primárias sejam uma maneira inteligente de lidar com todas as divergências entre as muitas facções dos partidos durante as competições em nível estadual, preservando as convenções nacionais de tais disputas. Quando isso acontece com sucesso, evitam-se as denominadas *brokered conventions*, *contested conventions* ou *open conventions* (convenções nas quais há um racha no partido suficiente para não eleger seu candidato em primeira votação). Quando tais rachas são evitados, as convenções nacionais cumprem o objetivo de ser o momento em que a unidade pública partidária atinge seu auge visando a eleição geral na sequência.

Além disso, as eleições primárias ajudam a minimizar a frustração das bases com a influência desproporcional dos figurões nas indicações. Ao buscar mais filiados e engajar os simpatizantes, as primárias também servem como válvula de escape, evitando convenções nacionais contenciosas. Lembremos do ditado: “Para que as coisas permaneçam iguais, é preciso que tudo mude”.

Existem dois tipos de disputa na temporada de primárias: caucus e primária. Para ajudar a estabelecer uma distinção básica, deixe-me dizer que o caucus é mais como uma reunião de vizinhos, no qual as pessoas saem em favor de seus candidatos e discutem os temas antes de votar; os eleitores são mais voláteis e é mais difícil prever o vencedor. As primárias são mais rígidas. Via de regra, os participantes vão direto votar e em seguida saem. As primárias também são mais amplamente disseminadas, e são como disputas estaduais.

É essencial observar que "primárias" também é o termo usado para descrever essa fase e todos os seus eventos de forma mais ampla. As disputas, primárias e caucuses podem ter várias características únicas, mas geralmente são divididas em abertas (*open*), fechadas (*closed*) e mistas (*mixed*).

Uma primária aberta ocorre quando os eleitores podem votar para qualquer candidato de qualquer partido, independentemente da filiação. Em algumas situações, mesmo os eleitores não filiados podem aparecer e votar em qualquer partido. Quando é exigido que os eleitores sejam filiados a um partido e a lista de candidatos é restrita ao respectivo partido, trata-se de primária fechada. Uma primária mista incorpora elementos da primária aberta e da fechada e conta com uma longa lista de regras que variam de estado para estado. Por exemplo, em alguns casos, os eleitores não registrados podem votar, em outros, é obrigatório que os eleitores estejam previamente inscritos, e nesse caso devem cumprir o prazo de cadastramento.

Como já mencionado, as primárias almejam essencialmente o acúmulo de delegados. A alocação está sujeita a fórmulas complexas, que levam em conta a população, os votos no Colégio Eleitoral e outras variáveis. Existem basicamente dois grupos principais de delegados: comprometidos (*pledged*) e não comprometidos (*unpledged*).

Os delegados comprometidos são escolhidos no estado como um todo e por distrito congressional. Eles são obrigados a votar em um determinado candidato na convenção nacional, mas apenas na primeira votação. Se nenhum candidato atingir votos suficientes no primeiro turno, via de regra o delegado comprometido fica livre para apoiar o candidato de sua escolha.

Os delegados não comprometidos não têm obrigação com ninguém. Podem se comprometer espontaneamente a apoiar um candidato e podem mudar de ideia a qualquer momento e em todas as votações. Membros da burocracia partidária e autoridades eleitas são os principais integrantes deste grupo. Os democratas chamam seus delegados não comprometidos de "superdelegados" (*super-delegates*). Já os republicanos não adotam rótulo específico para os delegados não comprometidos e usam um tipo de sistema de bônus para distribuí-los. De todo modo, apenas o número de superdelegados democratas é significativo o suficiente para distorcer um resultado.

Neste momento, é importante perguntar: de modo geral, quem são os delegados comuns? Tendo em mente que as agremiações políticas são estabelecidas nos estados, os delegados são representantes dos partidos em nível estadual que ganham o direito de votar na convenção nacional. Também é essencial esclarecer como esses delegados são votados. Uma visão geral resume-se às seguintes classes: proporcional (*proportional*), "o vencedor leva tudo" (*winner-take-all*) e híbrida (*hybrid*).

As alocações de delegados pelo meio proporcional e "o vencedor leva tudo" são autoexplicativas. Uma alocação é híbrida quando o candidato é obrigado a atender a determinados critérios mínimos para adquirir sua cota de delegados. Alguns estados híbridos podem se tornar "o vencedor leva tudo" se apenas um candidato atingir o limite exigido. De fato, até um estado proporcional pode se tornar "o vencedor leva tudo". A decisão sobre essas nuances complicadas fica a cargo de cada estado.

O Partido Democrata é mais simples e direto na alocação de delegados, adotando o sistema proporcional em todos os estados; contudo, o candidato precisa atingir o mínimo de 15% em uma primária ou caucus. Ou seja, qualquer candidato presidencial deve cumprir o piso mínimo de 15% para ter direito a uma cota dos delegados comprometidos de um estado – tal cota corresponde ao percentual atingido, desde que seja superior a 15%. Mesmo assim, ainda podemos encontrar pequenas variações de estado para estado.

Conforme observei, o número de superdelegados democratas é significativo o suficiente para distorcer um resultado. Quando se adiciona a isso a estabilidade da alocação proporcional de delegados regulares em todos os estados, o resultado é que o processo de indicação no Partido Democrata fica mais atrelado aos caciques do partido.

As convenções nacionais

As convenções nacionais são o ápice da temporada das eleições primárias. A cada quatro anos, as convenções nacionais marcam o final das primárias e o início das eleições gerais. As convenções nacionais são o palco no qual os candidatos dos partidos são oficialmente nomeados, tornando-se seus representantes nas eleições seguintes.

O candidato presidencial é obviamente o porta-estandarte mais importante da agremiação e tem a tarefa de carregar uma bandeira que combine suas crenças pessoais e personalidade com os pilares centrais do programa partidário. Outra função fundamental das convenções nacionais, aliás, é determinar a plataforma do partido – uma proclamação de princípios, propósitos e propostas escolhidos para engajar o máximo de apoiadores.

São meses de discussões para preparar uma plataforma partidária e as próprias convenções. A convocação da convenção nacional (*call of the convention*), realizada no ano anterior ao evento, é uma espécie de convite da organização nacional aos partidos estaduais pedindo que se reúnam em determinado lugar e hora para selecionar seus indicados, especialmente o candidato presidencial. A convocação é o documento que orienta as convenções, contendo os procedimentos, o plano para a apresentação de propostas e o rateio de delegados para cada estado.

As convenções democratas e republicanas são eventos de enorme proporção, impulsionadas pela cobertura completa em todas as mídias. Tradicionalmente, as noites são reservadas para os discursos das grandes personalidades públicas, transmitidos ao vivo para toda a nação, alcançando um público gigantesco.

Além de atividades orientadas para o marketing, visando a galvanizar os apoiadores da base, mobilizar seguidores e conquistar novos simpatizantes, o acontecimento de destaque na convenção nacional é a votação nominal (*roll call vote*). Trata-se da ocasião em que as delegações de cada unidade (estados, D.C. e territórios) são convidadas a informar o número de delegados que estão destinando a cada candidato, de acordo com o resultado das primárias. Via de regra, segue-se a ordem alfabética. Quando um candidato ultrapassa o mínimo para garantir a vitória, torna-se o candidato do partido. O apogeu de uma convenção é certamente o discurso de aceitação (*acceptance address*), quando o candidato proclama formalmente a aceitação da indicação do partido para concorrer à Presidência.

Existe um zilhão de fontes com muitas discrepâncias e todo tipo de informação sobre a campanha presidencial de 2016. Para simplificar, adotei o CNN Politics como referência. Segundo o *site*, havia 2.472 votos disponíveis na convenção nacional republicana, o que significa que eram necessários 1.237 delegados para garantir a indicação. No campo democrata, havia 4.765 votos disponíveis, de forma que eram necessários 2.383 delegados para conquistar a indicação.

As eleições gerais

A eleição ocorre na terça-feira imediatamente após a primeira segunda-feira de novembro, ou seja, entre os dias 2 e 8. Em 2016 a eleição caiu no dia 8 de novembro.

Uma terça-feira e sem ser feriado não é o dia mais conveniente nos tempos de hoje, o que contribui para um menor comparecimento às urnas. A lei de 1845 levou em conta a sociedade agrária norte-americana, quando cavalos e carroças eram o principal meio de transporte. Os eleitores precisavam viajar durante pelo menos três dias inteiros para a votação: um para ir, um para votar e outro para retornar. Não podia haver conflito com os três dias de culto – sexta-feira, sábado e domingo. Assim, restavam a terça ou quarta-feira. Como quarta era dia de fazer compras no mercado, foi escolhida a terça-feira.

De volta ao século 21, além das eleições especiais (*special elections*) – que podem acontecer a qualquer momento para preencher cargos vagos no decorrer dos mandatos –, todos os anos ocorrem eleições regulares nos Estados Unidos. A título de ilustração, vamos examinar as eleições para o Congresso e para o Poder Executivo de 2010 a 2020:

2010: eleição geral (*general election*, realizada em anos pares) – esta em específico é chamada de eleição de meio de mandato (*midterm election*). Estavam em disputa 34 dos cem assentos do Senado (senadores Classe 3), os 435 assentos da Câmara e cinco dos seis assentos de delegados sem direito a voto (Washington, D.C., Samoa Americana, Guam, Marianas Setentrionais e Ilhas Virgens Americanas). Além disso, 36 estados realizaram eleições regulares para governador: Alabama, Alasca, Arizona, Arkansas, Califórnia, Carolina do Sul, Colorado, Connecticut, Dakota do Sul, Flórida, Geórgia, Havaí, Idaho, Illinois, Iowa, Kansas, Maine, Maryland, Massachusetts, Michigan, Minnesota, Nebraska, Nevada, New Hampshire, Nova York, Novo México, Ohio, Oklahoma, Oregon, Pensilvânia, Rhode Island, Tennessee, Texas, Vermont, Wisconsin e Wyoming.

2011: eleição fora de ano (*off-year election*, anos ímpares). Para o Congresso houve apenas eleições especiais. Três estados realizaram eleições regulares para governador: Kentucky, Louisiana e Mississippi.

2012: eleição geral (*general election*, realizada em anos pares). Esta foi a 57ª eleição presidencial. Estavam também em disputa 33 dos cem assentos do Senado (senadores Classe 1), os 435 assentos dos deputados e os seis delegados sem direito a voto na Câmara (Washington, D.C., Samoa Americana, Guam, Marianas Setentrionais, Ilhas Virgens Americanas e Porto Rico). Houve ainda onze disputas regulares de governos estaduais: Carolina do Norte, Dakota do Norte, Delaware, Indiana, Missouri, Montana, New Hampshire, Utah, Virgínia Ocidental, Vermont e Washington.

2013: eleição fora de ano (*off-year election*, anos ímpares). Para o Congresso houve apenas eleições especiais. Dois estados realizaram eleições regulares para governador: New Jersey e Virgínia.

2014: eleição geral (*general election*, anos pares) – esta em específico é chamada de eleição de meio de mandato (*midterm election*). Estavam em disputa 33 dos cem assentos do Senado (senadores Classe 2), os 435 assentos da Câmara e cinco dos seis assentos de delegados sem direito a voto

(Washington, D.C., Samoa Americana, Guam, Marianas Setentrionais e Ilhas Virgens Americanas). Além disso, 36 estados realizaram eleições regulares para governador: Alabama, Alasca, Arizona, Arkansas, Califórnia, Carolina do Sul, Colorado, Connecticut, Dakota do Sul, Flórida, Geórgia, Havaí, Idaho, Illinois, Iowa, Kansas, Maine, Maryland, Massachusetts, Michigan, Minnesota, Nebraska, Nevada, New Hampshire, Nova York, Novo México, Ohio, Oklahoma, Oregon, Pensilvânia, Rhode Island, Tennessee, Texas, Vermont, Wisconsin e Wyoming.

2015: eleição fora de ano (*off-year election*, anos ímpares). Para o Congresso houve apenas eleições especiais. Três estados realizaram eleições regulares para governador: Kentucky, Louisiana e Mississippi.

2016: eleição geral (*general election*, realizada em anos pares). Esta foi a 58ª eleição presidencial. Estavam também em disputa 34 dos cem assentos do Senado (senadores Classe 3), os 435 assentos dos deputados e os seis assentos de delegados sem direito a voto na Câmara (Washington, D.C., Samoa Americana, Guam, Marianas Setentrionais, Ilhas Virgens Americanas e Porto Rico). Houve ainda onze disputas regulares de governos estaduais: Carolina do Norte, Dakota do Norte, Delaware, Indiana, Missouri, Montana, New Hampshire, Utah, Virgínia Ocidental, Vermont e Washington.

2017: eleição fora de ano (*off-year election*, anos ímpares). Para o Congresso houve apenas eleições especiais. Dois estados realizaram eleições regulares para governador: New Jersey e Virgínia

2018: eleição geral (*general election*, anos pares) – esta em específico é chamada de eleição de meio de mandato (*midterm election*). Em disputa, 33 dos cem assentos do Senado (senadores Classe 1), os 435 assentos da Câmara e cinco dos seis assentos de delegados sem direito a voto (Washington, D.C., Samoa Americana, Guam, Marianas Setentrionais e Ilhas Virgens Americanas). Além disso, 36 eleições regulares para governador: Alabama, Alasca, Arizona, Arkansas, Califórnia, Carolina do Sul, Colorado, Connecticut, Dakota do Sul, Flórida, Geórgia, Havaí, Idaho, Illinois, Iowa, Kansas, Maine, Maryland,

Massachusetts, Michigan, Minnesota, Nebraska, Nevada, New Hampshire, Nova York, Novo México, Ohio, Oklahoma, Oregon, Pensilvânia, Rhode Island, Tennessee, Texas, Vermont, Wisconsin e Wyoming.

2019: eleição fora de ano (*off-year election*, anos ímpares). Para o Congresso, apenas eleições especiais. Três eleições regulares para governador: Kentucky, Louisiana e Mississippi.

2020: eleição geral (*general election*, realizada em anos pares) – 59ª eleição presidencial. Também em disputa: 33 dos cem assentos do Senado (senadores Classe 2), os 435 assentos dos deputados e os seis assentos de delegados sem direito a voto na Câmara (Washington, D.C., Samoa Americana, Guam, Marianas Setentrionais, Ilhas Virgens Americanas e Porto Rico). E ainda mais onze disputas regulares de governos estaduais: Carolina do Norte, Dakota do Norte, Delaware, Indiana, Missouri, Montana, New Hampshire, Utah, Virgínia Ocidental, Vermont e Washington.

Como se pode ver, onze estados elegem governadores junto com o presidente, 36 escolhem seus governadores nas eleições de meio de mandato, e outros cinco definem seus governadores nas eleições fora de ano (Kentucky, Mississippi e Louisiana no ano anterior à eleição presidencial, e New Jersey e Virgínia no ano seguinte). O total de 11 + 36 + 5 é 52. Como se sabe, os Estados Unidos têm cinquenta estados, mas, como New Hampshire e Vermont elegem governadores a cada dois anos, esses estados aparecem repetidos. Os mandatos dos demais 48 governadores têm quatro anos de duração.

Na Câmara Federal, cinco dos seis delegados sem direito a voto cumprem mandatos de dois anos. A exceção é o delegado de Porto Rico, chamado de comissário residente (*resident commissioner*), que ocupa o cargo por quatro anos.

Voltando às eleições especiais, já sabemos que elas podem ocorrer a qualquer momento para preencher vagas que surjam quando, por exemplo, um político eleito morre ou tem de renunciar ao longo de um mandato.

Nesses casos, o candidato vencedor da eleição especial ocupa o cargo apenas pelo tempo restante do mandato original.

No caso do Congresso, a Constituição determina que as vagas na Câmara só podem ser preenchidas mediante eleição especial no distrito congressional do antigo deputado, convocada pelo governador do estado. A Constituição não estipula como as vagas no Senado devem ser preenchidas; assim, depende de cada estado. Via de regra, o governador indica um substituto imediatamente, e este permanece no cargo até a eleição especial ser realizada. Cabe ao governador decidir se a eleição especial será realizada junto com a eleição regular seguinte ou em uma data específica apenas para preencher a vaga.

O Colégio Eleitoral

O Colégio Eleitoral (Electoral College) não é um local nem um grupo de pessoas; é um processo. O processo do Colégio Eleitoral é gerido pela Administração Nacional de Arquivos e Registros (National Archives and Records Administration), que não tem jurisdição sobre as eleições gerais. O Colégio Eleitoral é a fase decisiva da eleição presidencial norte-americana. É essencial ter em mente que, embora uma disputa presidencial seja nacional por definição, nos Estados Unidos ela é mais bem entendida como uma corrida de estado a estado.

Cada estado tem sua quantidade específica de votos eleitorais (*electoral votes*), que são o resultado de seu número de distritos congressionais (número de deputados na Câmara dos Deputados) mais o número de senadores (2) – conforme ordenado pela Constituição. Aqui o conceito "o vencedor leva tudo" é praticamente absoluto, sendo os estados do Maine e Nebraska as duas únicas exceções. Nessas duas unidades, o candidato presidencial vencedor em cada distrito congressional adquire um voto eleitoral, e o vencedor no estado como um todo fica com os dois votos adicionais.

Os cinco territórios não participam dessa fase, mas Washington, D.C., sim, tendo o número mínimo de eleitores (*electors*) assegurado aos menores estados: três. Por conseguinte, são 538 votos eleitorais, e a eleição para presidente requer 270 votos. Se ninguém alcança o número mágico, a Câmara escolhe o presidente entre os três candidatos mais votados pelos eleitores, mas nessa instância cada delegação estadual tem um voto único e igual. O vice-presidente é escolhido pelo Senado entre os dois candidatos mais votados pelos eleitores, e cada senador tem direito a um voto individual.

Didaticamente, deixe-me sublinhar que os 538 votos eleitorais representam a soma de 435 distritos congressionais, cem senadores e três votos do Distrito de Colúmbia. Assim, a maioria esmagadora dos 538 eleitores, exatamente 435, são distribuídos pelo censo. Nas eleições de 2016, foram utilizados os números do censo de 2010, que vão vigorar de 2012 a 2020. Os eleitores estão distribuídos da seguinte forma:

- Alabama: 9
- Alasca: 3
- Arizona: 11
- Arkansas: 6
- Califórnia: 55
- Carolina do Norte: 15
- Carolina do Sul: 9
- Colorado: 9
- Connecticut: 7
- Dakota do Norte: 3
- Dakota do Sul: 3
- Delaware: 3
- Distrito de Colúmbia: 3
- Flórida: 29
- Geórgia: 16
- Havaí: 4
- Idaho: 4
- Illinois: 20
- Indiana: 11

- Iowa: 6
- Kansas: 6
- Kentucky: 8
- Louisiana: 8
- Maine: 4
- Maryland: 10
- Massachusetts: 11
- Michigan: 16
- Minnesota: 10
- Mississippi: 6
- Missouri: 10
- Montana: 3
- Nebraska: 5
- Nevada: 6
- New Hampshire: 4
- New Jersey: 14
- Novo México: 5
- Nova York: 29
- Ohio: 18
- Oklahoma: 7
- Oregon: 7
- Pensilvânia: 20
- Rhode Island: 4
- Tennessee: 11
- Texas: 38
- Utah: 6
- Vermont: 3
- Virgínia: 13
- Virgínia Ocidental: 5
- Washington: 12
- Wisconsin: 10
- Wyoming: 3

Como não há legislação que obrigue os cidadãos a votar, o Colégio Eleitoral serve para aperfeiçoar uma eventual discrepância no comparecimento de estado a estado. Como já observei, os censos decenais são o principal fator no rateio dos eleitores; portanto, a regra garante que todos os estados participem com certa proporcionalidade no processo, independentemente do comparecimento do eleitor. Considerando que todos os estados têm dois senadores, em última análise os estados pequenos têm a influência aumentada significativamente.

Para ilustrar, os estados que contam com apenas um deputado federal cada – Alasca, Delaware, Montana, Dakota do Norte, Dakota do Sul, Vermont e Wyoming – somam sete dos 435 assentos da Câmara. Isso representa cerca de 1,61%. No entanto, com seus senadores, os sete estados somam 21 dos 538 eleitores, o que equivale a cerca de 3,9%. Como resultado disso, esses sete estados experimentam um aumento de cerca de 242% em sua influência. Washington, D.C., também tem enorme fortalecimento por meio desse processo. De modo semelhante, os estados do Havaí, Idaho, Maine, New Hampshire e Rhode Island, que têm apenas dois deputados federais cada; e Nebraska, Novo México e Virgínia Ocidental, cada um com três assentos na Câmara. Em suma, esses quinze estados salvaguardam a existência do Colégio Eleitoral, conforme formulado por seus autores no século 18. E a razão é simples: uma emenda constitucional só entra em vigor se ratificada por 38 estados.

Feitas tais observações, esclareço agora o que realmente acontece no dia da eleição. Quando os cidadãos em todo o país votam para presidente e vice, na verdade estão selecionando os eleitores para o Colégio Eleitoral (*electors*), ou seja, os representantes que se comprometem a votar naquela específica chapa presidencial no Colégio Eleitoral. Dependendo das regras de cada estado, os nomes dos membros potenciais do Colégio Eleitoral podem ou não ser exibidos na cédula.

Esse é o segundo e último passo na seleção dos membros do Colégio Eleitoral. Antes do dia da eleição, cada partido já determinou sua lista de potenciais eleitores em cada estado. Normalmente, os eleitores são pessoas ligadas aos partidos, e de fato qualquer cidadão que esteja em dia com seus deveres cívicos pode se tornar eleitor. No entanto, as leis estaduais variam, de modo que podem definir outras qualificações e requisitos. Além disso, o Artigo 2 da Constituição estipula que "nenhum senador, deputado ou pessoa que ocupe um cargo federal remunerado ou honorífico poderá ser nomeado eleitor".

Após a seleção dos eleitores, cada governador emite sete originais dos certificados de apuração (*certificates of ascertainment*). Um deles deve ser enviado à Administração Nacional de Arquivos e Registros, os outros seis são guardados para serem usados no dia do encontro de eleitores (*meeting of electors*). Os certificados de apuração são os documentos formais que ratificam os eleitores, conferindo-lhes a legitimidade para representar seus estados no encontro de eleitores. Além disso, contêm informações extras sobre os resultados das eleições; em última análise, os certificados de apuração são a declaração oficial de quem foi o candidato presidencial vitorioso em cada estado.

O encontro de eleitores ocorre na segunda-feira imediatamente após a segunda quarta-feira de dezembro – data estabelecida pelo Congresso. Em 2016 caiu no dia 19 de dezembro. Normalmente, essas reuniões ocorrem nas casas legislativas estaduais, devendo ser realizadas em cada estado separadamente. Portanto, de fato o "encontro de eleitores" são 51 diferentes encontros que acontecem nos cinquenta estados e em Washington, D.C. Essa disposição consta na 12ª Emenda constitucional e tem por objetivo obstruir quaisquer tentativas de manipulação, o que poderia acontecer se houvesse uma reunião única.

Considerando tudo isso, podemos concluir que o dia do encontro de eleitores é o dia em que o presidente na verdade é eleito. Ao pé da letra, é o dia em que o presidente designado, a partir dos resultados das eleições gerais, se torna mesmo o presidente eleito. Portanto, trata-se de uma data solene, cheia de procedimentos formais.

Concluído o encontro de eleitores, os resultados são registrados em seis vias originais de certificados de voto (*certificates of vote*), que são juntadas aos seis certificados de apuração. Então, os eleitores assinam, selam e declaram válido o pacote com os votos eleitorais. Esses documentos são enviados às autoridades federais e estaduais competentes. Depois disso, é preparada a sessão conjunta do Congresso (*joint session of Congress*), tradicionalmente realizada no plenário da Câmara. Nessa ocasião os votos eleitorais são contados, e o presidente e o vice-presidente eleitos são oficialmente declarados. Na qualidade também de presidente do Senado, o vice-presidente do país conduz a reunião, proclama os resultados e declara os vencedores (no ciclo de 2016, a sessão conjunta ocorreu em 6 de janeiro de 2017).

Então, ao meio-dia de 20 de janeiro, um novo mandato presidencial tem início, tão logo o presidente e vice-presidente eleitos tenham feito seus juramentos e sido empossados. As cerimônias de posse e o tradicional almoço (*luncheon*) são realizados no Capitólio. As festividades continuam com o desfile do presidente e vice-presidente (*inaugural parade*) pela avenida Pensilvânia até a Casa Branca, que tem como endereço 1600 Pennsylvania Avenue.

Desde 1937 o dia da posse presidencial (Inauguration Day) é 20 de janeiro do ano seguinte ao da realização das eleições presidenciais, por consequência da 20ª Emenda à Constituição – antes era em 4 de março. Naquele dia de 1937, o presidente que mais tempo ficou no poder na história americana foi empossado para seu segundo mandato. Estou me referindo a Franklin Delano Roosevelt (FDR, como é chamado), que foi presidente de 1933 a 1945, tendo morrido no início de seu quarto mandato.

Como um resumo didático, listo na sequência os procedimentos e datas cruciais no processo do Colégio Eleitoral – sendo as datas específicas para o ciclo de 2016:

- 8 de novembro de 2016: eleições gerais; originam os certificados de apuração.
- 19 de dezembro de 2016: encontro de eleitores; produz os certificados de voto.

- 6 de janeiro de 2017: sessão conjunta do Congresso; conta os votos, proclama os resultados e declara os vencedores.
- 20 de janeiro de 2017: dia da posse presidencial; presidente e vice eleitos fazem o juramento de posse e se tornam presidente e vice-presidente dos Estados Unidos.

Concluindo este segmento, é importante destacar três elementos interligados: o eleitor infiel; o pensamento dos pais fundadores; e a soberania popular.

Não há comando legal federal que obrigue os membros do Colégio Eleitoral a votar no candidato que conquistou o voto popular em seus estados. Embora vários estados tenham provisões para tal questão, as sanções são todas muito brandas. Portanto, tudo o que vincula os eleitores aos vencedores do voto popular é um compromisso consuetudinário. A propósito, historicamente as exceções a essa tradição são muito raras, sendo chamadas de eleitores infiéis (*faithless electors*).

Quando os pais fundadores conceberam o Colégio Eleitoral, tinham em mente uma maneira de eventualmente filtrar a vontade do povo, pois eram céticos quanto ao discernimento dos votantes. Havia um forte sentimento de que os cidadãos eram muito pouco informados sobre os caráteres pessoais, e passíveis de serem enganados. Em 1787 James Madison (presidente de 1809 a 1817) abordou essa possível armadilha nos "Documentos federalistas" (*Federalist Papers*): "Homens de temperamento faccioso, de preconceitos locais ou de projetos sinistros podem, por intriga, por corrupção ou por outros meios obter primeiro os sufrágios e depois trair os interesses das pessoas".

Com base na raridade dos eleitores infiéis, vemos que o Colégio Eleitoral nunca entendeu ser necessário aperfeiçoar a vontade do povo. A soberania popular provou-se confiável e, portanto, foi preservada ao longo da história do país.

FECA e FEC

FECA é o acrônimo para a Lei Federal de Campanha Eleitoral (Federal Election Campaign Act) de 1971, sancionada pelo presidente Richard Nixon em 7 de fevereiro de 1972, que regula as contribuições e despesas de campanha. A FECA é a principal lei em vigor sobre esses assuntos no país e deu origem à FEC (Federal Election Commission). Nada pode explicar melhor o que é a FEC do que a sessão "about the FEC" (sobre a FEC) de seu *website*:

> Em 1975, o Congresso criou a Comissão Federal de Eleições (FEC) para administrar e fazer cumprir a Lei Federal de Campanha Eleitoral (FECA) – o estatuto que rege o financiamento das eleições federais. Os deveres da FEC, que é uma agência reguladora independente, são divulgar informações de financiamento de campanha, fazer cumprir as disposições da lei, como os limites e proibições de contribuições, e supervisionar o financiamento público das eleições presidenciais.
>
> A comissão é composta por seis membros, nomeados pelo presidente e confirmados pelo Senado. Cada membro tem um mandato de seis anos, e dois assentos estão sujeitos a nomeação a cada dois anos. Por lei, não mais de três comissários podem ser membros do mesmo partido político, e pelo menos quatro votos são necessários para qualquer ação oficial da comissão. Essa estrutura foi criada para incentivar decisões não partidárias. A presidência da comissão é revezada entre os membros todos os anos, sem que nenhum membro seja presidente mais de uma vez durante o seu mandato.

Apesar do papel fundamental desempenhado pela FECA e pela FEC, elas não foram suficientes para impedir que o financiamento de campanhas eleitorais seja assunto contencioso na política norte-americana – e os Super PACs estão no centro desse debate.

Super PACs

Antes de o Super PAC se tornar super, era apenas PAC: Comitê de Ação Política (Political Action Committee). O presidente Franklin Delano Roosevelt foi o beneficiário do primeiro PAC. O Congresso das Organizações Industriais (Congress of Industrial Organizations) estabeleceu o PAC para impulsionar a candidatura de Roosevelt em 1944, quando ele foi eleito para seu quarto mandato.

No entanto, o PAC só virou centro das atenções a partir de modificações da FECA em 1974. Tais alterações propiciaram que o PAC que surgiu em 1974 tenha sido provavelmente o primeiro a driblar o espírito original da lei: refrear a influência do dinheiro nas campanhas políticas.

Como se não bastasse, após isso os PACs se tornaram Super PACs, também conhecidos como comitês independentes de despesas (Independent Expenditures Only Committees). Em janeiro de 2010, a Suprema Corte garantiu formação legal e irrestrita para os Super PACs. A decisão foi fundamentada na 1ª Emenda da Constituição, que garante o direito à liberdade de expressão.

O nome desse caso é Citizens United v. Federal Election Commission. Não só a ação judicial, mas também o assunto como um todo, são comumente referidos como Citizens United. Em suma, a decisão Citizens United lançou as bases de uma nova era, em que quantias ilimitadas de dinheiro são legalmente despejadas no processo político americano.

Apenas por curiosidade, os Super PACs são diferentes dos PACs por não haver permissão para doar dinheiro diretamente aos candidatos que buscam cargo político. No entanto, os Super PACs têm um poder incomensurável tanto para promover candidatos quanto para advogar contra eles. Também podem fazer propaganda política dissimulada a favor ou contra, protegidos pelo véu de questões mais dignas, incluindo, por exemplo, o apoio a específicas ideologias.

Com relação à decisão Citizens United, na época Anthony McLeod Kennedy, o ministro decano da Suprema Corte, afirmou: "Agora concluímos que gastos independentes, incluindo aqueles feitos por corporações, não dão origem a corrupção ou a aparência de corrupção".

Concluo dizendo que a situação resultante é embaraçosa. Imagine a circunstância em que todos fingem que algo é "cara", quando na verdade todo mundo sabe que é "coroa". Os Super PACs são apenas uma dessas situações. De um jeito ou de outro, os Super PACs parecem intocáveis enquanto todos estiverem felizes com essa fantasia.

3

O AQUECIMENTO

O caminho para a Casa Branca é surpreendente. Há muitos marcos, mas nada se compara ao dia da 58ª eleição presidencial dos EUA – 8 de novembro de 2016. Depois disso, o ápice dessa jornada e o marco zero de um novo momento da história acontecem no dia da posse do 45º presidente – 20 de janeiro de 2017.

Portanto, vamos incluir uma breve visão geral do processo completo:

- 2015, até julho: os candidatos divulgam suas intenções de concorrer.
- 2015, após os anúncios das candidaturas e até dezembro: os concorrentes fazem campanha por si e participam de debates com adversários.
- 2016, primeiro semestre: temporada das eleições primárias.
- 2016, julho: convenções nacionais.
- 2016, de agosto a novembro: a eleição geral.
- 2016, 8 de novembro: o dia da eleição.
- 2016–2017, de novembro a janeiro: as outras etapas do processo do Colégio Eleitoral, principalmente:
    - o encontro de eleitores, em 19 de dezembro;
    - a sessão conjunta do Congresso, em 6 de janeiro.
- 2017, 20 de janeiro: dia da posse presidencial.

Os pontos anteriores resumem um processo de nomeação presidencial extremamente longo.

Após essa rápida introdução, esclareço que esta edição em português é bem menor do que o livro original, *It Was About Hope*, escrito em inglês e lançado nos Estados Unidos em dezembro de 2017. Enquanto o marco zero do livro original é 8 de setembro de 2015, agora o nosso relato começa no final de julho, ou, oficialmente, em 1º de agosto de 2016; aqui saltamos praticamente direto para a eleição geral. Mas, antes dela, vamos saber um pouco sobre as convenções nacionais.

As convenções nacionais

As convenções nacionais são o *grand finale* da longa, estressante e prazerosa temporada das eleições primárias. Assim, marcam a transição das primárias para as eleições gerais. As convenções nacionais são o ambiente oficial da definição da plataforma dos partidos para as eleições gerais, bem como dos eventos de nomeação oficial dos candidatos à Presidência. Aqui vamos considerar apenas as convenções dos partidos Republicano e Democrata.

A convenção nacional republicana

De 18 a 21 de julho, Cleveland recebe os republicanos, que realizam sua convenção nacional na Quicken Loans Arena, conhecida como "The Q". Provavelmente, o principal motivo para a convenção ser em Cleveland é o fato de Ohio ser um campo de batalha crucial. Desde 1964, com Lyndon Johnson, todo candidato presidencial vencedor conquistou o estado.

O tema da convenção nacional republicana é "Tornar a América grande outra vez" (Make America Great Again), e cada dia tem um tópico específico:

Segunda-feira: "Tornar a América segura outra vez".
Terça-feira: "Fazer a América funcionar outra vez".
Quarta-feira: "Tornar a América a número 1 outra vez".
Quinta-feira: "Tornar a América una outra vez".

Uma parte significativa do alto escalão do Partido Republicano não comparece. Enquadram-se nessa categoria os dois derrotados nas eleições presidenciais anteriores – Mitt Romney (2012) e John McCain (2008) –, assim como o ex-presidente George W. Bush (eleito em 2000 e 2004). Temos que voltar a 1996 para encontrar um ex-candidato republicano presente – Bob Dole, que apoia Donald Trump. Quanto aos dezesseis candidatos desbancados por Trump, até onde sei, parece justo dizer que apenas três defendem explicitamente o presumível candidato em público: Mike Huckabee, Ben Carson e Chris Christie.

Embora não muito substancial, no primeiro dia houve um alvoroço na convenção provocado por militantes do #NeverTrump. Contudo, quando os oradores do horário nobre apareceram, a multidão se concentrou em suas mensagens.

O ex-governador do Texas e candidato presidencial Rick Perry conclamou à unidade e mostrou seu compromisso com o partido: "Trata-se do futuro da América. Eu sou americano. Sou republicano. E estou no time".

Rudy Giuliani, ex-prefeito de Nova York, também ofereceu uma mensagem conciliadora e tocante: "Quando eles [policiais] vêm salvar sua vida, não perguntam se você é negro ou branco, eles apenas vêm salvá-lo".

Então, foi a vez de a família brilhar. Melania foi a primeira e a única a ser apresentada por Trump, que adentrou o palco banhado em luz ofuscante, enquanto "We Are the Champions", do Queen, embalava o público. Depois de alguns "muito obrigado" e "vamos ganhar, vamos ganhar de lavada", Trump foi breve e meigo: "Senhoras e senhores, é uma grande honra apresentar a próxima primeira-dama dos Estados Unidos, minha esposa, mãe maravilhosa, uma mulher incrível, Melania Trump. Muito obrigado".

Melania encantou o público com sua beleza e delicadeza. Foi um momento brilhante e o ápice do primeiro dia da convenção nacional republicana. É muito raro Melania Trump aparecer em público. Ironicamente, a ocasião especial foi ofuscada pela acusação de plágio. O fato é que em 2008, quando a primeira-dama Michelle Obama desempenhou o mesmo papel na convenção nacional democrata, falou algumas frases muito semelhantes às proferidas por Melania. Vamos comparar:

> MELANIA TRUMP EM 2016
>
> Meus pais incutiram em mim os valores de que você trabalha duro pelo que quer na vida, que sua palavra é seu compromisso e que você faz o que diz e cumpre sua promessa, que você trata as pessoas com respeito. Me ensinaram e mostraram valores e moral na vida cotidiana. Essa é a lição que continuo a transmitir ao nosso filho. E precisamos passar essas lições para as muitas gerações por vir. Porque queremos que nossas crianças nessa nação saibam que o único limite para suas conquistas é a força de seus sonhos e sua disposição de trabalhar por eles.
>
> MICHELLE OBAMA EM 2008
>
> Barack e eu fomos criados com muitos valores iguais: que você trabalha duro pelo que quer na vida; que sua palavra é seu compromisso e que você faz o que diz que vai fazer, que você trata as pessoas com dignidade e respeito, mesmo que não as conheça e mesmo que não concorde com elas. Barack e eu nos dispusemos a construir vidas guiados por esses valores e passá-los para a próxima geração. Porque queremos que nossas filhas – e todas as crianças desta nação – saibam que o único limite para o tamanho de suas conquistas é o alcance de seus sonhos e sua disposição de trabalhar por eles.

As frases semelhantes eram apenas parte do longo discurso proferido por Melania, mas evidentemente eclipsaram todo o resto. O grande *glamour* do momento foi apagado. A situação foi exacerbada porque, pouco antes de sua aparição, Melania contou à NBC News sobre a preparação do discurso: "Li uma vez para repassar e era isso, porque eu escrevi, e com o mínimo de ajuda possível". Agora Melania encontra-se em uma situação desconfortável.

À noite, o consultor sênior de comunicações da campanha de Trump, Jason Miller, divulgou uma declaração sobre a controvérsia: "Ao escrever o belo discurso, a equipe de redatores de Melania fez anotações sobre as inspirações de sua vida e, em alguns casos, incluiu fragmentos que refletem o pensamento dela. A experiência de imigrante e o amor de Melania pela América brilharam em seu discurso, o que fez dele um sucesso".

Teoricamente, alguém tem que levar a culpa – qualquer um, exceto a próxima primeira-dama. Aparentemente, Melania foi vítima de incompetência alheia ou caiu em uma armadilha; ambas as alternativas, horríveis.

De volta à convenção, o clima não parece estar amenizando. O ex-presidente Bush fizera uma declaração das mais impressionantes: "Temo ser o último presidente republicano". Na verdade, George W. Bush havia expressado essa preocupação em abril, durante uma reunião com alguns dos assessores em Dallas, mas as observações só vieram a público durante a realização da convenção, quando um dos participantes do episódio vazou a informação.

No segundo dia, o tema é "Fazer a América funcionar outra vez". No entanto, o momento mais importante é a votação nominal, quando cada delegação declara seus votos para determinado candidato, de acordo com os resultados das respectivas primárias. O secretário da convenção chama as 56 unidades – os cinquenta estados, os cinco territórios e o Distrito de Colúmbia – por ordem alfabética. Cada presidente de delegação faz breves observações e pronuncia o total dos votos. Os números são verificados, "de acordo com o anúncio da delegação e as regras dessa convenção", e então o secretário ou o secretário adjunto repete o nome da unidade e o número final – que é formalmente registrado e validado.

O momento crucial em que Trump atingiu o número mágico foi planejado para ocorrer com os votos de seu estado natal, Nova York. E não foi um delegado qualquer que declarou: "Tive a incrível honra de fazer parte da jornada desse processo eleitoral e assistir ao que meu pai fez como parte desse movimento. (...) Tenho a honra de alçar Donald Trump acima do requisitado na contagem de delegados hoje à noite, com 89 delegados. (...) Parabéns, pai! Nós te amamos!" – foi Donald Trump Júnior, cercado pelos irmãos.

A votação nominal representou o verdadeiro esforço de última hora para o movimento #NeverTrump, mas não teve jeito. Agora, Donald John

Trump pode aposentar o termo "presumível" e se declarar simplesmente candidato. Para ser mais preciso, tecnicamente ele se tornará o candidato republicano apenas após aceitar a indicação, o que ocorrerá na noite de quinta-feira. Aqui vigora o mesmo conceito do casamento, em que ambas as partes devem pronunciar o "eu aceito" – a declaração de consentimento. Em outras palavras, a partir desse instante, apenas Trump pode "dispensar Trump", recusando a indicação.

De acordo com o CNN Politics, a contagem final dos 2.472 delegados votantes – com três abstenções – foi a seguinte: 1.725 para Donald Trump, 484 para Ted Cruz, 125 para John Kasich, 123 para Marco Rubio, 7 para Ben Carson, 3 para Jeb Bush e 2 para Rand Paul. O candidato a vice-presidente Mike Pence, escolhido por Trump, foi indicado por aclamação, o que exige um mínimo de oito estados apoiando a candidatura.

Depois de tudo concluído, Trump falou da Trump Tower em Nova York, agradecendo aos delegados pela nomeação. O discurso oficial de aceitação está marcado para quinta-feira.

A essa altura podemos confirmar que Donald Trump vai se tornar o primeiro candidato de um grande partido sem experiência prévia em cargos eletivos nos últimos 64 anos; isto é, desde o general Dwight Eisenhower, em 1952. Além disso, o neófito Trump conseguiu evitar uma convenção aberta, o que parecia provável. Independentemente de toda a retórica intensa, o simples fato de que no início havia dezessete participantes poderosos e experientes é ampla evidência dessa conquista.

Curiosamente, os dois nomes mais influentes na história do Partido Republicano tiveram de enfrentar batalhas na arena da convenção. Abraham Lincoln ganhou a dele, enquanto Ronald Reagan perdeu. Em 1860 Lincoln foi um vencedor inesperado e assegurou a indicação apenas no terceiro dia de uma convenção especialmente dura. Foi a segunda convenção da história do Partido Republicano, e a primeira em que essas divisões ocorreram. A última vez em que as primárias não decidiram o candidato antes da convenção foi em 1976. Naquele ano Reagan não conseguiu o apoio necessário, e o então presidente Gerald Ford assegurou a nomeação na primeira votação.

De volta a 2016, a convenção contou com grandes discursos de personalidades como Mike Pence, Paul Ryan, Mitch McConnell, Reince Priebus, Donald Trump Jr., Eric Trump, Tiffany Trump, Marco Rubio, Scott Walker, Ben Carson, Newt Gingrich e Laura Ingraham, que foi particularmente surpreendente. Vamos dar uma olhada nos discursos proferidos pelo governador Chris Christie e pelo senador Ted Cruz.

Christie, governador de New Jersey, teve desempenho singular, lançando mão de suas habilidades como ex-promotor, mais do que como atual governador. Ele literalmente sacudiu a plateia. A interação entre o orador e os presentes foi extraordinária:

> Nas últimas semanas, vimos o Departamento de Justiça se recusar a processá-la [Hillary]. Nos últimos oito anos, vimos esse governo se recusar a responsabilizá-la por seu triste histórico como secretária de Estado. Então, vamos fazer uma coisa divertida esta noite. Hoje à noite, como ex-promotor federal, saúdo a oportunidade de responsabilizar Hillary Rodham Clinton por seus atos e seu caráter. (...) Vamos fazer o seguinte. Vamos apresentar os fatos para vocês. Esta noite vocês serão o júri dela, tanto neste salão como em suas salas de estar por toda a nossa nação. Vejam, uma vez que o Departamento de Justiça se recusa a permitir que vocês deem um veredito, vou apresentar o caso contra Hillary Rodham Clinton agora.

Christie repassou inúmeros episódios controversos da trajetória de Hillary, fazendo uma pausa após a narração de cada um para perguntar "Ela é culpada ou inocente?", ao que a multidão gritava: "Culpada!". Além disso, os participantes entoaram um mantra ensurdecedor: "Prendam ela, prendam ela!".

O governador encerrou seu discurso assim: "Não podemos promover a comandante em chefe alguém que torna o mundo um lugar mais violento e perigoso com todos os maus julgamentos que faz. Não podemos tornar chefe das polícias dos Estados Unidos alguém que arriscou os segredos da América e mentiu para o povo norte-americano sobre isso, dia após dia".

Ted Cruz, senador do Texas, também teve desempenho singular, mas na direção contrária. Ele foi vaiado pela plateia ao não endossar Trump de maneira explícita. O mais próximo que ele chegou disso foi: "Por favor, não fiquem em casa em novembro. Se vocês amam seu país e amam seus filhos tanto quanto eu amo, tomem partido e falem, votem com consciência, votem em candidatos em quem confiem para defender nossa liberdade e ser fiéis à Constituição".

A partir daquele momento, a mudança de humor da plateia foi drástica. Quando a multidão percebeu que não haveria apoio explícito, começou a entoar: "Trump, Trump, Trump!". Alguns gritaram "vá embora!" e "diga o nome dele [Trump]!". O senador Cruz se referiu ao ex-rival na disputa apenas no início de sua fala, quando declarou: "Quero parabenizar Donald Trump por conquistar a indicação na noite passada". Foi a única alusão específica.

Obviamente descontente com a atitude de Cruz, que ele convidara pessoalmente para a celebração, Trump decidiu roubar a cena. Assim, enquanto Cruz ainda estava no palco falando, Trump entrou no salão para acenar e sorrir para seus partidários, atraindo toda a atenção para si. Foi uma situação inacreditavelmente constrangedora. Como resultado, a esposa de Cruz, Heidi, acabou deixando a convenção escoltada pela segurança.

Sem dúvida Ted Cruz decidiu se diferenciar dos outros – em especial de Paul Ryan e Marco Rubio. Cruz foi à convenção só para marcar presença como a consciência do partido, por assim dizer; assim, caso Hillary vença, ele obviamente estará em uma boa posição para reivindicar esse título.

Antes de nos voltarmos para o discurso de aceitação, deixe-me destacar alguns aspectos da mensagem de Ivanka Trump. A filha mais velha de Donald Trump não apenas apresentou o pai, como também aproveitou o momento para amenizar preocupações a respeito de assuntos que permearam as primárias e certamente estarão presentes nas eleições gerais. Ela representa um valioso reforço para o pai candidato. Aqui estão as frases principais:

> Ele [Trump] é cego para a cor e neutro para o sexo, ele contrata a melhor pessoa para o trabalho, ponto. (...) Para as pessoas de

> toda a América, eu garanto: quando vocês tiverem meu pai do seu lado, vocês nunca mais terão que se preocupar com decepção. Ele lutará por vocês o tempo todo, até o fim, em todas as ocasiões. (...) Por mais de um ano, Donald Trump foi o defensor do povo e hoje ele é o candidato do povo. (...) Eu o tenho amado e respeitado por toda a minha vida. E não poderia estar mais orgulhosa hoje ao apresentar para vocês e para toda a América meu pai e nosso próximo presidente, Donald J. Trump.

Trump subiu ao palco, abraçou Ivanka, saudou o público e aproximou-se do microfone. Os participantes aplaudiram, e Trump disse "obrigado" várias vezes. A primeira parte do discurso foi o "eu aceito" oficial. Ele declarou: "Amigos, delegados e compatriotas americanos: com humildade e gratidão, aceito a indicação republicana para a Presidência dos Estados Unidos".

Após a declaração de consentimento oficial e formal, a multidão começou a entoar: "USA, USA, USA!". Trump entoou junto. Quando a plateia enfim se acalmou, Trump começou:

> Quem teria acreditado, quando demos início a essa jornada, em 16 de junho do ano passado – e eu digo "nós" porque somos uma equipe –, que receberíamos quase 14 milhões de votos, a maior votação da história do Partido Republicano, e que o Partido Republicano ganharia 60% mais votos do que os recebidos quatro anos atrás. Os democratas, por outro lado, receberam quase 20% menos votos do que há oito anos. Juntos, conduziremos nosso partido de volta à Casa Branca e levaremos nosso país de volta à segurança, prosperidade e paz. Seremos um país de generosidade e cordialidade. Mas também seremos um país de lei e ordem. Nossa convenção ocorre em um momento de crise em nossa nação. Os ataques à nossa polícia e o terrorismo em nossas cidades ameaçam nosso estilo de vida. Qualquer político que não compreenda esse perigo não está apto a liderar nosso país. Os americanos que estão

> assistindo a este discurso esta noite viram as imagens recentes de violência em nossas ruas e o caos em nossas comunidades.

Dito isso, Trump lembrou o público de muitos exemplos para fundamentar sua argumentação. Tentou especificamente sensibilizar a base democrata:

> Quase quatro em cada dez crianças afro-americanas vivem na pobreza, enquanto 58% dos jovens afro-americanos não estão empregados. Mais dois milhões de latinos estão na pobreza hoje do que quando o presidente Obama fez seu juramento de posse, há menos de oito anos. Outros 14 milhões de pessoas deixaram de vez a força de trabalho.

Além disso, Trump almejou sensibilizar todos os cidadãos que estejam fartos dos políticos tradicionais:

> A América está muito menos segura – e o mundo está muito menos estável – do que quando Obama tomou a decisão de colocar Hillary Clinton no comando da política externa dos Estados Unidos. Estou certo de que é uma decisão que ele realmente lamenta. (...) Este é o legado de Hillary Clinton: morte, destruição, terrorismo e fraqueza. Mas o legado de Hillary Clinton não precisa ser o legado da América. Os problemas que enfrentamos agora – pobreza e violência doméstica, guerra e destruição no exterior – vão durar apenas enquanto continuarmos a depender dos políticos que os criaram. Uma mudança na liderança é necessária para produzir uma mudança nos resultados. Hoje à noite, vou compartilhar com vocês meu plano de ação para a América. A diferença mais importante entre o nosso plano e o dos nossos oponentes é que o nosso plano colocará a América em primeiro lugar. O americanismo, não o globalismo, será o nosso credo. (...) As grandes empresas, a mídia de elite e os grandes doadores estão se alinhando à campanha de minha oponente porque sabem que ela manterá nosso sistema manipulado como está. Eles estão

> jogando dinheiro nela porque eles têm total controle sobre tudo o que ela faz. Ela é a marionete deles, e eles mexem os pauzinhos. Por isso a mensagem de Hillary Clinton é de que as coisas nunca vão mudar. Minha mensagem é de que as coisas têm de mudar – e têm de mudar agora, já. (...) Eu sou a voz de vocês.

Trump falou por 76 minutos. Falou sobre imigração, economia, equilíbrio do orçamento, assuntos internacionais, acordos comerciais, reforma da legislação tributária, educação, saúde, militares, veteranos, nomeação de ministros para a Suprema Corte e a 2ª Emenda (que permite aos cidadãos a posse e o porte de armas). Também tentou conquistar os apoiadores de Bernie Sanders, os trabalhadores americanos etc. Poderíamos ir mais longe nessa lista, mas acredito que os itens aqui mencionados dão uma boa amostra da mensagem que ele tentou transmitir. Deixe-me apenas sublinhar uma declaração que parece gerar repercussões intensas e duradouras. Trump jurou: "Ninguém conhece o sistema melhor que eu. Por isso eu posso consertá-lo sozinho". Concluiremos esta seção com as frases finais de Trump:

> Minha oponente pede a seus partidários que recitem uma promessa de lealdade de três palavras: "Estou com ela". Eu escolho recitar uma promessa diferente. Minha promessa é: "Estou com vocês – o povo americano". Eu sou a voz de vocês. Então, para todos os pais que sonham por seus filhos e para todas as crianças que sonham com seu futuro, para vocês eu digo estas palavras nesta noite: estou com vocês, lutarei por vocês e conquistarei para vocês. Para todos os americanos, em todas as nossas cidades e povoados, eu faço esta promessa nesta noite: vamos tornar a América forte outra vez. Vamos tornar a América orgulhosa outra vez. Vamos tornar a América segura outra vez. E vamos tornar a América grande outra vez. Deus os abençoe, e boa noite.

A convenção nacional democrata

De 25 a 28 de julho, a Filadélfia sedia a convenção nacional democrata no Wells Fargo Center. Provavelmente, o principal motivo para a convenção ser na Filadélfia não é o fato de ser a terra natal da democracia americana, mas porque a Pensilvânia é sempre um estado fundamental na eleição presidencial. Em outras palavras, é uma vitória obrigatória para os democratas protegerem sua muralha azul (*blue wall*) e com isso manter a Presidência.

O tema do primeiro dia é "Juntos". Ironicamente, porém, a convenção democrata ocorre sob algumas circunstâncias de nem tanta união. O episódio conhecido como o vazamento de *e-mails* do Comitê Nacional Democrata de 2016 pegou a presidente Debbie Wasserman Schultz de surpresa e virou o partido de pernas para o ar. Nos *e-mails* vazados, Bernie Sanders é chamado, por exemplo, de "estúpido", "trapalhão" e "mentiroso".

A quantidade de material vazada é vasta. Em 22 de julho – três dias antes do início da convenção –, o WikiLeaks publicou 19.252 *e-mails* do Comitê Democrata, mais 8.034 anexos. A coleção compromete sete altos funcionários do Comitê Democrata. Mais do que tudo, os *e-mails* revelam esses sete membros-chave conspirando contra Sanders. Sempre foi evidente que o comitê estava mexendo os pauzinhos nos bastidores em favor de Hillary, mas agora é "oficial".

Bernie Sanders reagiu dizendo: "Eu falava há muito tempo que o Comitê Democrata não estava executando uma operação justa, que estava apoiando a secretária Clinton. Então, o que sugeri que fosse verdade há seis meses se mostrou verdadeiro". Sanders também afirma estar "decepcionado", mas "não chocado", e continua prometendo total apoio à candidatura de Hillary. Aparentemente, o líder da "revolução" agora está domado – ou pelo menos um pouco apático. É difícil identificar o motivo. No entanto, pode indicar uma direção futura dos eventos.

O vazamento desencadeou uma tempestade de fogo, e o resultado imediato foi a saída de Wasserman Schultz da presidência. Ela nem sequer vai discursar na convenção cujos preparativos liderou. Quanta ironia! Afinal, a ex-presidente do Comitê Democrata zombou da dissensão no Partido Republicano inúmeras vezes, dizendo, por exemplo: "Como o partido deles é dividido e caótico". A esta altura é mais preciso dizer: como são divididos e caóticos os dois maiores partidos dos Estados Unidos.

Foi decidido que Donna Brazile, estrategista democrata de longa data e comentarista da CNN, atuará como presidente interina do partido. Cada dia da convenção democrata tem um tema específico:

Segunda-feira: "Juntos".
Terça-feira: "Uma vida de luta pelas crianças e pelas famílias".
Quarta-feira: "Trabalhando juntos".
Quinta-feira: "Mais fortes juntos".

A convenção democrata apresentou grandes discursos de personalidades como Joe Biden, Tim Kaine, Nancy Pelosi, Harry Reid e Madeleine Albright. Além disso, celebridades como a cantora Katy Perry e a atriz Meryl Streep compareceram. Esta última começou seu discurso com um grito eufórico. Vamos rever brevemente os momentos-chave nos discursos de outras nove estrelas.

A primeira é Michelle Obama. A primeira-dama falou na segunda-feira e tentou apelar para o lado emocional da plateia. Michelle teve algumas frases incríveis, como esta: "Eu acordo todas as manhãs em uma casa que foi construída por escravos. E vejo minhas filhas, duas moças negras lindas e inteligentes, brincando com seus cães no gramado da Casa Branca". Indiscutivelmente, a marca da sua mensagem foi o *slogan* "Nosso modelo é: quando eles vão por baixo, nós vamos por cima".

Em segundo, Elizabeth Warren. A senadora sênior de Massachusetts foi a oradora principal da convenção. Warren atacou Donald Trump com firmeza e tentou reforçar a ideia amplamente difundida pelos democratas de um Trump muito perigoso. Na verdade, mencionou o nome Trump 22 vezes. Vamos rever algumas de suas observações:

> Vez após vez ele [Trump] investiu sobre os trabalhadores, os devedores, os que sucumbiram a tempos difíceis. Ele os enganou, defraudou e roubou. (...) Donald Trump montou uma universidade falsa para ganhar dinheiro enquanto enganava as pessoas e tirava as suas poupanças. (...) Donald Trump sabe que o povo americano está zangado – um fato tão óbvio que ele consegue ver do topo da Trump Tower. Então, agora está insistindo que ele e só ele pode consertar o sistema. (...) Além de falar sobre construir um muro estúpido, que nunca será construído, vocês ouviram alguma ideia real? (...) Donald Trump quer reverter os regulamentos financeiros e deixar Wall Street solta para destruir nossa economia novamente. (...) Vocês estão lutando para colocar os filhos na faculdade, e Donald Trump acha que ele precisa de uma redução de impostos de um milhão de dólares! (...) Entreguem seu dinheiro, seus empregos, o futuro de seus filhos, e a grande máquina de mentiras de Trump irá revelar todas as respostas. E, por um preço bem, bem baixo ele até usa um chapéu de pateta. (...) Trump acha que pode ganhar votos ao atiçar as chamas do medo e do ódio. Jogando um vizinho contra o outro. Persuadindo-os de que o verdadeiro problema na América são seus compatriotas americanos. (...) Essa é a América de Donald Trump. Uma América de medo e ódio. Uma América onde todos nós nos separamos. Brancos contra negros e latinos. Cristãos contra muçulmanos e judeus. Héteros contra gays. Todos contra os imigrantes. Raça, religião, herança, gênero, quanto mais facções, melhor.

Por um lado, a senadora Warren afirmou que a América de Trump é "uma América do medo e do ódio". Por outro, ela mesma foi quem incutiu medo e ódio e apelou aos medos dos americanos a fim de obter seus votos. Ao que parece, a principal palestrante da convenção democrata não captou a mensagem da primeira-dama de que, "quando eles vão por baixo, nós vamos por cima".

A terceira estrela é Bernie Sanders. O principal rival de Hillary durante as primárias foi o orador final da primeira noite. Enquanto a senadora Warren afirmou que Trump nunca construirá o "muro estúpido", a convenção democrata foi literalmente cercada por um muro alto e longo. Entre outros objetivos de segurança, o muro destina-se a manter os correligionários de Sanders longe da arena.

Sanders tem 1.856 delegados dentro da arena (conquistados durante as primárias), mas, do lado de fora, comícios e marchas do movimento "Bernie or Bust" (expressão que representa a ideia de que os apoiadores de Bernie Sanders vão morrer tentando fazer dele o indicado) reúnem mais de cinquenta mil de seus eleitores na Filadélfia. Então, esse grupo enorme e apaixonado de apoiadores de Sanders se reúne para expressar o descontentamento com a iminente indicação oficial de Hillary. O grito de "Nem pensar, em Hillary não vamos votar" (Hell, no, DNC, we won't vote for Hillary) e o cartaz "Ajude a acabar com a política do *establishment*, vote não em Hillary" (Help end establishment politics, vote no on Hillary) mostram bem a vívida divisão do partido nas ruas.

Ironicamente, em vez de construir pontes para receber a multidão (Hillary constantemente afirma que construirá pontes em vez de muro), colocar todos "Juntos", "Trabalhando juntos" e "Mais fortes juntos", a liderança democrata decidiu construir uma enorme barreira física para conter os ativistas insatisfeitos. Como não posso perguntar à senadora Warren se esse muro da convenção democrata também não é "estúpido", só posso afirmar que a exclusão dessa grande massa poderá, entre outros fatores, acabar custando a eleição a Hillary.

Há uma sutileza importante a ser destacada, que enfatiza o que acabei de argumentar e ajuda a entender a nítida distinção entre a dissensão no Partido Republicano e no Partido Democrata. Enquanto no primeiro o alvoroço foi liderado pelo *establishment* do mais alto escalão, que lutou para contornar a vontade da base, que queria Trump, no segundo, o alvoroço foi liderado pelas bases, que lutam para impedir o mais alto escalão de desconsiderar sua vontade. Pode-se argumentar que minha afirmação é falha porque Hillary conseguiu mais votos do que Sanders nas primárias. Embora isso seja verdade, e eu veja o mérito de tal argumentação, ainda acredito que minha afirmação descreve bem a realidade. Além disso, não vamos desconsiderar as manobras de bastidores que sabemos ter garantido vantagem para Hillary na contagem de delegados.

Em seu discurso, o senador socialista Sanders começou se referindo a seus apoiadores, suas conquistas e ao ponto crucial de sua mensagem:

> Deixem-me agradecer aos 2,5 milhões de americanos que ajudaram a financiar nossa campanha com oito milhões de contribuições individuais, algo sem precedentes. Alguém sabe de quanto foi a contribuição média? É isso mesmo, US$ 27. E deixem-me agradecer aos treze milhões de americanos que votaram pela revolução política, dando-nos os 1.856 delegados comprometidos aqui nesta noite! (...) Esta eleição é para acabar com o nível grotesco de desigualdade de renda e riqueza na América hoje! Não é moral, não é aceitável e não é sustentável que um décimo do 1% do topo tenha hoje a mesma riqueza que os 90% de baixo. Ou que o 1% do topo nos últimos anos tenha ganhado 85% de toda nova renda. Isso é inaceitável. Isso deve mudar.

Depois disso, Sanders usou incansavelmente a comparação entre as visões de Trump e Hillary em todas as questões possíveis, e seu discurso se tornou um pouco repetitivo e monótono. Contudo, no ponto alto da fala, a turma de Hillary enfim teve o que ansiava que ele verbalizasse na convenção: "Hillary Clinton será uma presidente excepcional, e estou orgulhoso de estar ao lado dela hoje à noite! Muito obrigado a todos".

O quarto grande orador é Bill Clinton. O ex-presidente falou no segundo dia, após a votação nominal. O processo foi igual ao da convenção republicana, de modo que vamos pular direto para os resultados. De acordo com a CNN Politics, a pontuação final, com 4.763 delegados votantes e 56 abstenções, foi Hillary 2.842 e Sanders 1.865.

Com o processo concluído, Hillary apareceu ao vivo de Nova York para expressar seu agradecimento pela indicação e enviar uma mensagem emocional às meninas. Cercada por muitas mulheres e ladeada por uma garotinha, Hillary disse: "Para as garotinhas que ficaram acordadas até tarde para assistir, deixem-me apenas dizer: posso me tornar a primeira mulher presidente, mas uma de vocês será a próxima".

Consolidada a nomeação, faltando apenas o "eu aceito" oficial de Hillary, foi a hora de Bill Clinton subir ao palco. Ele foi extremamente pessoal e começou assim:

> Conheci uma garota na primavera de 1971. A primeira vez que a vi estávamos em uma aula de direitos políticos e civis. Ela tinha uma cabeleira loira, óculos grandes, não usava maquiagem e exalava uma sensação de força e autocontrole que achei magnética. Depois da aula eu a segui, com a intenção de me apresentar. Cheguei perto o suficiente para tocar em suas costas, mas não consegui. De alguma forma eu sabia que aquele não seria apenas mais um tapinha no ombro, que eu poderia estar começando algo que não conseguiria parar.

Bill Clinton forneceu outros detalhes sobre o início do relacionamento. Ele tem plena consciência do poder de contar histórias para obter a empatia das pessoas e o faz extraordinariamente bem. Suas histórias sobre Hillary foram incríveis, tanto a primeira como as muitas outras que vieram depois.

A abordagem estratégica de Bill Clinton tem os objetivos de retratar Hillary como uma mulher maravilhosa e única e humanizar a candidata Hillary. Alguém poderia então perguntar: por que Bill teve tantos casos extraconjugais confirmados, traindo uma mulher tão maravilhosa e única, e por que um ser humano deve ser humanizado? Fica a pergunta para sua resposta...

Bill procurou consolidar na mente das pessoas a ideia de que ser inovadora é um atributo inerente e fundamental de Hillary: "Ela é a maior promotora de mudanças que já conheci em toda a minha vida, (...) decidida a descobrir como melhorar as coisas. Se vocês estivessem no meu lugar e ouvissem o que ouvi, diriam que essa mulher nunca ficou satisfeita com o *status quo* em nada. Ela sempre quer tocar a bola para a frente. Ela é assim". Bill Clinton é tremendamente bom no que faz. A argumentação é mais que oportuna; perfeita para Hillary, uma das mulheres mais famosas da Terra, que ocupou cargos públicos por décadas e não tem um histórico sólido em qualquer tipo de mudança importante. O ex-presidente encerrou com uma argumentação brilhante:

> Agora, como conciliar isso? Como isso se encaixa com as coisas que vocês ouviram na convenção republicana? Qual a diferença entre o que eu disse e o que eles disseram? Como conciliar? Não tem como. Uma [Hillary] é real, a outra é inventada. (...) Uma promotora de mudanças real representa uma ameaça real. Portanto, a única opção é criar um desenho animado, uma alternativa em desenho animado, e aí concorrer com o desenho animado. Desenhos animados são bidimensionais, são fáceis de absorver. A vida no mundo real é complicada, e a mudança real é difícil. E muita gente até acha chato. Que bom que hoje vocês escolheram a Hillary real!

A argumentação de Bill Clinton se resume ao seguinte: a Hillary real é a que ele descreveu, qualquer coisa diferente é inventada. Se por um lado ele se pronunciou de modo excelente, por outro é difícil acreditar que, exceto os incondicionais fãs democratas, as pessoas acreditem e mudem de ideia sobre Hillary em termos significativos.

O quinto orador é Michael Bloomberg. O ex-prefeito de Nova York falou no terceiro dia da convenção. Provavelmente estava lá menos como ex-prefeito – ele foi eleito pela primeira vez em 2001 como republicano – e mais como nova-iorquino e bilionário. Mais bilionário do que o colega nova-iorquino Donald Trump, fato que se encaixa como uma luva na agenda democrata – ele apareceu no oitavo lugar na lista de 2016 dos mais ricos da revista *Forbes* (*The World's Billionaires*), com patrimônio líquido de

US$ 40 bilhões. Como Bloomberg exibe todas as credenciais que Trump exibe, em teoria tem legitimidade para fazer um contraponto ao próprio candidato republicano, bem como às ideias dele. Presença oportuna e muitíssimo aguardada, Michael Bloomberg definiu Trump como "um perigoso demagogo". E disse mais:

> Dada a minha formação, muitas vezes incentivo líderes empresariais a concorrer a cargos públicos. (...) A maioria de nós que tem o nome na porta sabe que nossa palavra é o que vale, mas não Donald Trump. Ao longo de sua carreira, Trump deixou para trás um histórico bem documentado de falências, milhares de ações judiciais, acionistas irados, empreiteiros que se sentem enganados e clientes desiludidos que se sentem lesados. Trump diz que quer administrar o país como administra seus negócios. Deus nos ajude. Eu sou nova-iorquino, e nós nova-iorquinos reconhecemos um vigarista quando vemos um. (...) Verdade seja dita, a maior riqueza de Donald Trump é sua hipocrisia. (...) Entendo o apelo de um presidente empresário. Mas o plano de governo de Trump é um desastre em formação. Tornaria mais difícil para as pequenas empresas competir, causaria grandes prejuízos à nossa economia, ameaçaria a poupança para a aposentadoria de milhões de americanos, geraria mais dívidas e mais desemprego, corroeria nossa influência no mundo e tornaria nossas comunidades menos seguras. O resumo é: Trump é uma escolha arriscada, imprudente e radical. E não podemos nos dar ao luxo de fazer essa escolha.

O sexto orador digno de nota é Barack Obama, o último a discursar na terceira noite. O atual presidente é um comunicador excepcional e atuou como orador com multitarefas. Desempenhou tanto o papel nobre pregado por Michelle Obama como o papel de carrasco desempenhado pela senadora Warren. A missão de Obama parece ser sempre tocar o coração das pessoas com mensagens profundamente inspiradoras e instigar todos os simpatizantes democratas a comparecer às urnas. "Não vaiem. Votem", sugere.

Obama também tem outra incumbência. Na verdade, esta é uma tarefa para todos os oradores da convenção: prestar elogios a Hillary Clinton. Isso é natural e imperativo – afinal, Hillary é agora a portadora da bandeira democrata. Nesse contexto, ninguém tem mais legitimidade para apoiar Hillary do que a pessoa que liderou a nação por sete anos e meio. E Obama faz isso de forma brilhante. Destaco a dose apropriada de autodepreciação que ele aplica no final da seguinte declaração:

> Vocês sabem, nada realmente prepara uma pessoa para as exigências do Salão Oval. Você pode ler a respeito. Você pode estudar. Mas, até sentar naquela mesa, você não sabe como é administrar uma crise global ou mandar jovens para a guerra. Mas Hillary esteve na sala; ela participou das decisões. Ela sabe o que está em jogo nas decisões que nosso governo toma – o que está em jogo para as famílias operárias, para os idosos, para os pequenos empresários, para os soldados, para os veteranos. Mesmo no meio de uma crise, ela ouve as pessoas, mantém a calma e trata todo mundo com respeito. Não importa o quão assustadoras as probabilidades sejam, não importa quantas pessoas tentem derrubá-la, ela nunca, nunca desiste. Essa é a Hillary que eu conheço. Essa é a Hillary que passei a admirar. E é por isso que posso dizer com confiança que nunca houve um homem ou uma mulher – nem eu, nem Bill, ninguém – mais qualificado do que Hillary Clinton para servir como presidente dos Estados Unidos da América.

Para encerrar o ato perfeitamente executado, Obama olha para Bill Clinton – que aplaude de pé com entusiasmo – e acrescenta: "Espero que não se importe, Bill, apenas falei a verdade, cara".

O sétimo orador é Khizr Khan, com a esposa, Ghazala, a seu lado. Eles são um casal paquistanês-americano e pais do falecido capitão do exército Humayun S. M. Khan, herói de guerra laureado com um Coração Púrpura (Purple Heart) e uma Estrela de Bronze (Bronze Star Medal). Khan nasceu nos Emirados Árabes Unidos e foi morto em ação no Iraque por um veículo que explodiu. Antes de avançar na direção do veículo, Khan conclamou sua unidade a manter uma distância segura, o que salvou a vida dos outros soldados.

Em um discurso emocionado, Khizr Khan falou sobre os feitos heroicos do filho de 27 anos de idade e foi para cima de Donald Trump sem rodeios, condenando sua retórica sobre os muçulmanos:

> Donald Trump faz falsas acusações ao caráter dos muçulmanos constantemente. Desrespeita outras minorias, mulheres, juízes e até mesmo a liderança de seu partido. Ele gostaria de construir muros e nos banir deste país. Donald Trump, você está pedindo aos americanos que confiem o futuro deles a você. Deixe-me perguntar: você já leu a Constituição? Terei prazer em lhe emprestar a minha cópia [tirando um exemplar do bolso]. Neste documento, procure as palavras "liberdade" e "igual proteção da lei". Você já esteve no cemitério de Arlington? Vá ver as sepulturas dos bravos patriotas que morreram defendendo os Estados Unidos da América. Você verá todas as fés, gêneros e etnias. Você não sacrificou nada nem ninguém.

Por qualquer parâmetro, Khan fez um discurso singular. Acredito que a intenção democrata com essa iniciativa cuidadosamente planejada seja instigar Donald Trump a um contragolpe. A ideia de gerar uma controvérsia pública entre Trump e uma família com uma Estrela de Ouro é engenhosa – Gold Star Family é o nome dado às famílias que têm membros condecorados com o Purple Heart, ou seja, que tiveram familiares severamente feridos ou mortos em combate. Melhor que isso, só se Trump morder a isca e cair na armadilha. E é exatamente o que acontece.

Donald Trump aproveita o fator imprevisibilidade como poucas pessoas. Ironicamente, porém, às vezes ele é tão previsível quanto qualquer um. Ninguém poderia descrever com mais precisão a mentalidade do homem do que ele mesmo – e um *tweet* de Trump de 31 de julho explica a lógica que inspirou a trama democrata: "Fui violentamente atacado pelo

Sr. Khan na convenção democrata. Não tenho o direito de responder?". Em vez de detalhar o vaivém entre Khan e Trump, vou assinalar que os democratas marcaram um belo ponto e que a jogada continuará gerando alto rendimento.

Hillary é a oradora final da quarta noite da convenção. Foi apresentada pela filha, Chelsea, que interpreta na convenção democrata o mesmo papel que sua até então amiga Ivanka Trump representou na convenção republicana. A única filha dos Clinton reforçou o conceito humanizador muito bem elaborado pelo pai. Bill contou histórias inéditas que focavam a mulher e candidata; Chelsea contou histórias inéditas que enfatizaram as facetas de Hillary como mãe e avó:

> Estou aqui como uma americana orgulhosa, uma democrata orgulhosa, uma mãe orgulhosa e, nesta noite em particular, uma filha muito, muito orgulhosa. (...) Ela [Charlotte, filha de Chelsea] ama amoras, e acima de tudo adora conversar com a vovó pelo FaceTime. Minha mãe pode estar prestes a entrar no palco para um debate ou um discurso, não interessa. Ela larga tudo por alguns minutos para mandar beijos e ler "Chugga Chugga Choo Choo" com a neta. (...) E, como mãe de Charlotte e Aidan, penso todos os dias em minha mãe, minha maravilhosa mãe, prestativa e hilária. (...) Ela sempre, sempre esteve presente para mim. (...) Minha mãe é assim. É pessoa que ouve e que faz. É uma mulher movida pela compaixão, pela fé, por um senso feroz de justiça e um coração cheio de amor. (...) Espero que meus filhos um dia sejam tão orgulhosos de mim quanto eu sou de minha mãe. Sou muito grato por ser sua filha. Sou muito grata por ela ser a avó de Charlotte e Aidan. Ela me dá orgulho todos os dias. (...) Mãe, a vovó ficaria tão orgulhosa de você esta noite. Para todos que assistem aqui e em casa, sei de todo o coração que minha mãe nos deixará orgulhosos como nossa próxima presidente. Essa é a história da minha mãe, Hillary Clinton.

A seguir, é exibido um vídeo incrível, narrado por Morgan Freeman, com um roteiro extraordinário, alimentado por muitos testemunhos fortes, perfeito para resumir e fortalecer todos os atributos positivos que os democratas atribuem a Hillary desde o início da convenção. Após 12 minutos, a voz inconfundível de Morgan Freeman declara: "Quantas vezes ela vai deixar sua marca? De quantas maneiras ela vai iluminar o mundo? Essa é a mulher". Chelsea então anuncia: "Senhoras e senhores, minha mãe, minha heroína e nossa próxima presidente, Hillary Clinton".

Hillary surge no palco, abraça Chelsea, saúda o público e se aproxima do microfone. Os participantes aplaudem, ela agradece. Seu primeiro passo é estabelecer uma conexão com os discursos de Chelsea e Bill:

> Chelsea, obrigada. Tenho muito orgulho de ser sua mãe e muito orgulho da mulher que você se tornou. Obrigada por trazer Mark [o genro] para a nossa família e Charlotte e Aidan ao mundo. E Bill, essa conversa que começamos na biblioteca de direito há 45 anos ainda segue firme. Você sabe, essa conversa passou pelos bons momentos que nos encheram de alegria e pelos tempos difíceis que nos testaram. E eu até consegui dizer algumas palavras ao longo desse tempo. Na noite de terça-feira, fiquei muito feliz em ver que meu "explicador em chefe" continua na ativa.

A seguir Hillary conduziu o público por um grande portfólio de ideias, visando atingir todas as plateias e desempenhar todos os papéis que os oradores antes dela abordaram ou desempenharam. Exibiu cada uma dessas facetas com equilíbrio perfeitamente premeditado. Afinal, ela é a porta-estandarte e precisa se identificar com todas as diferentes tribos democratas. Vamos rever algumas de suas declarações:

> A América está de novo em um momento de avaliação. Forças poderosas ameaçam nos separar. Laços de confiança e respeito estão se desgastando. (...) Bem, ouvimos a resposta de Donald Trump na semana passada em sua convenção. Ele quer nos separar do

> resto do mundo e um do outro. Está apostando em que os perigos de hoje nos cegarão para as promessas ilimitadas que o mundo oferece. (...) Ele quer que nós temamos o futuro e temamos uns aos outros. (...) Não acreditem em ninguém que diga "eu posso consertá-lo [o sistema] sozinho". Sim, essas foram as palavras de Donald Trump em Cleveland. (...)
>
> Minha família era construtora de um tipo diferente, construtora da maneira que a maioria das famílias americanas é. Usavam quaisquer ferramentas que tivessem, o que quer que Deus lhes desse e o que quer que a vida na América proporcionasse para construir vidas melhores e futuros melhores para seus filhos. Meu avô trabalhou na fábrica de rendas Scranton por cinquenta anos. Porque ele acreditava que, se ele desse tudo o que tinha, seus filhos teriam uma vida melhor do que ele. E ele estava certo. Meu pai, Hugh, foi para a faculdade, jogou futebol americano e se alistou na Marinha depois de Pearl Harbor. Quando a guerra acabou, abriu um pequeno negócio próprio de estamparia de tecido para cortinas. Lembro-me de vê-lo por horas nas serigrafias. Ele queria dar a meus irmãos e a mim oportunidades que nunca teve, e ele conseguiu. Minha mãe, Dorothy, foi abandonada pelos pais quando jovem. Acabou sozinha aos 14 anos, trabalhando como empregada doméstica. Foi salva pela bondade dos outros. Sua professora do primeiro ano viu que minha mãe não tinha nada para comer no almoço e levou comida extra para compartilhar o ano inteiro. As lições que ela me transmitiu anos depois ficaram comigo.

Na parte do "eu aceito", Hillary proclamou: "E assim, meus amigos, é com humildade, determinação e confiança ilimitada na promessa da América que aceito a indicação para presidente dos Estados Unidos". Hillary falou por 57 minutos. No final mencionou que a "América será maior que nunca", o que parece sua versão de "Tornar a América grande outra vez":

> Essa é a história da América. E começamos um novo capítulo esta noite. Sim, o mundo está observando o que fazemos. Sim, cabe a nós escolher o destino da América. Então, vamos ser mais fortes juntos, meus compatriotas americanos! Vamos olhar para o futuro com coragem e confiança. Vamos construir um amanhã melhor para nossos amados filhos e nosso amado país. E, quando o fizermos, a América será maior do que nunca. Obrigada, e que Deus abençoe vocês e os Estados Unidos da América.

Os discursos de aceitação dos candidatos são o *grand finale* das convenções nacionais dos partidos e os últimos atos formais da temporada das eleições primárias. Vejamos o que vai acontecer na nova fase: as eleições gerais.

4

AS ELEIÇÕES GERAIS

Agora é para valer, o Juízo Final começou! A brutalidade que marcou a temporada das eleições primárias é a ponta do *iceberg* quando comparada com as eleições gerais. Podemos dizer que foi apenas um aperitivo suculento antes de um delicioso prato principal – para aqueles que apreciam a carnificina. Para ser positivo, vou saudá-lo com o seguinte: bem-vindo à estrada para os 270! Agora tudo tem a ver com os 270 – o número mágico da maioria dos 538 votos do Colégio Eleitoral.

Nosso primeiro dia da eleição geral é 1º de agosto. Agora os candidatos devem fazer mais do que ajustes para ter um bom desempenho, pois a história é totalmente diferente. Enquanto nas primárias o alvo era a aquisição de delegados para as convenções, agora é adquirir e acumular eleitores para o Colégio Eleitoral. Antes os partidos mandavam, agora cada um dos cinquenta estados está no comando, além da Comissão Federal de Eleições (Federal Election Commission, FEC).

Ao começarmos a nova fase, convém verificar um conjunto de pesquisas realizadas em todo o país e nos estados onde a eleição será de fato definida (*battleground states*). As pesquisas nacionais não são o principal indicador a ser considerado nas eleições gerais, não só porque os números são muito fugazes, mas também e especialmente porque os eleitores do Colégio Eleitoral serão escolhidos em cada estado. Assim, é justo dizer que as pesquisas nacionais, principalmente tão distantes do dia da eleição, são relativamente sem sentido em termos de previsão do vencedor.

No entanto, as pesquisas têm impacto no imaginário da sociedade e podem prover aos candidatos que aparecem no topo benefícios tais como material para fazer boas declarações; efeito psicológico positivo sobre os votantes, ativistas e equipe; posição robusta para fazer acordos com outros políticos e partidos; e argumentos persuasivos para arrecadar fundos de campanha. Os números a seguir representam a média das pesquisas nacionais divulgadas entre 25 de julho e 5 de agosto, consolidados pelo Real Clear Politics:

- 25 de julho: Trump + 0,2 / Clinton, 44,1%; Trump, 44,3%
- 26 de julho: Trump + 0,9 / Clinton, 44,7%; Trump, 45,6%
- 27 de julho: Trump + 1,1 / Clinton, 44,6%; Trump, 45,7%
- 28 de julho: Trump + 0,9 / Clinton, 44,7%; Trump, 45,6%
- 29 de julho: empate em 44,3%
- 30 de julho: Clinton + 0,4 / Clinton, 43,7%; Trump, 43,3%
- 31 de julho: Clinton + 1,1 / Clinton, 44,5%; Trump, 43,4%
- 1º de agosto: Clinton + 3,9 / Clinton, 45,9%; Trump, 42%
- 2 de agosto: Clinton + 4,4 / Clinton, 46,4%; Trump, 42%
- 3 de agosto: Clinton + 5,7 / Clinton, 47,3%; Trump, 41,6%
- 4 de agosto: Clinton + 6,8 / Clinton, 47,4%; Trump, 40,6%
- 5 de agosto: Clinton + 6,8 / Clinton, 47,3%; Trump, 40,5%

Esses números mostram como as convenções nacionais dos dois principais partidos afetaram os eleitores e o quanto é prejudicial para o Partido Republicano quando seu candidato se desvia da sua mensagem central. Parece que, para o Partido Republicano ter sucesso, Trump deve focar na crítica a Hillary Clinton e Barack Obama. Além disso, Trump tem necessariamente que se concentrar nas mensagens de segurança nacional e crescimento econômico. Deve continuar projetando a imagem de um lutador por uma vida melhor para todos os americanos que se sentem abandonados à própria sorte. Algo como "Donald Trump: o agente da mudança".

Vamos verificar também os resultados das pesquisas mais recentes em onze *battleground states*: Carolina do Norte (15 votos no Colégio Eleitoral),

Colorado (9), Flórida (29), Iowa (6), Michigan (16), Nevada (6), New Hampshire (4), Ohio (18), Pensilvânia (20), Virgínia (13) e Wisconsin (10). Os resultados nesses onze estados determinarão o próximo presidente, somando 146 votos – mais da metade do número mágico de 270 do Colégio Eleitoral. A situação atual é a seguinte:

- Carolina do Norte: Clinton + 6 / Clinton, 44%; Trump, 38% (NBC/WSJ/Marist, 5 a 11 de julho)
- Colorado: Clinton + 8 / Clinton, 43%; Trump, 35% (NBC/WSJ/Marist, 5 a 11 de julho)
- Flórida: Clinton + 6 / Clinton, 48%; Trump, 42% (Universidade de Suffolk, 1º a 3 de agosto)
- Iowa: Clinton + 3 / Clinton, 42%; Trump, 39% (NBC/WSJ/Marist, 5 a 10 de julho)
- Michigan: Clinton + 10 / Clinton, 46%; Trump, 36% (Detroit Free Press, 30 de julho a 4 de Agosto)
- Nevada: Clinton + 4 / Clinton, 45%; Trump, 41% (Universidade Monmouth, 7 a 10 de julho)
- New Hampshire: Clinton + 17 / Clinton, 51%; Trump, 34% (WBUR/MassINC, 29 de julho a 1º de agosto)
- Ohio: empate em 44% (Universidade de Suffolk, 18 a 20 de julho)
- Pensilvânia: Clinton + 9 / Clinton, 50%; Trump, 41% (Universidade de Suffolk, 25 a 27 de julho)
- Virgínia: Clinton + 9 / Clinton, 44%; Trump, 35% (NBC/WSJ/Marist, 5 a 11 de julho)
- Wisconsin: Clinton + 4 / Clinton, 45%; Trump, 41% (Universidade Marquette, 7 a 10 de julho)

Considerando o perfil de jogar conforme as próprias regras de Hillary e a imprevisibilidade de Trump, as circunstâncias podem estimular surpresas mesmo em estados democratas como a Califórnia (55), Nova York (29) e Michigan (16). A Califórnia é o maior estado do país, Nova York é a terra de Trump, e Michigan é um estado do Cinturão da Ferrugem (*Rust Belt*), que abrange alguns estados do nordeste caracterizados pela dificuldade econômica e pelo declínio da força industrial. Foi por isso que coloquei Michigan em nossa lista de estados em aberto, que tanto podem pender para a candidata democrata como para o republicano.

Alguns tópicos específicos podem desempenhar papel fundamental e influenciar decisivamente os votos nos estados. Assim, vale a pena conferir como os eleitores veem os candidatos por temas. Uma pesquisa da Fox News realizada de 31 de julho a 2 de agosto descobriu em quem os eleitores confiariam para fazer um trabalho melhor nos seguintes campos:

- Economia: Clinton, 45%; Trump, 50%
- Terrorismo: Clinton, 47%; Trump, 47%
- Saúde: Clinton, 53%; Trump, 42%
- Imigração: Clinton, 51%; Trump, 44%
- Política externa: Clinton, 55%; Trump, 39%
- Educação: Clinton, 58%; Trump, 35%
- Déficit: Clinton, 44%; Trump, 49%
- Questões raciais: Clinton, 60%; Trump, 32%
- Mudança climática: Clinton, 59%; Trump, 28%
- Vício em drogas: Clinton, 54%; Trump, 35%

Como podemos ver, Hillary tem números muito melhores a seu favor. Além disso, tem um enorme fluxo de caixa, uma infraestrutura de campanha imensa, um partido unido e o governo federal do seu lado. Nada má essa combinação!

Em contraste, Trump tem os números atuais contra ele, menos dinheiro entrando, uma pequena infraestrutura de campanha, um partido dividido e o governo federal na oposição. É verdade que o Partido Republicano tem a maioria dos governadores (31), só que vários dos principais esnobaram o próprio candidato. Além disso, a relação entre Trump e os republicanos de peso no Congresso está longe de ser cooperativa. Para ilustrar, quando perguntado sobre apoiar Paul Ryan, presidente da Câmara, na reeleição como representante do 1º distrito congressional de Wisconsin, Trump respondeu devolvendo na mesma moeda que Ryan quando este se referiu a apoiá-lo previamente: "Eu gosto de Paul, mas são tempos horríveis para o nosso país. Precisamos de liderança muito forte. E eu ainda não cheguei lá".

Com relação ao apoio a outro ícone do congresso, Trump foi ainda mais explícito. Estou me referindo ao senador pelo Arizona John McCain, que enfrentou tortura e foi prisioneiro por mais de cinco anos durante a Guerra do Vietnã. O candidato a presidente afirmou: "Nunca apoiei John McCain porque sempre achei que ele deveria ter feito um trabalho muito melhor em favor dos veteranos. Ele não fez um bom trabalho pelos veteranos".

Enfim, Trump começa atrás de Hillary por qualquer parâmetro. Para chegar ao Salão Oval, Trump precisa manter os estados vermelhos (*red states*, ou seja, que tradicionalmente votam no Partido Republicano), garantir várias vitórias entre os onze *battleground states*, adquirir alguns eleitores do Maine e Nebraska e talvez até conquistar estados azuis (*blue states*, ou seja, que tradicionalmente votam no Partido Democrata). É um trabalho duríssimo. Mas tudo é uma questão de quem vai rir por último. E o vencedor só vai saborear a última e conclusiva risada em 8 de novembro de 2016. Teoricamente, é inútil ter a maioria dos votos eleitorais em 7 de novembro ou 9 de novembro.

O Juízo Final está apenas começando, e Trump desafiou as probabilidades antes. Essa característica é o que traz incerteza para uma campanha que a esmagadora pluralidade dos especialistas e todos os democratas acreditam que já acabou. Não acabou. Está longe de acabar. Os eleitores serão impiedosamente visados. Além de muitos anúncios, comícios, entrevistas, artigos, mentiras, verdades e tudo o mais, haverá os debates. Os debates são sempre pontos potenciais de inflexão nas campanhas políticas.

Devemos observar também que o voto não é obrigatório, e o dia da eleição não é feriado. Assim, o jogo será mais sobre motivação do que sobre consistência; por isso, estou convencido de que uma candidatura morna vai sucumbir a uma superficial. Ou seja, não adianta ter um número maior nas pesquisas se as pessoas não se sentirem compelidas a votar. Claro que a candidatura perfeita é aquela que combina entusiasmo abundante com profundo conhecimento dos assuntos. Mas ao que parece não se tem disso nessa temporada.

Em relação a alguns episódios que marcaram o início do novo momento, por um lado Trump erroneamente arrastou para além das primárias a enorme controvérsia com a família Khan. Por outro, está corretamente atacando a aliança Sanders–Clinton e a própria Hillary, ainda que tenha definido a adversária de forma desproporcional: "Se ele [Sanders] não tivesse feito nada, fosse para casa, fosse dormir, relaxasse, ele teria sido um herói, mas fez um acordo com o diabo. Ela é o diabo".

O megainvestidor Warren Buffet, terceiro lugar na lista de 2016 dos mais ricos da revista *Forbes* (*The World's Billionaires*), com patrimônio líquido de US$ 60,8 bilhões, apoiou oficialmente a candidatura de Hillary Clinton e aproveitou o momento para detonar Trump por não divulgar sua restituição de imposto. Na ocasião, Hillary cometeu um deslize: "Trump quer cortar impostos para os muito ricos. Bem, não vamos deixar, meus amigos. Estou dizendo agora, vamos estabelecer regras mais justas para a classe média, vamos aumentar os impostos da classe média". Aumentar os impostos da classe média?

Barack Obama aproveitou uma conferência com o primeiro-ministro de Cingapura, Lee Hsien Loong, para declarar que Trump é "lamentavelmente despreparado" e "incapaz de servir como presidente". Na mesma oportunidade, Obama foi obrigado a abordar publicamente o desacordo com Hillary sobre a Parceria Transpacífico (Trans-Pacific Partnership, TPP): "Neste momento, sou presidente, sou a favor e acho que tenho o melhor argumento".

O argumento de Obama é que a globalização é irreversível e que os Estados Unidos devem fazê-la funcionar a seu favor. A TPP supostamente eliminará tarifas sobre o comércio e introduzirá novos padrões para a proteção do trabalho e do meio ambiente. Os defensores acreditam que esses novos parâmetros impedirão que a TPP provoque corte dos empregos no país, coisa que aconteceu após acordos controversos anteriores. O acordo envolve os Estados Unidos e outros onze países do Pacífico: Austrália, Brunei,

Canadá, Chile, Japão, Malásia, México, Nova Zelândia, Peru, Cingapura e Vietnã. O grupo combina cerca de 800 milhões de cidadãos e mais de um terço do PIB mundial.

Quando a administração Obama anunciou a TPP, em outubro de 2015, Hillary declarou: "Não sou a favor. Não acredito que atenda aos altos critérios que estabeleci". Esse é o comentário da candidata presidencial, que na época já estava em busca de conquistar os partidários de Sanders. A Hillary candidata tem uma percepção completamente diferente da percepção da Hillary integrante do governo Obama. A Hillary secretária de Estado proclamou a TPP como "ambiciosa", "emocionante", "inovadora", "inédita", "de alta qualidade" e "padrão ouro". De qualquer forma, a TPP ainda não está em vigor; depende da aprovação das casas legislativas dos países signatários, especialmente do Congresso norte-americano. Caberá ao próximo governo determinar seu destino.

De volta à corrida presidencial, os democratas devem se preocupar com as consideráveis animosidades internas, expostas/desencadeadas pelo escândalo dos *e-mails* de seu comitê. Membros do alto escalão continuam a cair em meio ao episódio: a diretora executiva, Amy Dacey, o diretor financeiro, Brad Marshall, e o diretor de comunicações, Luis Miranda, já se foram. O efeito dominó reforça a versão de Trump da injustiça que permeia o "sistema manipulado" (*rigged system*), e ele está alardeando: "Receio que a eleição seja fraudada".

Trump também enfrenta um turbilhão dentro do Partido Republicano. Além de se recusar a apoiar Paul Ryan, a forma como ele lida com o caso da família Khan é fortemente controversa. Trump exacerbou a situação em um comício em Ashburn, na Virgínia. Segurando uma medalha Purple Heart, ele comentou que um veterano, o tenente-coronel Louis Dorfman, havia dado a condecoração para ele antes do evento: "Eu perguntei: 'É de verdade ou réplica?', e ele disse: 'É o meu Purple Heart genuíno. Tenho muita confiança em você'. E eu disse: 'Cara, isso é demais. Sempre quis ter um Purple Heart. Esse foi mais fácil do que imaginei'". Trump convidou o militar reformado a subir ao palco e posaram para fotos. O candidato guardou o Purple Heart no bolso do paletó e pediu a Dorfman para pronunciar algumas palavras, mas este respondeu: "Não, senhor. Só gostaria que você continuasse dizendo o que vem dizendo".

Como já sabemos, o Purple Heart é uma condecoração militar para feridos ou mortos em ação. Ao dizer que foi fácil ganhar a medalha, Trump não só rebaixou a condecoração em si, como também o feito de todos os que lutaram e/ou morreram pelo país. Além do mais, há zero mérito em obter qualquer condecoração pelo objeto em si. Humildemente parafraseando o filósofo grego Demócrito (460–370 a.C.), que nos ensinou que "A palavra é a sombra da ação", digo que uma condecoração é a sombra de um feito.

Para resumir o quanto os últimos dias foram ruins para Trump, a imprensa informou amplamente que membros do Partido Republicano – até aliados de Trump – planejam uma intervenção para substituí-lo e reiniciar a campanha. As reportagens expressam o ânimo geral dos republicanos. Para completar, há relatos, até piadas, de que os funcionários de Trump estão com ímpetos suicidas e se inscrevendo no "Vigilantes do Suicídio" (Suicide Watch), um intenso processo de monitoramento para evitar que indivíduos se matem. O certo é que, apenas uma semana após o início das eleições gerais, Trump já anseia por um recomeço. Para isso, trouxe sua agenda econômica para o centro das atenções.

A agenda econômica de Trump

Em 8 de agosto, Trump faz um importante discurso formal sobre política econômica. Espertamente, escolheu falar em Detroit, Michigan, especificamente no Clube Econômico de Detroit (Detroit Economic Club). Trump considera a cidade um exemplo da "agenda fracassada" de Hillary. "A cidade de Detroit é onde nossa história começa. Detroit já foi a inveja econômica do mundo", começou ele, emendando: "[Detroit] tem uma renda *per capita* inferior a US$ 15 mil, cerca de metade da média nacional; 40% dos habitantes vivem na pobreza – mais de 2,5 vezes a média nacional. A taxa de desemprego é mais que o dobro da média nacional. Metade dos moradores de Detroit não trabalha".

Trump destacou que Detroit é "uma cidade controlada por políticos democratas em todos os níveis" e culpou o Tratado Norte-Americano de Livre Comércio (NAFTA) pelo encolhimento da força de trabalhadores automotivos em Michigan, de 285 mil antes do acordo entrar em vigor, para os 160 mil de agora. Sobre a TPP, afirmou: "O déficit comercial dos Estados Unidos com os países membros da TPP custou mais de um milhão de empregos industriais em 2015. As maiores perdas ocorreram no setor de veículos e peças, cujas indústrias perderam quase 740 mil empregos".

Sobre a guinada na opinião de Hillary a respeito da TPP, Trump afirmou que, eleita, ela reassumirá a posição original: "Um voto para Hillary Clinton é um voto para a TPP e também é um voto para o NAFTA. Ela é a candidata do passado. A nossa é a campanha do futuro". O candidato republicano também enfatizou que o "déficit do comércio de mercadorias atingiu quase US$ 800 bilhões no ano passado" e culpou as políticas de Obama-Clinton:

> Suas políticas produziram um crescimento de 1,2%, a assim chamada recuperação mais fraca desde a Grande Depressão, e duplicaram a dívida nacional. Existem agora 94,3 milhões de americanos fora da força de trabalho. Eram 80,5 milhões quando o presidente Obama assumiu o cargo, um aumento de quase 14 milhões de pessoas. A agenda Obama-Clinton de impostos, gastos e regulamentação criou uma nação silenciosa de americanos desempregados. O índice da casa própria é o menor em 51 anos. Quase doze milhões de pessoas foram adicionadas aos programas de cesta básica desde que o presidente Obama assumiu o cargo. Quase sete milhões de americanos foram adicionados às fileiras da pobreza. Temos as menores taxas de participação da força de trabalho em quatro décadas, 58% dos jovens afro-americanos estão fora da força de trabalho ou não estão empregados, um em

> cada cinco lares americanos não tem um único membro na força de trabalho. Esses são os números reais do desemprego – o índice de 5% é um dos maiores embustes da política moderna.

Essa porção substancial da população, descrita por Trump como gente que batalha incansavelmente, combina com a maior parte de seu eleitorado. As chances de Trump ganhar vão disparar se ele convencer esse segmento de que é o candidato certo para consertar o governo. Assim, o republicano tentou deixar claro o contraste entre a visão de Obama-Hillary e a sua firme crença: "O americanismo, não o globalismo, será o nosso novo credo". Essa é uma pedra angular da diretriz de Trump; portanto, ele foi mais fundo: "Tudo o que Hillary Clinton tem a oferecer é mais do mesmo – mais impostos, mais regulamentações, mais burocratas, mais restrições à energia e à produção americanas".

Trump definiu as regulamentações como um "imposto oculto" para os consumidores e prometeu eliminá-las. No geral, prometeu que "nem vai ser tão difícil" consertar a economia; também apresentou algumas especificidades, como o plano de reforma tributária:

> Estou propondo uma redução geral do imposto de renda, especialmente para os americanos da classe média. A simplificação do imposto será uma característica importante do plano. (...) Meu plano reduzirá o número atual de alíquotas de sete para três e simplificará o processo drasticamente. Trabalharemos com os republicanos da Câmara nesse plano, usando as mesmas alíquotas que eles propuseram: 12%, 25% e 33%. Para muitos trabalhadores americanos, a taxa de imposto será zero.

Sobre infraestrutura, a promessa foi "construir a próxima geração de estradas, pontes, ferrovias, túneis, portos marítimos e aeroportos que nosso país merece. Carros americanos viajarão pelas estradas, aviões americanos conectarão nossas cidades e navios americanos patrulharão os mares. O aço americano erguerá novos arranha-céus".

Afirmando que, "quando reformarmos nossas políticas tributárias, comerciais, energéticas e regulatórias, abriremos um novo capítulo na prosperidade americana", detalhou: "A administração Trump vai aumentar o PIB em mais de US$ 100 bilhões por ano, adicionar mais de quinhentos mil novos empregos a cada ano e aumentar os salários anuais em mais de US$ 30 bilhões nos próximos sete anos, aumentar as receitas fiscais federais, estaduais e locais em quase US$ 6 trilhões ao longo de quatro décadas e aumentar a atividade econômica total em mais de US$ 20 trilhões nos próximos quarenta anos".

O candidato republicano ressaltou que, a partir de agora, continuará elaborando suas ideias econômicas e concluiu com palavras positivas e envolventes, mas também advertiu:

> É hora de remover a âncora que nos arrasta para baixo. (...) Nosso país alcançará novas alturas incríveis. Tudo o que temos de fazer é parar de confiar nas vozes cansadas do passado. Não podemos consertar um sistema manipulado confiando nas pessoas que o manipularam. Não podemos resolver nossos problemas confiando nos políticos que os criaram. Apenas mudando para novas lideranças e novas soluções obteremos novos resultados. Precisamos parar de acreditar em políticos e começar a acreditar na América. (...) Eles querem que vocês pensem pequeno. Estou pedindo a vocês para que pensem grande.

Uma curiosidade em relação ao evento foi a aparição sincronizada de desordeiros. A CNN informou que havia quatorze pessoas – treze mulheres e um homem – que se levantavam e começavam a protestar a cada quatro ou cinco minutos. Todos foram escoltados pacificamente para fora, e Trump manteve silêncio absoluto sobre o acontecimento – uma reação sem precedentes.

A fim de proporcionar uma compreensão mais profunda da agenda econômica de Trump, acredito que vale a pena mencionar a luta econômica na

América e sua correlação com o Brexit. Sobre as dificuldades acumuladas, a CNN Money afirmou, por exemplo, que 27% dos americanos não têm poupança alguma. O dado é reforçado por uma pesquisa da Associated Press-NORC Center for Public Affairs Research (Centro de Pesquisa de Relações Públicas) divulgada em 19 de maio: no geral, 67% dos americanos passariam aperto para cobrir uma despesa emergencial de US$ 1 mil. A dificuldade engloba todos os níveis de renda nos seguintes percentuais: 75% dos que ganham menos de US$ 50 mil por ano, 67% dos que ganham entre US$ 50 mil e US$ 100 mil por ano e 38% dos que ganham mais de US$ 100 mil por ano. O último grupo é composto pelos 20% das pessoas mais ricas dos Estados Unidos.

O "Relatório sobre o bem-estar econômico das famílias dos Estados Unidos em 2014" (Report on the Economic Well-Being of US Households in 2014), produzido pelo Banco Central americano (Federal Reserve, FED) e divulgado em maio de 2015, apontou que 47% dos americanos teriam que pedir dinheiro emprestado ou vender algo para pagar uma despesa inesperada de US$ 400. Esses 47% não poderiam fazer frente ao gasto por meio de poupança ou cartão de crédito. Esses números chocantes expõem a situação precária e alarmante das finanças dos americanos.

O "Relatório sobre a riqueza global – 2015" (Global Wealth Report 2015), do Credit Suisse, traz à luz a acentuada desigualdade de renda. Nos Estados Unidos, a média da riqueza dos cidadãos é de US$ 352.996 por adulto; enquanto a mediana é de US$ 49.787 por adulto. Além do enorme hiato entre a média e a mediana, os dados revelam que o patrimônio líquido de metade da população adulta nos Estados Unidos – cerca de 121,5 milhões de pessoas – está abaixo de US$ 50 mil. Em contraste, o país tem 46% dos indivíduos de elevado patrimônio líquido no mundo (*high net-worth individuals*, que se situam entre US$ 1 milhão e US$ 50 milhões) e 48% dos indivíduos de ultraelevado patrimônio líquido no mundo (*ultra-high net-worth individuals*, acima de US$ 50 milhões). Os americanos somam 15,65 milhões no primeiro grupo e 58,9 mil no segundo.

Os interesses econômicos guiam não apenas as decisões das pessoas, mas também as determinações dos governos – a porta de entrada para a melhoria da vida dos indivíduos. Assim, os interesses econômicos são a primeira e principal motivação nos Estados Unidos e em outros lugares, no presente e no passado.

Vamos olhar para trás: em 1922, o império britânico cobria quase um quarto da área total do planeta e dominava mais de um quinto da população da Terra. "O império em que o sol nunca se põe" era uma frase notória. Apesar da imensa quantidade de pessoas e territórios governados pelo Reino Unido, a questão era predominantemente econômica, comercial: fazer um monte de dinheiro impondo acordos comerciais convenientes para a Coroa britânica. De volta ao presente, comércio e economia também marcaram forte presença no referendo sobre a saída do Reino Unido (Brexit) da União Europeia. Em 23 de junho de 2016, 48,1% (16.141.241 pessoas) optaram por permanecer e 51,9% (17.410.742 pessoas) optaram por sair da União Europeia.

O Brexit não tem relevância oficial perante a União Europeia. O Artigo 50 do Tratado de Lisboa estipula que, para o processo ser desencadeado, o Conselho Europeu deve ser formalmente notificado. Depois disso, uma negociação longa e detalhada culminaria com um acordo entre as partes, incluindo seu relacionamento futuro. Assim, levará algum tempo para que a saída seja totalmente consolidada; no entanto, alguns impactos da decisão são imediatos. Por exemplo, o Brexit derrubou o primeiro-ministro britânico, a libra esterlina caiu ao nível mais baixo desde 1985, e o Dow Jones despencou 611 pontos em um dia. A perda de valor no mercado global registrou US$ 2 trilhões nas 24 horas seguintes. Foi uma impressionante reverberação política e econômica mundial.

Na sequência de marcos históricos – e aqui temos um considerado improvável –, geralmente instaura-se uma reação exagerada generalizada. Trata-se de emoção. Depois as pessoas começam a pensar a sério sobre a nova realidade, e essas mentes conscientes trazem racionalidade e prudência à mesa. Ainda assim, parece que o efeito dominó gerado nos outros 27 países-membros da União Europeia e o sentimento de autodeterminação desencadeado no Reino Unido vão durar mais.

É provável que seja um sinal de que veremos, ainda em nossas vidas, um Reino Unido que não abranja Inglaterra, Escócia, País de Gales e Irlanda do Norte, talvez apenas Inglaterra e País de Gales. Quanto à União Europeia, no mínimo França, Holanda, Áustria, Finlândia e Hungria podem estar na lista de saída – o que, a propósito, seria celebrado por Vladimir Putin, já que uma Europa dividida tende a gerar uma Rússia mais forte e mais espaçosa, por assim dizer.

Com efeito, existem algumas distorções na União Europeia que se tornaram insustentáveis. Para ilustrar, os membros do sul têm sido patrocinados pelos países ricos do norte, e os cidadãos destes últimos têm suas demandas para serem priorizadas. Além disso, não querem burocratas de Bruxelas não eleitos, bem remunerados e mal informados tomando decisões que afetam suas vidas negativamente. Segundo o *Wall Street Journal* de 24 de junho, "70% dos graduados universitários eram a favor da União Europeia; 68% igualmente desproporcionais dos que não concluíram o ensino médio eram contra".

Na edição de 26 de junho do programa *Fareed Zakaria GPS*, da CNN, foi dito que os eleitores a favor da permanência eram "mais jovens, etnicamente diversificados, mais bem educados e em melhores condições econômicas", enquanto os eleitores a favor da saída eram "mais velhos, brancos, trabalhadores, menos educados e pobres". Bingo! O fato é que por um tempo as pessoas, em especial essa parcela da população, foram deixadas de fora por seus líderes e se cansaram. A votação a favor da saída foi uma repreensão ensurdecedora para todo o *establishment*, que não é capaz de ver que os cidadãos estão mais do que fartos.

Existe um sentimento dominante por todo o mundo, que é o da enorme multidão à margem exigindo laços estreitos com os tomadores de decisão. Essa multidão decidiu que seu padrão de vida deve ser melhorado, não amanhã ou na semana que vem, mas hoje. Isso leva a uma preocupação primordial com os temas locais, tangíveis, para realizar o que ainda falta, para lidar com problemas que afetam diretamente a qualidade de vida dessas pessoas no cotidiano – coisas que o conceito de globalização prometeu demais e cumpriu de menos.

É neste mar que Trump navega nas costas americanas: a prevalência na mente e na alma das pessoas de que a solução é uma espécie de nacionalismo populista, que rejeita a falta de responsabilidade e exige resultados perceptíveis e notáveis. Em seus sonhos, é provável que Trump reescreva as palavras "nacionalismo" e "populismo", cunhando uma versão contemporânea que engloba todo o conceito que acabei de mencionar: "trumpismo".

Com a eleição de Trump, os Estados Unidos, na qualidade de principal potência do mundo, provavelmente galvanizarão esse conceito em todo o mundo.

Tentando colar alguns corações partidos dentro do ambiente republicano, Trump finalmente endossou Paul Ryan e John McCain, estrategicamente escolhendo Wisconsin, estado de Ryan, para o anúncio:

> Teremos desentendimentos, mas vamos discordar como amigos e jamais pararemos de trabalhar juntos para a vitória. E, muito importante, rumo a uma mudança real. Em nossa missão compartilhada, de tornar a América grande outra vez, apoio e endosso o nosso presidente na Câmara, Paul Ryan. Aproveito para declarar que tenho a mais alta estima pelo senador John McCain por seu serviço ao nosso país, de farda e em cargos públicos, e apoio e endosso totalmente sua reeleição.

Em seguida a equipe de campanha enviou um *e-mail* aos apoiadores de Trump reproduzindo a seguinte citação do candidato: "É hora de unir nosso partido e negar um terceiro mandato a Obama. Endossei oficialmente Paul Ryan – e juntos lutaremos por vocês e juntos tornaremos a América grande outra vez". Seguindo por esse caminho, Trump de fato aumenta suas chances.

A agenda econômica de Hillary

A seguir, foi a vez de Hillary proferir um discurso econômico importante. Ela também foi a Michigan para fazer isso, mas escolheu a cidade de Warren. Mais do que um discurso propositivo, o foco foi rejeitar as ideias de Trump e o candidato do Partido Republicano, em especial como defensor da classe trabalhadora:

> Em seu discurso na segunda-feira, ele pediu uma nova lacuna fiscal – vamos chamá-la de "lacuna Trump". Isso permitiria que ele pagasse menos da metade da alíquota atual sobre a receita de muitas de suas empresas. Ele pagaria uma taxa mais baixa do que milhões de famílias de classe média. (...) Há um mito por aí de que ele vai partir para cima dos ricos e poderosos porque de alguma forma no fundo ele está do lado dos fracos. Não acreditem nisso.

O que Hillary chama de "lacuna Trump" é o conceito de eliminar o imposto predial para as corporações, o que reduziria o imposto corporativo dos atuais 35% para 15%.

Falando de alíquotas de imposto, vamos dar uma olhada no imposto de renda individual. De acordo com a Receita Federal (Internal Revenuers Service, IRS), no último ano do governo democrata de Bill Clinton (2000), a alíquota de imposto de renda mais baixa (para impostos regulares) era de 15%, e a mais alta, de 39,6%. No último ano do governo republicano de George W. Bush (2008), os índices eram de 10% e 35%. De volta a uma administração democrata, a do presidente Obama, em 2015 as alíquotas das extremidades eram respectivamente 10% e 39,6%. A menor era aplicada a rendimentos tributáveis abaixo de US$ 18,55 mil, e a mais alta, acima de US$ 466,95 mil ao ano.

Tributação é sempre um tema central, e os democratas precisam de mais dinheiro para realizar sua visão de Estado. Por exemplo, Hillary enfatiza os planos de tornar universidades e faculdades públicas gratuitas para famílias de classe média. A proposta era de Sanders, e Hillary a incorporou para persuadir os partidários dele. Ainda visando os apoiadores e simpatizantes de Sanders, Hillary está prometendo: "Vou cessar qualquer acordo comercial que acabe com empregos ou reduza salários, incluindo a Parceria Transpacífico. Sou contra agora, serei contra depois da eleição e serei contra como presidente".

Aqui eu vejo algum espaço para manobras. Eliminar empregos e manter salários baixos para os trabalhadores americanos pode ser uma questão de interpretação, dependente de uma longa lista de variáveis. Isto é, Hillary no futuro pode ficar convencida de que a TPP é boa, ou que com alguns ajustes se tornará ótima, e partir para a implementação. Se não é o caso, e Hillary acredita mesmo que a TPP é uma iniciativa estéril, o acordo tem data certa para morrer. É uma situação curiosa: tanto o candidato republicano como a democrata estão contra. É embaraçoso para Obama e Hillary, já que ela promete acabar um acordo comercial que ele defende com ardor e que ela ajudou a negociar.

Hillary também tenta se diferenciar destacando que nasceu e foi criada em uma família de classe média, falando sobre a batalha econômica de seus ancestrais. Enfatiza que o pai era um pequeno empresário com uma estamparia de tecidos em Chicago e o avô era operário em uma fábrica de rendas em Scranton. A ideia é desfazer a percepção de que o republicano seja o candidato que vai trabalhar para o americano de classe média na Casa Branca. Hillary aponta o contraste entre o menino rico e a moça de classe média. Envia uma mensagem subliminar de que tem direito à legitimidade e ao monopólio de ser a defensora do americano típico e proclama com entusiasmo: "Sou produto da classe média americana".

A despeito da força da afirmação, a autenticidade de Trump tem prevalecido, enquanto a obscuridade de Hillary a empurra para baixo. Para ilustrar, nada melhor do que a edição da revista *Time* de 1º de agosto de 2016, logo depois que ela assegurou a indicação democrata. Na capa, cinco fotos do rosto da candidata com a manchete: "Em busca de Hillary". A reportagem detalha: "A Clinton conhecida e desconhecida. Toda a sua carreira a trouxe a esse ponto. Conheça a mulher superfamosa cujos assessores dizem que ninguém conhece". Ou seja, Hillary Clinton ainda precisa ser decifrada, e o eleitorado pode não estar propenso a assinar um cheque em branco.

Em termos de *status* financeiro, ambos os candidatos pertencem hoje à mesma camada rica e influente da nação. A principal diferença é que o dinheiro de Trump vem de concretos empreendimentos no setor privado, e o de Hillary de fonte intangível, como cachês de palestras, consultoria e doações de grandes corporações e governos estrangeiros. Acredito que aqui reside uma diferença crucial que os eleitores zangados com a desigualdade de renda entenderiam muito bem, mas que Trump não está comunicando de forma adequada.

Estratégia de comunicação

A discussão sobre uma mudança radical de Trump no que tange a seu comportamento é constante. O uso do *teleprompter* permite a ele mostrar mais substância e parcimônia ao abordar questões primordiais. Porém, ele afirmou que não haverá moderação no tom – pelo menos em relação à adversária: "Todo mundo fala 'oh, você tem que maneirar'. Eu não quero maneirar. Se você começa a maneirar, não está sendo honesto com as pessoas. Não, eu sou quem eu sou".

A verdade é que a receita de Trump é bem clara: a combinação e alternância dessas abordagens, para que possa atingir de forma eficiente um eleitorado maior. O ex-gerente de campanha de Trump Corey Lewandowski resumia e defendia o conceito com a seguinte expressão: "Deixe Trump ser Trump" (*let Trump be Trump*). Lewandowski saiu em junho, mas a noção está bem viva.

A propósito, em 17 de agosto, a menos de três meses da eleição, Trump promoveu nova reformulação na equipe de campanha. E das grandes. Paul Manafort continua com o título de presidente de campanha e estrategista-chefe, mas suas atribuições e influência diminuíram em termos significativos. Outros dois cargos de peso foram criados: gerente de campanha, ocupado por Kellyanne Conway, e diretor executivo, preenchido por Steve Bannon.

Conway é uma estrategista de campanha do Partido Republicano e analista de opinião, fundou e preside The Polling Company, Inc./WomanTrend. Bannon é presidente da Breitbart News Executive (deixou a empresa temporariamente para se concentrar na campanha), e seu perfil é definido com adjetivos como "casca-grossa" (*street-fighter*) e "atiçador" (*firebrand*). Ele vai trabalhar nos bastidores. Conway é uma mulher sincera e habilidosa comunicadora, que aproximará Trump do eleitorado feminino. Desde que substituiu Lewandowski, Manafort esteve por toda parte falando sobre tudo. De agora em diante, Kellyanne Conway será a imagem e a voz da campanha de Trump. É uma melhoria sagaz e necessária.

A receita bem clara que mencionei será o novo mantra. É evidente que Trump não será impedido de ser Trump, particularmente quando se tratar de Hillary Clinton; em paralelo, também será mais fraterno, humano, gentil, amável e inclusivo.

Donald Trump gera uma quantidade gigantesca de mídia gratuita, que em geral não lhe é favorável. De qualquer forma, ele basicamente desconsidera a propaganda de campanha tradicional para propagar suas ideias. A manchete da NBC News em 9 de agosto informa: "Campanha de Clinton agora supera a de Trump em anúncios por US$ 52 milhões a zero".

A informação refere-se aos gastos em anúncios de TV desde o final das primárias. Até a candidata do Partido Verde, Jill Stein, e o libertário Gary Johnson superaram Trump, gastando US$ 189 mil e US$ 15 mil, respectivamente. Mesmo o panorama mais amplo, que inclui os Super PACs, não mostra discrepância profunda nos números. A equipe de Trump gastou US$ 8,2 milhões; a de Hillary registrou US$ 91,1 milhões, 11,1 vezes mais.

Junto com a divulgação da nova equipe, a campanha de Trump anunciou a primeira grande compra de anúncios de TV – significativa apenas por seus parâmetros. A NBC News informou que o custo será de cerca de US$ 4 milhões, distribuídos em quatro *battleground states*: Flórida (US$ 1,44 milhão), Pensilvânia (US$ 984 mil), Carolina do Norte (US$ 838 mil) e Ohio (US$ 716 mil). Os comerciais serão veiculados de 19 a 29 de agosto.

Todas essas mudanças no campo republicano parecem ter o DNA de Roger Ailes, fundador da Fox News, de 76 anos, e CEO da emissora até 21 de julho – quando saiu devido a um escândalo de assédio sexual. Ailes se tornou um dos nomes mais poderosos e influentes da mídia e transformou a Fox News no canal a cabo de notícias dominante na América. O reinado de Ailes na lendária rede conservadora durou vinte anos.

Para registro, agora o patriarca e presidente Rupert Murdoch, de 85 anos, está também acumulando as atribuições de CEO. Murdoch é dono de um enorme conglomerado de mídia multinacional, e a Fox News é apenas uma divisão da Fox Entertainment Group, pertencente à News Corp. A News Corp e a 21st Century Fox (renomeada da 20th Century Fox) representam as duas principais *holdings* do império de Murdoch. Seus tentáculos estão espalhados não só na América, mas também em países como Austrália (sua terra natal), Índia e Reino Unido. No Reino Unido, ele controla publicações como *The Sun*, *The Times* e *The Sunday Times*. Nos Estados Unidos, a News Corp possui jornais como *New York Post* e *The Wall Street Journal* – este último, juntamente com o *USA Today* e o *New York Times*, são os três jornais de maior circulação no país. Apesar de o *ranking* de 2016 da *Forbes* (*The World's Billionaires*) posicionar Murdoch como o 96º, com patrimônio líquido de US$ 10,6 bilhões, muitos afirmam ser ele o número um quando consideramos o magnata da mídia mais poderoso da Terra.

De volta a Ailes, ele aconselhou presidentes como Richard Nixon, Ronald Reagan e George H. W. Bush. Agora está ajudando Trump, e ambos têm muito em comum: Trump emergiu como um fenômeno da mídia, e Ailes é um mago da mídia. Os dois gigantes – Trump e Ailes – podem inclusive vir a somar sua criatividade para monetizar juntos mais adiante. Por exemplo, explorando novas possibilidades na indústria titânica e competitiva das comunicações.

De momento teremos que aguardar o desenrolar dos acontecimentos, com certeza por mais tempo do que o destino levou para decretar o futuro de Paul Manafort. Digo isso porque o resultado da equação da remodelação da campanha, que diminuiu as atribuições de Manafort, durou apenas

48 horas. Manafort renunciou em 19 de agosto. E a razão não foi apenas a reformulação do comando executivo da campanha, mas também a divulgação de detalhes de seus estreitos laços com um partido pró-russo na Ucrânia. Foi a gota d'água.

Legisladores ucranianos revelaram pagamentos não registrados feitos diretamente para Manafort. O promotor ucraniano Nazar Kholodnytski afirmou que um livro contábil manuscrito mostra US$ 5 bilhões em liquidações secretas, supostamente feitas pelo partido do ex-presidente Viktor Yanukovych, derrubado em 2014. A informação foi veiculada na CBS News em 19 de agosto. A reportagem também afirmou que o promotor "confirmou que o nome de Manafort aparece doze vezes em 22 inscrições diferentes, totalizando US$ 12,7 milhões entre 2007 e 2012". Manafort nega.

As revelações surgem em um momento particularmente infeliz para Manafort. Em primeiro lugar, porque a Rússia acaba de realizar ataques aéreos contra a Síria, partindo de uma base iraniana. Desde a Revolução Islâmica de 1979, é a primeira vez que um grande país age em cooperação militar com o Irã. É realmente preocupante para os Estados Unidos. Em segundo lugar, porque a Rússia está alinhando tropas na fronteira com a Ucrânia. Extraí a passagem a seguir de um artigo do *Wall Street Journal* de 19 de agosto, que resume o momento:

> A Rússia está reforçando sua presença militar na fronteira ocidental, enviando dezenas de milhares de soldados para instalações recém-construídas a curta distância da Ucrânia. Os movimentos, que ocorrem quando Moscou enfrenta confrontos na península do Mar Negro, na Crimeia, são peça central de uma nova estratégia militar que, segundo o Kremlin, visa neutralizar ameaças percebidas da Otan. Analistas militares dizem que os desdobramentos parecem um esforço para construir uma posição militar mais permanente e robusta em toda a Ucrânia, onde a Rússia realizou intervenções militares secretas em apoio aos combatentes separatistas pró-Rússia, visando manter a influência em seu vizinho ocidental.

Existe um ditado, geralmente atribuído ao presidente Abraham Lincoln, que recomenda: "Não troque de cavalo no meio do riacho" (Don't change horses in the middle of the stream). No que concerne à política, a máxima conota que, uma vez escolhido um candidato, não há espaço para substituição, mesmo que o novo nome seja supostamente muito melhor. Também significa que, quando a implementação de um plano já começou, não há mais tempo para efetuar grandes mudanças. Visto que Trump não precisa de problemas adicionais na sua campanha, ele desconsidera a segunda interpretação do ditado a fim de que possa permanecer fiel à primeira e salvar a si mesmo. Manafort se foi, e Trump se fortalece com a ocasião.

A América está no caminho errado, dizem 67%

Pesquisa da Reuters/Ipsos Public Affairs divulgada em 17 de agosto informou que, quando perguntados "Em termos gerais, você diria que as coisas neste país estão indo na direção certa ou no caminho errado?", 80% não estão muito confiantes. Para ser preciso, 67% disseram "caminho errado", e 13%, "não sei". Temos que admitir que o atual presidente ajudou a construir esse julgamento.

Para ficar em dois acontecimentos recentes que evidenciam essa percepção, destaco todo o imbróglio e as contradições que envolvem a decisão de Obama de enviar para o governo iraniano US$ 400 milhões em espécie em um avião cargueiro e a decisão do diretor do FBI, James Comey, de não processar Hillary. Sobre o último, o *New York Post* informou, em 24 de julho, que Malik Obama, irmão paterno do presidente Barack Obama, considerou inaceitável tal decisão. Foi a gota d'água para o que Malik definiu como uma "profunda decepção" com a administração de seu irmão. Portanto, Malik Obama trocou para o Partido Republicano e se tornou um defensor de Trump: "Eu gosto de Donald Trump porque ele fala com o coração. Tornar a América grande outra vez é um ótimo *slogan*. Eu gostaria de conhecê-lo".

Hillary Clinton encerrou essa semana boa para ser esquecida ainda arrecadando fundos a portas fechadas. Ela não faz aparições públicas há alguns dias, o que sempre levanta dúvidas sobre sua saúde. Seja pela saúde frágil, seja apenas consequência das captações de recursos, no final das contas a ausência é sua melhor opção. O clima atual não é muito saudável para ela. O bilionário George Soros é um grande patrocinador das campanhas democratas e impulsionou o Super PAC de Hillary, "Priorities USA". Em 16 de agosto, o programa *O'Reilly Factor*, da Fox News, usou seu megafone para informar:

> Recentemente, *hackers* (...) expuseram mais de dois mil documentos ligados a Soros e sua Open Society. (...) Soros doou cerca de US$ 10 milhões para grupos que se opunham às políticas de Israel. (...) Fez uma variedade de doações para pessoas que literalmente odeiam Israel. Além disso, Soros financiou investigações de indivíduos que se opõem ao radicalismo islâmico. (...) Soros doou cerca de US$ 13 milhões para os democratas neste ciclo eleitoral. Isso inclui US$ 7 milhões para um Super PAC de Hillary Clinton. (...) Agora temos um indivíduo de extrema esquerda, Soros, empenhado em prejudicar Israel – o aliado mais forte dos Estados Unidos no Oriente Médio. Mais uma vez, Soros é um dos maiores doadores para o Partido Democrata. (...) O Partido Democrata deve comentar sobre Soros e suas atividades. Solicitamos uma declaração do Comitê Democrata.

Não houve resposta do Comitê Democrata. Independentemente da relevância do novo vazamento comprometedor dos documentos de Soros, o dueto servidor de *e-mail* privado (*private email server*) e Fundação Clinton (Clinton Foundation) é o pior pesadelo de Hillary.

A controvérsia do *e-mail* se resume a Hillary ter usado o servidor de *e-mail* privado dos Clinton para comunicações oficiais durante seu mandato como secretária de Estado. Ou seja, o servidor pessoal, localizado em sua casa, em Chappaqua (Nova York), foi o equipamento que armazenou todo o conteúdo que ela trocou durante os quatro anos em que esteve no cargo. Assim, o governo não tem, em servidores de *e-mail* federais protegidos, registros oficiais das comunicações eletrônicas da pessoa que ocupou a quarta posição na linha de sucessão presidencial durante todo o primeiro mandato do presidente Obama.

Quando Hillary abordou a questão publicamente pela primeira vez, no último dia 10 de março, na sede da ONU, em Nova York, garantiu: "Não enviei material classificado para ninguém com meu *e-mail*, (...) não há material classificado. Estou ciente dos requisitos de classificação e não enviei material classificado". Perguntada se concordaria em entregar o servidor de *e-mail*, ela foi direta: "O servidor contém comunicações pessoais do meu marido e minhas. (...) O servidor permanecerá privado". Desde então os fatos vêm expondo uma realidade bem distinta.

Com humildade, ofereço dois conselhos aos candidatos

A respeito do servidor privado de *e-mail*, em 19 de agosto o juiz federal Emmet G. Sullivan (Washington, D.C.) ordenou que Hillary entregasse um testemunho por escrito sob juramento. A decisão tem como objetivo "capacitá-la a explicar de público o propósito da criação e operação do sistema clintonemail.com para assuntos do Departamento de Estado".

O demandante da ação judicial – Judicial Watch – terá que enviar perguntas até 14 de outubro, e Hillary terá que enviar as respostas dentro de 30 dias depois disso. Por causa dos prazos estabelecidos pelo juiz, Hillary pode entregar a resposta somente após 8 de novembro, dia da eleição.

O lema da organização conservadora Judicial Watch é "Porque ninguém está acima da lei". A instituição aproveita a Lei da Liberdade de Informação para litigar e responsabilizar funcionários públicos e políticos que se envolvem em atividades suspeitas. A Lei da Liberdade de Informação foi assinada em 4 de julho de 1966 pelo presidente Lyndon Johnson e entrou em vigor em 5 de julho de 1967.

Sobre o *e-mail* de Hillary, esta é a maneira enfática como Chris Cillizza, do *Washington Post*, transmitiu a nova notícia no dia 22 de agosto, às 14h20: "O FBI encontrou quinze mil *e-mails* que Hillary Clinton não entregou. Oh-oh". Até agora Hillary tem sido implacável em dizer: "Entregamos tudo". Tudo? O FBI desmente. A falta de sinceridade de Hillary é evidente e inaceitável. Está ficando cada vez mais difícil para os democratas e a mídia liberal defendê-la sobre esse assunto. *The Washington Post* não é um jornal que apoie Trump, pelo contrário. Assim, a forma como a descoberta foi relatada é significativa.

Se não fosse a péssima relação entre Trump e Jeff Bezos, eu diria que o influente jornal está quase jogando a toalha – em 2013 Bezos comprou o jornal, fundado em 1877, por US$ 250 milhões. De acordo com o *ranking* de 2016 da *Forbes*, Bezos é a quinta pessoa mais rica do mundo, com patrimônio líquido de US$ 45,2 bilhões. Bezos é um doador democrata e é desnecessário elaborar sobre seu poder de fogo, que só aumentou com o tempo – e cujo auge aparentemente ainda está por vir.

Ainda sobre os quinze mil *e-mails*, o FBI entregou todos ao Departamento de Estado. Agora, o Departamento de Estado está negociando um plano para a liberação do material junto com o Judicial Watch.

Quanto à Fundação Clinton... Bem, é impossível reproduzir aqui todas as evidências de pagamento para ter acesso (*pay-for-play*) entre o Departamento de Estado sob Hillary e a fundação. O espectro é grande e plural. Vai de um acordo de urânio no Cazaquistão a uma barganha nuclear na Índia, até atender ao pedido do irlandês Bono Vox de fazer uma conexão com a Estação Espacial Internacional nos shows do U2.

Vamos tentar resumir a íntima cooperação Departamento de Estado-fundação com o seguinte diálogo por *e-mail* entre Huma Abedin, representando o Departamento de Estado (subsecretária de Hillary), e Doug Band, representando a Fundação Clinton (assistente pessoal de Bill):

- De: Doug Band
  Para: Huma Abedin

Enviada: terça-feira, 23 de junho de 2009
Assunto: Cp do Bahrein de amanhã a sexta-feira
Pedindo para vê-la
Bom amigo nosso

- De: Huma Abedin
  Para: Doug Band
  Enviada: terça-feira, 23 de junho de 2009
  Assunto: Re:
  Ele pediu para ver hrc quinta e sexta através de canais normais. Perguntei, e ela disse que não quer se comprometer com nada na quinta ou sexta até saber como vai se sentir. Ela também diz que pode querer ir para ny e não quer se comprometer com coisas em ny...
- De: Huma Abedin
  Para: Doug Band
  Enviada: quinta-feira, 25 de junho de 2009
  Assunto: Oferecendo encontro ao cp do Bahrain amanhã às 10 com hrc
  Se você encontrar com ele, avise-o
  Entramos em contato com canais oficiais

"HRC" é Hillary Rodham Clinton, o modo típico como seus assessores se referem a ela por escrito. É como WJC para William Jefferson Clinton (Bill Clinton) e CVC para Chelsea Victoria Clinton. "Cp do Bahrein" refere-se ao príncipe herdeiro do Bahrein, Salman bin Hamad bin Isa Al-Khalifa.

Claro que o Cp do Bahrein conseguiu sua reunião com a secretária de Estado em 2009. Em 2010, ele doou US$ 32 milhões para a Fundação Clinton, de acordo com os dados oficiais. Hillary aprovou US$ 630 milhões em vendas diretas de armas para reforçar as forças militares do Bahrein nos anos fiscais de 2010 a 2012, de acordo com o Departamento de Estado. O episódio aconteceu em junho de 2009; Hillary se tornara secretária de Estado apenas cinco meses antes, em janeiro.

Como podemos perceber, foi apenas o projeto-piloto de um padrão doentio implacavelmente repetido. O padrão expõe uma cultura intrínseca de pagamento para ter acesso. Alguns até chamariam de chantagem. Não obstante o nome, o conflito de interesses é o cerne da questão. O esquema de *pay-for-play* é notório. O acesso e as concessões concedidas por doações aos Clinton são difíceis de negar.

A controversa Fundação Clinton foi fundada em 1997. No começo, era Fundação William J. Clinton; de 2013 a 2015, foi Fundação Bill, Hillary & Chelsea Clinton. Nesse período, abrangeu ou ainda engloba braços como Clinton Global Initiative (CGI), Clinton Global Initiative University (CGI U), Clinton Health Access Initiative (CHAI), Clinton Climate Initiative (CCI), Clinton Development Initiative (CDI), Clinton Economic Opportunity Initiative, Clinton Health Matters Initiative (CHMI) e Clinton Giustra Sustainable Growth Initiative. É uma quantidade enorme de "Clinton".

Então, esse é o negócio dos Clinton. Agora, Bill diz que renunciará ao conselho da fundação se Hillary se tornar presidente. A ordem é mostrar responsabilidade, de modo que foram anunciadas mudanças adicionais no caso da eleição de Hillary: a proibição de doações estrangeiras e corporativas e o fim dos discursos pagos de Bill. A ideia é que a fundação receba apenas contribuições de instituições de caridade independentes e de cidadãos americanos. São esparadrapos para consertar uma estrutura quebrada.

No meio da tempestade, Trump aproveitou o momento e atacou vigorosamente a adversária. Esta é uma amostra de algumas de suas observações:

> Os Clinton passaram décadas dentro do sistema forrando os próprios bolsos e cuidando dos doadores em vez do povo americano. Agora está claro que a Fundação Clinton é o empreendimento mais corrupto da nossa história política. (...) Número um, deveriam fechar; número dois, deveriam devolver o dinheiro a muitos países. (...) Países com total ingerência sobre Hillary coincidem com países que discriminam mulheres, gays e muitos outros. (...)

> Os Clinton transformaram o Departamento de Estado no mesmo tipo de operação *pay-for-play* que o governo do Arkansas era: pague enormes somas de dinheiro à Fundação Clinton e dê grandes cachês para Bill Clinton discursar e você consegue iniciativas com o Departamento de Estado. (...) Essas pessoas são muito gananciosas. São pessoas que há muito tempo driblam a lei. Sabem, é difícil de acreditar que alguém assim tenha uma boa chance, sabem, uma boa chance de ser presidente. (...) O Departamento de Justiça é obrigado a nomear um promotor especial porque provou ser, infelizmente, um braço político da Casa Branca. Nunca se viu nada parecido antes. (...) Os valores envolvidos, os favores feitos, a quantidade significativa de tempo, exigem uma investigação rápida por um promotor especial imediatamente.

Enquanto isso não acontece, vou fazer uma pausa aqui para humildemente registrar dois conselhos aos dois candidatos. No que se refere a Hillary Clinton, quando o nome é mencionado, as pessoas o relacionam com "*e-mail*" e "fundação" – entre outras coisas, é claro. Do meu ponto de vista, uma parte considerável da população não consegue entender por completo as minúcias dos acontecimentos, mas sente um odor desagradável. Sabem que houve ações erradas e que Hillary não contou a verdade.

Por um lado, a verdade é um mar agitado para Hillary navegar. Por outro, as histórias de encobrimento são sempre piores e apenas exacerbam a situação original. Com base nessa premissa, Hillary deve fazer algo com que não está familiarizada: convocar uma grande coletiva de imprensa – de verdade, com perguntas abertas para todos os jornalistas e veículos da mídia. Deve pedir desculpas sinceras por seus erros e prometer que nunca fará de novo. Deve assumir o que ocorreu e oferecer um recomeço para seus eleitores e para todos os americanos. É claro que os republicanos não deixarão de criticá-la, mas não importa. O foco é exclusivamente simpatizantes e eleitores democratas. Hillary tem de fazer esse movimento ousado para parar de sangrar em público. Não vejo outra alternativa viável para resolver o problema.

A última coletiva de imprensa de Hillary foi em 5 de dezembro de 2015, antes das votações nas primárias. A falta de interação direta e franca com a mídia é preocupante e pode ser entendida como um precedente alarmante. Qualquer um pode questionar: se um candidato concorrendo ao mais alto cargo na Terra age assim, o que não fará quando se tornar presidente?

Enquanto Hillary está pagando pelo que fez, Trump está pagando pelo que disse. O *counterpuncher* (bateu-levou) parece enfim estar compreendendo que deve evitar os contragolpes a cada pequeno soco que leva. É indiscutível que um candidato não deve permitir espaço para o crescimento de ervas daninhas, mas é essencial a sabedoria para distinguir quando uma erva daninha é natimorta e quando tem um potencial devastador. A primeira situação não requer ação; portanto, nenhuma energia deve ser desperdiçada com isso. A última exige atuação imediata e eficiente – a toda velocidade. Se um candidato mobiliza seu exército em todas as ocasiões banais, a atitude beligerante pode ser entendida como falta de controle emocional, imaturidade e profunda necessidade de afirmação pessoal, o que não é favorável.

Talvez Trump leve meu conselho em conta. Hillary está deixando claro seu total desacordo. Em 22 de agosto, ela apareceu no *Jimmy Kimmel Live*, na ABC News, e, perguntada se está preocupada com a divulgação dos quinze mil *e-mails* encontrados pelo FBI, declarou: "Jimmy, meus *e-mails* são muito entediantes. Estou envergonhada por isso. (...) Então, não sei; já liberamos mais de trinta mil, o que são mais alguns?".

Mais alguns? Os quinze mil novos e os outros 33 mil que ela apagou deliberadamente somam 48 mil *e-mails*. Imagine a quantidade infinita de informações contidas em tais documentos. Sem dúvida Hillary decidiu continuar subestimando o problema e levando na brincadeira. Serei claro: a candidata e os democratas estão equivocados, estão arrogantemente subestimando a seriedade da situação. Como não tenho propensão para subestimação, reconheço o poder ilimitado dos democratas a bordo do governo federal. Ainda assim, não acredito que sejam capazes de controlar a sucessão dos fatos, e, como resultado, Hillary não terá trégua.

Todo esse episódio dos Clinton é chocante e embaraçoso, pode até manchar a reputação das instituições americanas. O refrão que ficou famoso na convenção republicana, quando o governador Chris Christie abordou o padrão problemático de Hillary, é ouvido com muita frequência nos comícios de Trump: "Prendam ela, prendam ela, prendam ela".

O bordão "siga o dinheiro" (*follow the money*) foi cunhado pelo "Garganta Profunda" (Deep Throat) e ao final levou à renúncia do presidente Richard Nixon, em 1974. Em 2016, seguir o dinheiro é de novo um lema importante. Representa a chave mestra que pode abrir a caixa-preta conhecida como Fundação Clinton. Se as autoridades ou a imprensa independente tiverem peito para seguir nessa trilha, isso pode levar à renúncia da candidata favorita a presidente.

Hoje é 24 de agosto, e a nação mais poderosa do mundo tem uma oportunidade histórica de simplificar seu sistema político e seu ambiente institucional, transformando-os em um exemplo real para o mundo inteiro. Também hoje a Itália foi atingida por um terremoto de magnitude 6,2 que deixou centenas de pessoas mortas e cidades em ruínas. O terremoto atingiu o centro da Itália. Os escândalos dos Clinton atingem o coração da democracia americana.

Em 24 de agosto do ano 79, há exatos 1.937 anos, o vulcão do monte Vesúvio entrou em erupção e devastou o sul da Itália, principalmente a cidade de Pompeia. Naquela época, o Império Romano era o poder dominante na Terra, e Pompeia era uma cidade próspera; mesmo assim, foi enterrada sob a lama e esquecida ao longo da história. Observando Pompeia antes da devastação, o presidente Ronald Reagan poderia também tê-la definido como "uma cidade brilhante em uma colina" (*a shining city on a hill*) – como ele fez com os Estados Unidos.

Em relação à democracia americana, todos esperamos que o presidente John Adams tenha se enganado quando escreveu, em 1814: "A democracia nunca dura muito tempo. Logo se desperdiça, se esgota e se mata. Nunca houve uma democracia que não tenha cometido suicídio". Os Estados Unidos da América merecem um destino melhor.

A eleição para além da corrida presidencial

Apesar de minhas restrições às pesquisas eleitorais, ainda mais nesse ponto, considerando que desde 5 de agosto não as olhamos, está na hora. Primeiro, a consolidação das pesquisas nacionais feita pelo Real Clear Politics:

- 6 de agosto: Clinton + 6,9 / Clinton 47,3%; Trump, 40,4%
- 7 de agosto: Clinton + 7 / Clinton, 47,5%; Trump, 40,5%
- 8 de agosto: Clinton + 7,2 / Clinton, 47,3%; Trump, 40,1%
- 9 de agosto: Clinton + 7,9 / Clinton, 47,8%; Trump, 39,9%
- 10 de agosto: Clinton + 7,7 / Clinton, 48%; Trump, 40,3%
- 11 de agosto: Clinton + 6,9 / Clinton, 47,4%; Trump, 40,5%
- 12 de agosto: Clinton + 6,3 / Clinton, 47,5%; Trump, 41,2%
- 13 de agosto: Clinton + 6,8 / Clinton, 47,8%; Trump, 41%
- 14 de agosto: Clinton + 6,8 / Clinton, 47,8%; Trump, 41%
- 15 de agosto: Clinton + 6,8 / Clinton, 47,8%; Trump, 41%
- 16 de agosto: Clinton + 6,7 / Clinton, 47,7%; Trump, 41%
- 17 de agosto: Clinton + 6 / Clinton, 47,2%; Trump, 41,2%
- 18 de agosto: Clinton + 5,8 / Clinton, 47%; Trump, 41,2%
- 19 de agosto: Clinton + 6 / Clinton, 47,2%; Trump, 41,2%
- 20 de agosto: Clinton + 5,7 / Clinton, 47%; Trump, 41,3%
- 21 de agosto: Clinton + 5,3 / Clinton, 46,8%; Trump, 41,5%
- 22 de agosto: Clinton + 5,5 / Clinton, 47%; Trump, 41,5%
- 23 de agosto: Clinton + 5,5 / Clinton, 47%; Trump, 41,5%
- 24 de agosto: Clinton + 5,4 / Clinton, 47,2%; Trump, 41,8%

Agora, a corrida em nossos onze *battleground states*:

- Carolina do Norte: Clinton + 9 / Clinton, 48%; Trump, 39% (NBC/WSJ/Marist, 4 a 10 de agosto)
- Colorado: Clinton + 10 / Clinton, 49%, Trump, 39% (Universidade Quinnipiac, 9 a 16 de agosto)
- Flórida: Clinton + 9 / Clinton, 48%; Trump, 39% (Universidade Monmouth, 12 a 15 de agosto)

- Iowa: empate em 40% (CBS News/YouGov, 17 a 19 de agosto)
- Michigan: Clinton + 7 / Clinton, 44%; Trump, 37% (Universidade de Suffolk, 22 a 24 de agosto)
- Nevada: Clinton + 2 / Clinton, 43%; Trump, 41% (CBS News/YouGov, 2 a 5 de agosto)
- New Hampshire: Clinton + 9 / Clinton, 45%; Trump, 36% (CBS News/YouGov, 10 a 12 de agosto)
- Ohio: Clinton + 6 / Clinton, 46%; Trump, 40% (CBS News/YouGov, 17 a 19 de agosto)
- Pensilvânia: Clinton + 11 / Clinton, 48%; Trump, 37% (NBC/WSJ/Marist, 3 a 7 de agosto)
- Virgínia: Clinton + 13 / Clinton, 46%; Trump, 33% (NBC/WSJ/Marist, 4 a 10 de agosto)
- Wisconsin: Clinton + 15 / Clinton, 52%; Trump, 37% (Universidade Marquette, 4 a 7 de agosto)

Estamos a 75 dias do dia das eleições, e é evidente que a tarefa de Donald Trump é gigantesca, mesmo considerando que esses números ainda não refletem seus últimos dez ótimos dias. Ele precisa reverter a imagem atual em muitos *battleground states* a fim de obter a admissão no Salão Oval. De imediato, deveria ir em busca dos simpatizantes de Sanders enquanto apela aos afro-americanos. Afinal de contas, o próprio Sanders e sua equipe estavam desconfortáveis com as vulnerabilidades de Hillary, em especial o esquema de *pay-for-play*. E a partir de hoje, devem ficar ainda mais incomodados por causa das mais recentes revelações.

Muita gente nos Estados Unidos está frustrada por vários motivos. Esse sentimento de decepção pode afetar bastante o comparecimento às urnas – primordialmente nas trincheiras democratas. Para se tornar vitorioso, Trump tem de ser capaz de transformar essa frustração em indignação. A capacidade de se indignar, rejeitar e repugnar o que poderia parecer normal – mas na verdade é mortalmente contagioso – é vital para qualquer sociedade e qualquer nação. Ao resgatar esse sentimento do fundo do coração dos americanos, Donald Trump pode estar fazendo algo excepcional e essencial para o futuro do país. Nesse cenário, sua eleição é apenas um efeito colateral.

Além de persuadir os simpatizantes de Sanders, Trump também deve contribuir com os republicanos que buscam a própria eleição ou reeleição. Na cédula de votação, não estão em jogo apenas os 435 assentos da Câmara, mas também 34 dos cem assentos no Senado. Os mandatos desses 34 senadores Classe 3 começaram em 3 de janeiro de 2011 (112º Congresso) e terminarão em 3 de janeiro de 2017, quando finda o 114º Congresso. Entre esses, dez são democratas, um senador de cada um dos seguintes estados: Califórnia, Colorado, Connecticut, Havaí, Maryland, Nevada, Nova York, Oregon, Vermont e Washington. Os republicanos lutam para manter seus senadores em 24 estados: Alabama, Alasca, Arizona, Arkansas, Carolina do Norte, Carolina do Sul, Dakota do Norte, Dakota do Sul, Flórida, Geórgia, Idaho, Iowa, Illinois, Indiana, Kansas, Kentucky, Louisiana, Missouri, New Hampshire, Ohio, Oklahoma, Pensilvânia, Utah e Wisconsin.

A maioria do Partido Republicano no Senado é atualmente assegurada por 54 senadores. Assim, no mínimo 21 republicanos devem ter sucesso para manter 51 assentos. Tenhamos em mente que, no caso de uma divisão igual (50 a 50), o vice-presidente, que automaticamente se torna também o presidente do Senado, tem direito aos votos de desempate. Na Câmara, 247 deputados são republicanos. O atual presidente do país é um democrata, mas os republicanos dominam as duas casas do Congresso.

Há disputa para governador em doze estados: Carolina do Norte, Dakota do Norte, Delaware, Indiana, Missouri, Montana, New Hampshire, Utah, Vermont, Virgínia Ocidental, Washington – mais Oregon, que realiza uma eleição especial. Indiana, Carolina do Norte, Dakota do Norte e Utah são republicanos, enquanto os outros têm governadores democratas. Assim, embora os republicanos tenham hoje 31 dos cinquenta governos estaduais, os democratas enfrentam um risco relativo maior, já que dois terços dos doze estados com eleição têm administrações democratas.

O jeito Obama de ser

Juntamente com os candidatos dos dois principais partidos, o presidente Barack Obama é figura-chave nessa história, por isso minhas seguintes observações sobre o seu jeito de ser.

Neste momento, o presidente Obama foi pego mentindo, vendo-se obrigado a comentar novamente o pagamento de US$ 400 milhões em espécie para o Irã – como condição indispensável para a celebração do Acordo Nuclear. Pouco antes de uma rotineira viagem de férias para Martha's Vineyard, Massachusetts, o presidente declarou, em entrevista coletiva no Pentágono, em 4 de agosto: "Tivemos de dar dinheiro em espécie justamente porque somos muito rigorosos na manutenção das sanções e, como não temos relacionamento bancário com o Irã, não poderíamos enviar um cheque nem transferir o dinheiro".

O problema é que, em 24 de agosto, a porta-voz do Departamento de Estado, Elizabeth Trudeau, informou que o governo havia transferido US$ 1,3 bilhão para o Irã em 19 de janeiro de 2016 – dois dias depois da entrega dos US$ 400 milhões em espécie. A transação bancária envolveu 13 pagamentos de US$ 99.999.999,99, mais um final de US$ 10 milhões, totalizando US$ 1.309.999.999,87. Alegando questões diplomáticas, nenhum outro detalhe foi fornecido.

No mesmo dia, a edição on-line do *Chicago Tribune* revelou a origem do dinheiro usado por Obama: "Um fundo pouco conhecido administrado pelo Departamento do Tesouro para acertar reivindicações de litígios. O chamado Fundo de Julgamento (Judgment Fund) é dinheiro do contribuinte que o Congresso aprovou permanentemente para casos de necessidade, permitindo ao presidente driblar a aprovação direta do Congresso para fechar acordos".

O autor da declaração de que houve um pagamento em espécie de US$ 400 milhões por não haver relação bancária entre Estados Unidos e Irã é a mesma pessoa que autorizou a transferência eletrônica de US$ 1,3 bilhão. O presidente se colocou nessa situação. Infelizmente, a coisa toda é ignorada pela mídia... Tudo é um grande jogo de faz de conta!

Ainda no rastro de desmandos praticados para garantir a assinatura do Acordo Nuclear com o Irã debaixo de pau e pedra, está a "câmara de eco" (Iran Deal "echo chamber"). A inciativa consistiu em um plano bem orquestrado, tendo como objetivo sustentar publicamente o desejo do presidente Obama – tudo revelado pelo conselheiro adjunto de Segurança Nacional para Comunicações Estratégicas da Casa Branca, Ben Rhodes, em entrevista à *The New York Times Magazine* em 5 de maio último. A reportagem tem o título "The Aspiring Novelist Who Became Obama's Foreign-Policy Guru" (O aspirante a romancista que se tornou o guru da política externa de Obama), e Rhodes foi explícito: "Nós criamos uma câmara de eco [para vender o acordo nuclear com o Irã]".

Em síntese, a administração Obama se aproveitou da boa-fé dos americanos e dos jornalistas, descritos na reportagem como "geralmente sem noção" (*often-clueless*). Rhodes destacou que foi fácil moldar uma opinião pública positiva ao Acordo, devido à falta de maturidade, familiaridade e compreensão do assunto por parte dos repórteres: "A idade média dos repórteres com quem conversamos é de 27 anos. (...) Eles literalmente não sabem de nada". Então, a Casa Branca contratou e doutrinou uma infinidade de especialistas para alimentar e manipular esses correspondentes jornalísticos: "Foram legiões de especialistas em controle de armas que começaram a aparecer em *think-tanks* e nas mídias sociais, e depois se tornaram fontes-chave para centenas desses repórteres sem noção". Portanto, os especialistas contratados foram conectados de forma suave e eficaz com os jornalistas, que na sequência levaram o conteúdo para o grande público: bingo!

Acredito que o presidente Obama é um homem de bom coração. O problema é que sua arrogância e orgulho desproporcionais provocam a deterioração de seus sentidos. Se você tem esse perfil aliado a um imenso poder, os bons resultados ficam comprometidos. É uma combinação explosiva.

Na antiga Grécia, Epimênides de Cnossos (séculos 7–6 a.C.) declarou: "Todos os cretenses são mentirosos". Avançando para 2011, Veronique Eldridge-Smith, então com 11 anos de idade, concebeu o "paradoxo de Pinóquio": "Meu nariz cresce agora". A frase é uma referência ao "paradoxo do mentiroso", que consiste no comentário de um mentiroso que admite e verbaliza que está de fato mentindo: "Essa frase é falsa". O paradoxo reside no fato de que a situação leva a uma regressão infinita...

O presidente Obama lida com a inverdade com tamanha desenvoltura que me lembra a citação de Joseph Goebbels, ministro de Esclarecimento Público e Propaganda do Reich: "Se você contar uma mentira grande o suficiente e continuar repetindo-a, as pessoas acabarão acreditando nela". Também de Goebbels: "A mentira só pode ser mantida pelo tempo em que o Estado conseguir proteger o povo das consequências políticas, econômicas e/ou militares da mentira. Assim, é de vital importância que o Estado use de todos os seus poderes para reprimir a dissensão, pois a verdade é a inimiga mortal da mentira e, por extensão, a verdade é a maior inimiga do Estado".

Graças a Deus as atrocidades nazistas pertencem ao passado, e Barack Obama não tem qualquer tipo de semelhança ideológica com essa doutrina doentia. Contudo, a teoria da "Grande Mentira" (Big Lie theory) pode ser amplamente aplicada com diferentes finalidades. Portanto, cuidado!

Hillary: "Trump construiu sua campanha em cima do preconceito e da paranoia"

Trump continua buscando conquistar as minorias, consideradas uma espécie de monopólio dos democratas. O republicano está suavizando suas posições sobre imigração e redefinindo o que chamava de "grupo de deportação" (*deportation force*), de olho nos hispânicos: "Todos concordam em deportar os maus. Mas, quando falo com milhares e milhares de pessoas sobre esse assunto, pessoas muito fortes vêm a mim, pessoas ótimas se aproximam e dizem: 'Trump, eu te amo, mas pegar uma pessoa que está aqui há quinze ou vinte anos e mandá-la embora com sua família é muito duro'; eu me deparo com isso o tempo todo! É uma coisa muito, muito difícil".

Trump está se inclinando para o centro. Ao que parece, o candidato republicano mostra confiança de que agora é a hora de persuadir todas as minorias. Seu desafio é sintonizar sua mensagem para manter a bordo o público original e agregar novos. Assim, ele está não apenas tentando atrair segmentos em público, mas também organizando mesas-redondas a portas fechadas por todo o país.

Outro "monopólio" democrata em conexão direta com as minorias que Trump está abordando é o hábito de pintar os republicanos como tendenciosos. Os democratas retratam-se como anjos e os republicanos como o reverso, sem que estes jamais tenham reagido. Trump está dando aos democratas uma dose do mesmo veneno, concentrada no binômio pessoas-bolso. Em 24 de agosto, em Jackson (Mississippi), e em 25 de agosto, em Manchester (New Hampshire), Trump abordou o binômio:

> Hillary Clinton é uma fanática que vê as pessoas de cor apenas como votos, não como seres humanos dignos de um futuro melhor. (...) Toda política que Hillary Clinton apoia é uma política que fracassou e traiu comunidades de cor neste país, mas ela não se importa. (...) A divisão real nesta eleição não é entre esquerda e direita, mas entre pessoas que trabalham todos os dias e um *establishment* político corrupto que funciona apenas para si mesmo. Hillary Clinton acredita apenas no governo dos, pelos e para os poderosos. Estou prometendo um governo de, pelas e para as pessoas. (...) Votem para salvar seu país. Votem para proteger sua família. Votem pela honestidade, integridade e responsabilidade. (...)
>
> Nesta luta, estamos atacando alguns interesses muito arraigados e bem financiados. São as mesmas pessoas que pagam a Hillary US$ 10 mil por minuto de discurso. (...) E que doaram incontáveis milhões à Fundação Clinton. (...) Como a Associated Press documentou, mais da metade das reuniões de Hillary Clinton como secretária de Estado com pessoas de fora do governo foi com doadores da fundação, (...) somente 85 doadores que ela recebeu como secretária deram US$ 156 milhões à fundação. (...) A corrupção foi revelada para todos verem. Foi arrancado o véu de um vasto empreendimento criminoso gerenciado a partir

> do Departamento de Estado por Hillary Clinton. (...) Acesso e favores foram vendidos por dinheiro. Chama-se *pay-for-play*. (...) É apenas a ponta do *iceberg* da corrupção dos Clinton. As ações de Hillary Clinton constituem todos os elementos de um grande empreendimento criminoso.

Também em 25 de agosto, a instantes do evento de Trump em Manchester, Hillary realizou um comício após cerca de dez dias de abstinência. Foi em Reno, Nevada. Como gosta de fazer, Hillary selecionou partes do discurso e enviou para a imprensa com antecedência. A CNN divulgou alguns segmentos. Assim, quando Trump falou em Manchester, tinha conhecimento do que Hillary diria e foi proativo:

> Hillary Clinton esteve escondida. Mas hoje está aparecendo para fazer uma das mais descaradas tentativas de distração na história da política americana. (...) Faz-se necessária uma resposta para o bem de todos os eleitores decentes que ela está tentando enlamear. (...) As notícias são de que Hillary Clinton vai tentar acusar esta campanha e os milhões de americanos decentes que apoiam esta campanha de racistas. (...) O que ela faz quando não consegue se defender? Ela mente, enodoa e pinta americanos decentes – vocês – de racistas. Ela intimida os eleitores que só querem um futuro melhor e tenta forçá-los a não votar pela mudança. (...) Ela está atacando todas as pessoas que apoiam nosso movimento. (...) Pessoas que querem que suas leis sejam aplicadas e respeitadas e que sua fronteira seja protegida não são racistas. São patriotas americanos. (...) Pessoas que falam contra o radicalismo islâmico e que advertem sobre refugiados não são islamofóbicas. São cidadãos americanos decentes. (...) As pessoas que apoiam a polícia e que querem reduzir o crime não são preconceituosas. São cidadãos preocupados e amorosos cujos corações se partem toda vez que uma criança inocente é perdida para a violência evitável. Não há compaixão em tolerar o crime.

No comício de Hillary em Reno, a multidão foi galvanizada com um vídeo introdutório que ligou Trump ao racismo; a seguir a candidata democrata subiu ao palco. Ela discursou devagar e com cuidado. A despeito do conteúdo brutal, o comportamento se assemelhava a uma palestra – sem interpretação exagerada de campanha ou suas risadas estridentes e gesticulação. Hillary busca uma imagem de pulso firme e bom temperamento. Para começar, dirigiu-se aos partidários afro-americanos, depois ao eleitorado em geral:

> Desde o começo, Donald Trump construiu sua campanha em cima do preconceito e da paranoia. (...) Na semana passada, sob o disfarce de tentar conquistar os afro-americanos, Trump postou-se diante de audiências em grande parte brancas e descreveu comunidades negras em termos muito insultuosos e ignorantes. Pobreza. Rejeição. Educação horrível. Sem moradia. Sem casas. Sem propriedade. Criminalidade em níveis nunca vistos. (...) Quando ouço essas coisas, penso comigo no quanto são tristes. Donald Trump não entende muita coisa, ele não vê. É um homem que sem dúvida não conhece a América negra, não se preocupa com a América negra (...) e certamente não tem nenhuma solução para enfrentar a realidade do racismo sistêmico e criar mais igualdade e oportunidades em comunidades de cor e para todos os americanos. É preciso muita coragem para perguntar às pessoas que ele ignorou e maltratou por décadas "o que você tem a perder?", pois a resposta é "tudo". (...) Mas o que ele está fazendo é mais sinistro. (...) Eu sei que algumas pessoas ainda querem dar a Trump o benefício da dúvida. Esperam que ele acabe se reinventando, que exista um Donald Trump mais gentil e responsável esperando nos bastidores em algum lugar. Porque afinal é difícil acreditar que alguém, ainda mais um candidato a presidente, possa acreditar em todas as coisas que ele diz. Mas a dura verdade é a seguinte: não existe outro Donald Trump. (...) Houve um fluxo constante de intolerância da parte dele, (...) o homem que quer ser presidente

> dos Estados Unidos. (...) Eu ouço e leio algumas pessoas dizendo que a arrogância e a intolerância são apenas retórica exaltada de campanha, uma pessoa ultrajante dizendo coisas ultrajantes para ter atenção. Mas olhem para as políticas dele, (...) elas colocariam o preconceito em prática. (...) Ele contratou Stephen Bannon, chefe de um *site* de direita chamado Breitbart.com, como CEO da campanha. (...) Bannon tem coisas desagradáveis a dizer sobre praticamente todo mundo. (...) Isso não é conservadorismo como o conhecemos, não é republicanismo como o conhecemos. São ideias racistas. Ideias de incitação racista. Antimuçulmano, anti-imigrante, antimulher, todos os dogmas centrais de uma ideologia racista emergente conhecida como "alt-right". Agora, "alt-right" é a abreviação de "direita alternativa". O *Wall Street Journal* a descreve como um movimento solto, mas organizado, principalmente on-line, que rejeita o conservadorismo habitual, promove o nacionalismo e vê a imigração e o multiculturalismo como ameaças à identidade branca. Assim, a fusão do Breitbart com a campanha de Trump representa um marco para esse grupo.

Hillary usou exemplos para preencher sua extensa narrativa com o propósito de levar à conclusão de que "Trump, por temperamento, é simplesmente incapaz de ser presidente dos Estados Unidos", ao passo que ela está totalmente preparada:

> Trump está reforçando estereótipos preconceituosos e transmitindo mensagens veladas para seus partidários mais odiosos. É uma prévia perturbadora do tipo de presidente que ele seria. E é isto que quero deixar claro hoje: um homem com uma longa história de discriminação racial, que se desloca em meio a teorias conspiratórias obscuras retiradas das páginas de tabloides de supermercado e dos confins da internet, jamais deve comandar nosso governo ou nossas Forças Armadas. (...) Eu estive ao lado do presidente Obama enquanto ele tomava as decisões mais difíceis que um

> comandante em chefe tem de tomar. Em tempos de crise, nosso país depende de liderança equilibrada, de pensamento claro, de julgamento sereno, pois um movimento errado pode significar a diferença entre a vida e a morte. Sei que temos veteranos aqui e sei que temos famílias, mães, cônjuges e filhos de pessoas que estão servindo atualmente. A última coisa de que precisamos na Sala de Situação (*Situation Room*, na Casa Branca) é um descontrolado que não sabe ou que não se importa com a diferença entre fato e ficção, que acredita muito facilmente em rumores de cunho racial. Alguém tão alheio à realidade nunca deveria ser responsável por tomar decisões reais.

Identifiquei dois trechos freudianos no discurso de Hillary. Primeiro, ao se referir ao CEO da campanha de Trump, ela leu algumas manchetes do Breitbart News. Ao fazê-lo, enfatizou: "E eu não estou inventando isso". Alguém pode, então, interpretar que essa atitude é um comportamento excepcional, fora do padrão. Segundo, não me parece salutar quando ela diz: "Serei uma presidente para democratas, republicanos e independentes. Para aqueles que votam em mim e para aqueles que votam contra mim", pois o "votam contra mim" permite perceber a maneira como Hillary vê sua relação com os eleitores americanos, ou pelo menos parte deles.

Como minha curiosidade não se deu por satisfeita, decidi descobrir o que foi escrito no discurso original. Segundo o *site* Politico, em "Transcrição: comentários completos de Hillary Clinton em Reno, Nevada" (Transcript: Hillary Clinton's full remarks in Reno, Nevada), https://www.politico.com/story/2016/08/transcript-hillary-clinton-alt-right-reno-227419, foi: "Serei uma presidente para democratas, republicanos e independentes. Para aqueles que votam em mim e aqueles que não votam".

As contundentes e mútuas críticas dos últimos confrontos representam os ataques mais duros dessa eleição geral. Até agora.

Depois de tantos dias sem aparição pública, Hillary perdeu uma oportunidade de surpreender. Suas frases fortes apenas enfatizaram observações anteriores. Além disso, não abordou as recentes revelações sobre seu binômio negativo. Também não divulgou nenhuma mensagem sobre suas políticas. O alvo foi 100% Trump. Ou seja, o estratagema foi distrair as atenções e reiniciar o ciclo de notícias colocando o holofote no candidato republicano. É uma solução fugaz. Devido à magnitude, os problemas de Hillary não irão embora por propensão.

Ambos os candidatos usaram a estratégia de enlamear as águas sempre que conveniente. Nesse contexto, Trump declarou Hillary desprovida de caráter moral, ela o proclamou desprovido de tolerância. A distinção é que Hillary não o acusou do mesmo, ainda que Trump o faça. Portanto, os comentários sobre intolerância, fanatismo e preconceito racial podem ser favoráveis a Trump. Na teoria, ele empatou o jogo.

Além disso, é Trump quem domina as notícias, assim como ocorreu nas primárias. Em 15 de março, o *New York Times* publicou artigo que colocou números nessa realidade de ampla vantagem de Trump em mídia gratuita (*mammoth advantage in free media*), e a manchete do artigo enfatizava: "US$ 2 bilhões em mídia gratuita para Donald Trump" – isso já há mais de cinco meses. Quando comparado com seus pretéritos adversários no Partido Republicano, Trump individualmente tinha 63,76% mais exposição na mídia do que todos os treze concorrentes listados pelo *New York Times* juntos. E, quando comparado com os três candidatos democratas listados, Trump individualmente tinha 75,42% mais exposição de mídia gratuita do que todos eles juntos.

Hoje é 28 de agosto; antes do evento em Reno, o último comício de Hillary havia sido na Pensilvânia, em 16 de agosto. Nesse ínterim, Trump realizou comícios todos os dias. Sua exposição pública é esmagadoramente maior. Em todo caso, talvez Hillary não precise de mudanças. Apesar de todos os fatos mais recentes, ela detém a liderança e se esforça para que tudo permaneça igual. Neste ponto, o pior inimigo de Hillary tem cinco letras: tempo. E o tempo é o melhor aliado de Trump.

O coração da mensagem dos candidatos

Continuando de onde paramos, Donald Trump precisa de tempo para consolidar sua mensagem, e isso vai além das sessões de xingamentos. Tanto a mídia quanto os eleitores apreciam a guerra de lama; a imprensa garante manchetes, e os eleitores se energizam. Todavia, o coração da mensagem dos candidatos é outra coisa, que descrevo com as seguintes palavras: os candidatos devem deixar claro como irão trabalhar em conjunto com os eleitores e com toda a nação para levar as pessoas de onde estão agora para onde desejam estar. O vencedor de uma eleição é aquele que convence a maioria de que é o melhor navio para as pessoas alcançarem a bonança ou o nirvana desejados da maneira menos dolorosa.

Em praticamente 100% dos casos, os passageiros-eleitores mais cedo ou mais tarde reconhecem se o capitão-candidato está mesmo dizendo a verdade. No fundo, eles sabem que a dor é uma característica intrínseca da jornada, portanto, desejam apenas amenizá-la. O antídoto para esse tormento concreto é um elemento abstrato: a esperança. Aqui reside o ponto de encontro onde o material e o imaterial interagem.

Essa viagem terrestre se assemelha à espiritual, conforme retratada pelo italiano Dante Alighieri (1265–1321) em sua *Divina comédia*. A odisseia da alma até chegar a Deus consiste no Inferno, no Purgatório e no Paraíso. Filosoficamente, todos nós ansiamos fugir do Inferno, subir a montanha do Purgatório o mais rápido possível e aterrissar no Paraíso pela eternidade. Fisicamente, temos o anseio de transformar o Purgatório de Dante, alegoricamente a vida cristã na Terra, em nosso próprio Paraíso.

“Imunidade da elite” e redes de cumplicidade

Ainda inspirado por Dante, o inferno alegórico de Hillary, por assim dizer, está aumentando. A Associated Press precisou processar o Departamento de Estado para ter acesso à agenda de Hillary e, depois de três anos de litígio, ganhou o processo. Em 26 de agosto, travou-se nova conversa entre as partes, e a AP relatou:

> Agenda de Clinton só será divulgada após a eleição
> Sete meses depois de um juiz federal ordenar ao Departamento de Estado que começasse a liberar lotes mensais da agenda diária detalhada, mostrando as reuniões de Hillary Clinton no período como secretária de Estado, o governo disse à Associated Press que não vai concluir o trabalho antes do dia da eleição. Até agora, o departamento liberou cerca de metade da agenda. Os advogados do departamento disseram, em uma conferência telefônica com os advogados da AP, que o departamento agora espera liberar os últimos cronogramas detalhados por volta de 30 de dezembro, semanas antes da posse do próximo presidente.

A determinação do governo não só desafia a determinação judicial, como também é um exemplo claro da "imunidade da elite" de Hillary. O fundador do WikiLeaks, Julian Assange, que concebeu o termo (*elite immunity*), foi taxativo em entrevista ao programa *Fox & Friends*, da Fox News, em 26 de agosto:

> O que está acontecendo é uma forma de imunidade da elite. (...) Quando você vê que Hillary Clinton não foi processada por mais de uma centena de mensagens classificadas que ela trocou, incluindo aquelas com rótulos de classificação, isso é imunidade da elite. (...) Por causa do tamanho de sua rede de relacionamentos, da quantidade de influências que ela desenvolveu, Hillary é um alvo difícil para as pessoas atacarem. Ela pode prejudicá-las.

Trata-se de um círculo vicioso, resultado de um comportamento que vem das células do topo e contamina todo o organismo. Quando os figurões não se portam de modo exemplar, contaminam todo o sistema, estimulando a equipe a agir igual. A consequência dessa cultura de ocultação e encobrimento de erros é fatal. Qual é a solução para esse ciclo terrível? Até onde posso ver, a maneira mais provável de curar uma estrutura podre é alguém de fora, alguém com firmeza para segurar e sustentar o "sinal de pare", assumir o posto mais alto. É preciso um não membro da panelinha, independente, com mãos limpas e esterilizadas, e que preserve a independência ao longo do caminho até a posição mais alta. Do contrário, ele não será capaz de manter o sinal de pare erguido.

Você pode perguntar sobre uma mudança de baixo para cima, e não de cima para baixo, como a revolução proposta por Sanders. Minha firme convicção é de que uma revolução efetiva, que assegure uma revisão profunda e significativa, deve combinar os dois aspectos: engajamento das massas e liderança de princípios, inspiradora e justa. Essa coexistência é a única garantia de um esforço de sucesso sustentável.

Elaborando um pouco mais sobre o perfil de liderança, quando menciono um independente, me refiro a um recém-chegado que aja com independência, que possa dizer "não", ou seja, que tenha plenas condições de poder não fazer alguma coisa. Essa é a postura mais elevada e difícil de conseguir que seja implementada. O poder de negar algo significa que aquele que nega tem zero esqueletos no armário. E isso garante seu poder pessoal, por assim dizer.

Deixe-me finalizar esta seção aglutinando as quatro características da maneira de agir que medem o quanto um indivíduo está amarrado em cumplicidade perante uma coletividade:

- Independência: você pode optar por não fazer (autodeterminação).
- Liberdade: você pode fazer (capacidade de fazer, mas sem a imunidade de se negar a fazer).
- Obediência: você tem que fazer (obrigação de fazer o que for exigido).
- Impotência: você não consegue fazer (inexistência da capacidade de fazer).

Trump faz campanha por toda parte, Hillary se acomoda na liderança

Setembro começa, e o padrão da corrida presidencial de 2016 persiste: Trump faz campanha por toda parte e domina os noticiários, enquanto

Hillary se acomoda em sua liderança e evita a imprensa. A supremacia nos noticiários é um atributo essencial da campanha de Trump, e os holofotes são uma característica primordial de sua personalidade. Contudo, não seria aconselhável maneirar por um tempo? Pelo menos algumas horas? Não seria estratégico deixar Hillary queimar em seu incêndio de vulnerabilidades sem compartilhar a atenção? Minha opinião é de que, se você tem um adversário profundamente enredado em problemas, deve dar mais espaço nas notícias para ele, a fim de que esses problemas possam ficar à vista do público por mais tempo e com mais intensidade.

Trump continua produzindo novos fatos sem cessar. O sábio exercício da primazia consiste em ficar em segundo plano em momentos estratégicos. Consiste em avaliar corretamente quando é hora de expor a hegemonia e quando é hora de recuar ou permanecer em silêncio. Imagine que alguém esteja deliberadamente tentando nos manipular. Se percebermos isso com perfeição e permitirmos de modo consciente que o outro faça isso, nos tornaremos senhores da situação, não o contrário. Ao renunciar a uma aparente supremacia, podemos descobrir ativos altamente estratégicos. Trata-se de um movimento corajoso que requer alto nível de autocontrole e autoconhecimento.

A entrevista de Hillary Clinton com o FBI

Em 2 de setembro, o FBI expôs Hillary Clinton a um constrangimento público. A agência declarou:

> O FBI divulga hoje um resumo da entrevista da ex-secretária de Estado Hillary Clinton em 2 de julho de 2016 a respeito de alegações de que informações confidenciais foram armazenadas ou transmitidas de forma inadequada em um servidor pessoal de *e-mail* usado durante o seu mandato. Também estamos divulgando um resumo factual da investigação sobre o assunto. Estamos disponibilizando esse material ao público no interesse da transparência e em resposta a inúmeras solicitações da Lei da Liberdade de

Informação (Freedom of Information Act, FOIA). Foram feitas supressões apropriadas para informações confidenciais e outros materiais isentos de divulgação sob a referida lei.

Coincidência ou não, os documentos foram divulgados em uma sexta-feira, véspera do fim de semana do Dia do Trabalho (Labor Day). A regra básica foi implementada: se você não pode evitar a batalha, pelo menos escolha o campo de batalha. Se as revelações são inevitáveis, pelo menos deve se escolher o melhor momento para liberá-las. O padrão é liberar informações cruciais às vésperas de um feriado prolongado.

Quanto ao conteúdo do atual relatório do FBI, faço cinco referências:

O MOMENTO DO "AGORA LASCOU MESMO". Quando o uso exclusivo da conta de *e-mail* pessoal se tornou público, a equipe de Hillary teve o momento do "agora lascou mesmo" (*oh-shit moment*), que levou à decisão de desaparecer com a caixa de correio de arquivo morto. O FBI descobriu que, para fazer isso, foi usado o programa BleachBit. A operação de encobrimento foi realizada depois que o Congresso emitiu uma intimação em 4 de março de 2015 exigindo que Hillary entregasse todas as comunicações armazenadas em seu servidor privado referentes ao incidente Líbia-Benghazi.

OS TREZE DISPOSITIVOS. O FBI identificou treze máquinas vinculadas à conta de *e-mail* de Hillary. Os equipamentos solicitados foram destruídos, "quebrados ao meio ou martelados", nas palavras do FBI.

A AMBIGUIDADE. A investigação do FBI e a análise forense "não encontraram evidências de que os sistemas de servidores de *e-mail* Clinton foram invadidos por meios cibernéticos". A semântica adotada na afirmação pode ser um estratagema para evitar tanto uma mentira (como dizer que não foi invadido) quanto a verdade sobre um eventual hackeamento.

FALTA DE MEMÓRIA I. Hillary disse ao FBI que "não conseguia lembrar-se de nenhum memorando ou treinamento por parte do governo relacionado à retenção de registros federais ou gerenciamento de informações confidenciais". Em 22 de janeiro de 2009, logo após assumir como secretária de Estado, Hillary assinou o Acordo de Não Divulgação de Informações Confidenciais, cujo segundo parágrafo é cristalino: "Por meio deste, reconheço que recebi doutrinação de segurança sobre a natureza e a proteção das informações confidenciais".

Falta de memória 2. Hillary evitou perguntas usando 39 vezes a desculpa de "não lembrar". A alegação não apenas é absurda por si só, como também desafia a inteligência das pessoas e denigre um profissional que luta para se tornar presidente dos Estados Unidos. Trump zombou disso e nomeou Hillary "Sra. Amnésia" (*Mrs. Amnesia*).

Uma amostra de como o eleitorado vê Hillary e Trump

Em 5 de setembro, Dia do Trabalho, Hillary inaugurou seu novo avião de campanha, um Boeing 737-800. Dinheiro não é um problema para a campanha da democrata. Como vimos, no mês passado ela priorizou a captação de recursos, e agora sua equipe divulga o resultado da turnê: US$ 143 milhões levantados apenas em agosto. O suprimento aumenta o poder de fogo de Hillary, cuja estratégia está concentrada em todos os tipos de anúncios, o que exige muito dinheiro, é óbvio.

Já no primeiro dia, a aeronave feita sob medida para Hillary, com o "H" estilizado e o *slogan* "Mais fortes juntos" (Stronger together), produziu um fato interessante. Isso porque aterrissou em Cleveland, Ohio, cerca de uma hora depois do avião de Trump – um Boeing 757-200, com um grande "Trump" na fuselagem. Assim, os dois aviões poderiam ser fotografados na cabeceira da pista.

Agora a imprensa pode voar com Hillary no novo avião, e hoje ela decidiu aparecer para cumprimentar os jornalistas a bordo e interagir cuidadosamente com eles. Foi um saudável avanço, principalmente pelo fato de que há 275 dias isso não ocorria – desde 5 de dezembro de 2015. Era evidente que ela não teria condições de se manter isolada da imprensa até o dia da eleição. Me pergunto por que as pessoas esperam a situação se agravar em vez de trabalhar para resolvê-la antes. Via de regra, ser proativo é muito mais inteligente do que ser reativo; agir a montante é muito mais racional do que agir a jusante. A presunção não apenas cega, como também resulta em terríveis consequências. No caso específico, uma consequência concreta para Hillary é a deterioração de sua imagem pública.

Uma pesquisa da CNN/ORC mostra o humor do eleitorado entre 1º e 4 de setembro. Perguntados "Quem é mais honesto e confiável?", 50% responderam Trump, e 35% responderam Hillary. No geral, 46% estão "extremamente" ou "muito entusiasmados" em votar para presidente em 2016. Entre os partidários de Trump, 58% enquadram-se nessas categorias, enquanto o eleitorado de Hillary permanece na média geral de 46%. Essa é outra notícia desfavorável para ela, uma vez que o entusiasmo é vital para garantir alta participação nas urnas. Estas são as preferências de algumas fatias distintas do eleitorado:

- Independentes: Trump, 49%; Hillary, 29%
- Mulheres: Hillary, 53%; Trump, 38%
- Homens: Trump, 54%; Hillary, 32%
- Brancos: Trump, 55%; Hillary, 34%
- Não brancos: Hillary, 71%; Trump, 18%
- Eleitores abaixo dos 45 anos: Hillary, 54%; Trump, 29%
- Eleitores de 45 anos para cima: Trump, 54%; Hillary, 39%

Para a pergunta "Qual questão será mais importante para você ao decidir quem apoiar na eleição presidencial?", o resultado foi:

- Economia em geral, 20% (economia, 14%; emprego/desemprego, 6%)
- Imigração em geral, 16%
- Forças Armadas/segurança em geral, 11% (terrorismo/segurança nacional, 8%; Forças Armadas/comandante em chefe, 2%; apoio aos veteranos, 1%)

Trump é considerado mais confiável para tratar da economia (Trump, 56%; Hillary, 41%) e do terrorismo/segurança nacional (Trump, 51%; Hillary, 45%). O eleitorado está dividido quanto à imigração (Trump, 47%; Hillary, 49%). Trump tem vantagem e supera Hillary na preferência geral:

- Trump, 45%
- Hillary, 43%
- Gary Johnson (Libertário), 7%
- Jill Stein (Verde), 2%

A erosão dos números de Hillary é resultado óbvio da exposição constante de suas más escolhas no passado e das escolhas erradas no presente. Ela foi pega em uma cerca de arame farpado no meio de um campo de batalha. Em vez de se desvencilhar depressa, Hillary ignorou os arranhões e marinou no arame farpado. Os arranhões infeccionaram. Enquanto emaranhados, temos a chance de reavaliar criticamente nossa trajetória. Temos a oportunidade de finalmente reconhecer que não temos como fugir de problemas não resolvidos, rezando por um desaparecimento repentino. Devemos assumir nossas responsabilidades, enfrentar e resolver os problemas e então deixá-los para trás.

Outra característica que enfatiza o despreparo de Hillary é restringir as entrevistas aos veículos amigáveis e negligenciar o segmento desfavorável da imprensa. Como resultado, percepções negativas sobre ela correm livremente entre grande parte do eleitorado que não está familiarizado com suas versões dos fatos. O comportamento arrogante e descuidado pode não ser a escolha mais inteligente e sustentável em longo prazo.

Enquanto Hillary apenas fala com cautela a simpatizantes democratas, Trump está por toda parte.

O panorama a 60 dias da eleição

Vamos atualizar os números das pesquisas nacionais consolidados pelo Real Clear Politics:

- 25 de agosto: Clinton + 6/ Clinton, 47,7%; Trump, 41,7%
- 26 de agosto: Clinton + 6 / Clinton, 48,3%; Trump, 42,3%
- 27 de agosto: Clinton + 6,3 / Clinton, 48,4%; Trump, 42,1%
- 28 de agosto: Clinton + 6 / Clinton, 48,3%; Trump, 42,3%
- 29 de agosto: Clinton + 5,9 / Clinton, 47,2%; Trump, 41,3%
- 30 de agosto: Clinton + 5 / Clinton, 46,7%; Trump, 41,7%
- 31 de agosto: Clinton + 4,6 / Clinton, 46,6%; Trump, 42%
- 1º de setembro: Clinton + 4,9 / Clinton, 46,8%; Trump, 41,9%
- 2 de setembro: Clinton + 4,1 / Clinton, 46,1%; Trump, 42%
- 3 de setembro: Clinton + 3,9 / Clinton, 46%; Trump, 42,1%
- 4 de setembro: Clinton + 3,9 / Clinton, 46%; Trump, 42,1%
- 5 de setembro: Clinton + 3,6 / Clinton, 45,9%; Trump, 42,3%
- 6 de setembro: Clinton + 3,3 / Clinton, 46,2%; Trump, 42,9%
- 7 de setembro: Clinton + 3,1 / Clinton, 45,9%; Trump, 42,8%
- 8 de setembro: Clinton + 2,8 / Clinton, 45,6%; Trump, 42,8%

A seguir, as oscilações nos nossos onze *battleground states*:

- Carolina do Norte: Clinton + 4 / Clinton, 47%; Trump, 43% (Universidade Quinnipiac, 29 de agosto a 7 de setembro)
- Colorado: Clinton + 5 / Clinton, 41%; Trump, 36% (Magellan Strategies, 29 a 31 de agosto)
- Flórida: empate em 47% (Universidade Quinnipiac, 29 de agosto a 7 de setembro)
- Iowa: Trump + 5 / Clinton, 39%; Trump, 44% (Faculdade Emerson, 31 de agosto a 1º de setembro)
- Michigan: Clinton + 5 / Clinton, 45%; Trump, 40% (Faculdade Emerson, 25 a 28 de agosto)
- Nevada: Trump + 1 / Clinton, 41%; Trump, 42% (NBC/WSJ/Marist, 6 a 8 de setembro)
- New Hampshire: Clinton + 5 / Clinton, 42%; Trump, 37% (Faculdade Emerson, 3 a 5 de setembro)

- Ohio: Trump + 1 / Clinton, 45%; Trump, 46% (Universidade Quinnipiac, 29 de agosto a 7 de setembro)
- Pensilvânia: Clinton + 5 / Clinton, 48%; Trump, 43% (Universidade Quinnipiac, 29 de agosto a 7 de setembro)
- Virgínia: Clinton + 1 / Clinton, 44%; Trump, 43% (Faculdade Emerson, 30 de agosto a 1º de setembro)
- Wisconsin: Clinton + 3 / Clinton, 45%; Trump, 42% (Universidade Marquette, 25 a 28 de agosto)

Novamente constatamos a evidente erosão da candidatura democrata. Não obstante, a situação nos *battleground states* ainda assegura aos democratas a vantagem necessária no Colégio Eleitoral. A vantagem é tão significativa que, se Hillary apenas mantiver os estados que votaram no candidato democrata nas últimas seis disputas presidenciais, desde que seu marido foi eleito em 1992, ela começa com 242 votos eleitorais. Esses dezoito estados são Califórnia, Connecticut, Delaware, Havaí, Illinois, Maine, Maryland, Massachusetts, Missouri, Minnesota, New Jersey, Nova York, Oregon, Pensilvânia, Rhode Island, Vermont, Washington e Wisconsin. A eles juntam-se Washington, D.C. Mantida essa situação, Hillary estaria a apenas 28 votos da Presidência.

Em contraste, há treze estados jogando no time republicano desde 1992: Alabama, Alasca, Idaho, Kansas, Mississippi, Nebraska, Dakota do Norte, Oklahoma, Carolina do Sul, Dakota do Sul, Texas, Utah e Wyoming. Eles somam apenas 102 votos eleitorais; é uma jornada difícil para qualquer candidato republicano. Mas um Trump disciplinado, que prioriza a mensagem e o ataque ao oponente, tem sido eficaz e conseguiu levar a disputa a um impasse.

Neste momento, a cerca de sessenta dias da eleição geral, ouso afirmar que a vitória depende de Trump. Desde os conturbados episódios em dois eventos de Trump na Universidade de Illinois em Chicago e no aeroporto de Dayton em Ohio, respectivamente em 11 e 12 de março, que consolidei minha crença na vitória de Trump – naquele momento, com base em minha intuição, meu sentimento e minha percepção pessoal sobre tudo o que está em jogo neste ciclo eleitoral. Agora, a ciência e a matemática falaram. Além disso, a esmagadora maioria dos americanos está começando a prestar a devida atenção à campanha presidencial apenas agora.

Hillary: "A cesta de deploráveis"

Hoje é sexta-feira, dia 9, mas para Hillary vira "sexta-feira 13". Ela está dando início a outra série de eventos de arrecadação de fundos que a manterão fora da campanha até quarta-feira, dia 14. Um desses acontecimentos é no Cipriani Wall Street, em Nova York, uma festa de gala que tem como alvo a comunidade LGBT. Barbra Streisand, que tem grande influência nessa comunidade, foi a principal anfitriã e fez uma apresentação musical.

Hillary discursava diante de parte de seus ricos doadores quando decretou: "Vocês sabem que, sendo generalista, grosso modo, daria para colocar metade dos apoiadores de Trump no que chamo de cesta de deploráveis. Certo? Racistas, sexistas, homofóbicos, xenófobos, islamofóbicos – tem de tudo". Não satisfeita, acrescentou: "Algumas dessas pessoas são irremediáveis".

Por certo ela tentou ser espirituosa e energizar seu público, que achou engraçado e riu. O "irremediável" exibe ausência de compaixão humana em qualquer religião que se professe. É extremamente grave por si só, embora o erro seja ainda mais abrangente. Em uma guerra de palavras, podemos intimidar e censurar nossos adversários, mas jamais devemos detonar seus apoiadores e simpatizantes. Existem incontáveis motivos para isso; é impossível discorrer sobre todos eles, então decidi comentar apenas alguns.

Em curtíssimo prazo, o infeliz comentário representa enorme arsenal para Trump galvanizar seus partidários – e os parentes e amigos desses. Em médio e longo prazos, Hillary está alienando-se de ser uma opção política para milhões de americanos que hoje apoiam Trump mas não são defensores consolidados e ferrenhos.

E o *slogan* "Mais fortes juntos"? A candidata desintegra a mensagem supostamente inclusiva. As palavras de Hillary são ainda piores quando deixamos a política de partidarismo de lado e elevamos o nível. Como presidente, Hillary deve governar para o bem de todos os americanos.

Imagine o CEO de uma empresa que defina metade de sua equipe como racista, sexista e homofóbica. Imagine um pai que cite metade de seus filhos como xenófobos e islamofóbicos. Imagine uma mãe. A natureza intrínseca de uma mãe é proteger sua prole e todos os seus descendentes; em contraste, Hillary amaldiçoa aqueles que precisarão confiar em seu desempenho para prosperar se ela for eleita presidente. Faço analogia com as figuras de pai e mãe porque acredito que podemos associar uma nação--Estado à mais sagrada e elevada instituição – a família. Ambas abraçam laços de consanguinidade e afinidade. Em vez disso, Hillary e Obama negligenciam as boas maneiras, que, por exemplo, prescrevem que parentes não devem lavar roupa suja em público.

A "cesta de deploráveis" pode ter o gene de um erro letal. Hillary de fato já havia se referido a isso. No dia anterior, em entrevista à TV israelense, ela disse à jornalista Yonit Levi: "Se eu fosse generalista, grosso modo, diria que você pode pegar os partidários de Trump e colocá-los em duas grandes cestas. São o que eu chamo de deploráveis. Os racistas e os *haters*". A candidata também afirmou que estava tentando "traçar um curso muito estável", por causa da aliança de Trump "com grupos de ódio, grupos de supremacia branca, grupos antissemitas". Isso não é verdade.

Além do mais, ela estava se dirigindo a uma audiência estrangeira. Assim, está replicando o comportamento de seu partidário, o presidente Barack Obama, que não hesita em desconsiderar o ensinamento americano de que "a política para na beira d'água" (*politics stops at the water's edge*).

A declaração desastrosa de Hillary é ainda tendenciosa. Nela está implícito que ela se considera no direito de classificar e julgar milhões de seres humanos. Seres humanos como ela. Todos "pássaros de uma mesma pena". Ele expõe a lacuna entre seu *slogan* de campanha e sua crença pessoal.

Até agora, a alegação de Hillary é o ataque mais perverso perpetrado na eleição geral. Sua afirmação é deplorável. Não apenas contraintuitiva, mas também inacreditável. A "cesta de deploráveis" é peculiar por se dirigir não diretamente ao outro candidato, mas ao eleitorado do adversário. O episódio é ao mesmo tempo assustador e intrigante.

No dia seguinte, Hillary divulgou uma declaração por escrito: "Ontem à noite fui 'generalista grosso modo', e isso nunca é uma boa ideia. Lamento ter dito 'metade', isso foi errado. Mas vamos ser claros, o que é realmente 'deplorável' é que Donald Trump...". A seguir veio uma série de comentários contra ele. Quanto à essência da nota, não há pedido de desculpas. Existe apenas o reconhecimento de que dizer "metade" foi errado. A nota é clara – o único erro foi a medida.

O voto antecipado e as leis de identificação do eleitor

Agora é hora de introduzir uma característica da democracia americana que inacreditavelmente negligenciei: o voto antecipado. Avalio o voto antecipado como uma espécie de compensação pelo fato de o dia da eleição não ser feriado. E esse instrumento é muito significativo. Segundo a Associated Press, as porcentagens de votos antecipados nas últimas quatro eleições presidenciais foram de 16% em 2000, 22% em 2004, 34% em 2008 e 35% em 2012. Como podemos ver, a fatia de votação antecipada vem aumentando no bolo dos votos válidos.

No ciclo de 2016, 9 de setembro marca o início da votação antecipada. A Carolina do Norte é o primeiro dos 36 estados, mais Washington, D.C., que vão oferecer algum sistema de votação antecipada. Além disso, na semana de 19 de setembro, os cinquenta estados e Washington, D.C., enviarão cédulas para todos os eleitores civis e militares que vivem no exterior. No entanto, os votos não são contados até o encerramento da votação, em 8 de novembro.

No que se refere às leis de identificação dos eleitores, existem dois grupos: estados que não exigem qualquer documento e estados que requerem um documento formal dos residentes para votar. Hoje 33 estados têm alguma lei de identificação do eleitor em vigor, sendo que dezesseis deles exigem documento com foto. Esse é um tema de extrema controvérsia nos Estados Unidos; do meu ponto de vista, é algo anormal. É evidente que a apresentação obrigatória de documento com foto contempla a integridade das eleições, evitando fraudes. No entanto, o presidente Obama e o Departamento de Justiça defenderam o oposto com veemência.

A alegação primordial de Obama e dos democratas é que o documento com foto representa uma barreira intencional resultante da discriminação racial contra os afro-americanos. Tendo em vista que os Estados Unidos são o país mais rico da Terra, que em 1969 pousou os dois primeiros humanos na Lua e que no *anno Domini* de 2016 vivemos com alta tecnologia, considero o argumento profundamente incompatível com a realidade. Do meu ponto de vista, a noção de que a exemplar democracia americana não possa fornecer um documento com foto para cada um de seus cidadãos é uma pílula difícil de engolir. No entanto, se tivermos em mente o significado decisivo do voto afro-americano para os democratas, entenderemos qual poderia ser a motivação para esse ponto de vista.

11 de Setembro, 15 anos depois

No domingo, dia 11, completaram-se 15 anos daquele que foi provavelmente o pior ataque contra os Estados Unidos na história.

Como alguém pode contestar de imediato lembrando Pearl Harbor, esclareço que o ataque ocorrido em 1941 causou 2.403 vítimas no total – 68 civis – e deixou 1.178 feridos. O 11 de Setembro levou à perda de 2.996 vidas, incluindo os dezenove sequestradores, com a esmagadora maioria sendo vidas civis. Soma-se a esses números o trágico efeito cascata. Em uma ilustração disso, um artigo da *Newsweek* de 7 de setembro último quantifica: "Estima-se que quatrocentas mil pessoas sejam afetadas por doenças, como cânceres e doenças mentais, ligadas ao 11 de Setembro".

Portanto, dado o simbolismo da data, Hillary e Trump começaram o dia no Marco Zero (Ground Zero), em Nova York. Visitaram a área e participaram da cerimônia em homenagem às vítimas. Hoje é um dia em que o nível da política sobe. Uma pequena pausa. Amanhã todos estão de volta ao habitual.

O Marco Zero foi palco de uma cena surpreendente. Hillary deixou o evento de repente e não conseguiu chegar à *van* sozinha, perdeu o equilíbrio e desmaiou nos braços dos seguranças em frente ao veículo. O vídeo gravado por um passante é irrefutável. A médica de Hillary, Lisa Bardack, divulgou uma declaração mais tarde:

> A secretária Clinton tem sofrido de tosse alérgica. Na sexta-feira, durante a avaliação de acompanhamento de sua tosse prolongada, ela foi diagnosticada com pneumonia. Foi colocada sob antibióticos e aconselhada a descansar e modificar sua programação. No evento desta manhã, ela ficou superaquecida e desidratada. Acabei de examiná-la, e ela agora está reidratada e se recuperando bem.

Já faz um bom tempo que existem muitas teorias e muita especulação sobre a saúde de Hillary. Eu decidi não consignar tais conjecturas. Agora é real. Nos últimos meses, pôde-se observar amplamente o que a Dra. Bardack chamou de "tosse prolongada". Por exemplo, em fevereiro, enquanto falava no Centro Schomburg de Pesquisa sobre Cultura Negra, em Nova York, Hillary teve um ataque de tosse tão severo que mal conseguiu continuar o discurso. Há pouco enfrentou a mesma dificuldade em Cleveland e usou de presença de espírito para esperta e prontamente culpar Trump: "Toda vez que penso em Trump, tenho alergia".

A revelação do mal-estar no Marco Zero foi instigada não pela saída repentina do evento, e sim pelo fato de ter sido registrada. A gravação de Hillary colapsando é devastadora, de uma perspectiva tanto humana quanto política. A questão da transparência vem à tona: esconder coisas é um padrão recorrente dos Clinton.

A saúde física e mental dos candidatos e do presidente é constantemente debatida. Ainda mais nesta eleição, em que Trump ou Hillary flanqueará Ronald Reagan como o presidente de mais idade no dia da posse. Reagan assumiu em 20 de janeiro de 1981 e em 6 de fevereiro completou 70 anos. No dia 20 de janeiro de 2017, Hillary estará com 69 anos, e Trump estará com 70 anos.

Por falar em Trump, seu relatório médico emprega superlativos de forma desnecessária – outro tipo de padrão recorrente. Harold Bornstein é médico de Trump desde 1980 e, em função da atmosfera de preocupações com a saúde, publicou uma carta sobre as condições do candidato republicano. No último parágrafo, Bornstein cunhou: "Se Trump for eleito, posso afirmar inequivocamente que será o indivíduo mais saudável já eleito para a Presidência". Sério?

Tenho duas abordagens extras a respeito desse assunto. Primeiro, a política adora desafiar a lógica – e esta temporada é plena de evidências. Assim, uma pessoa fragilizada pode capitalizar a situação e amealhar votos. Neste ponto, o certo é que a "cesta de deploráveis" e os problemas de saúde estão ofuscando questões como a Fundação Clinton e seus desdobramentos.

Em segundo lugar, após o incidente do Marco Zero, o apresentador da CBS News Charlie Rose entrevistou o ex-presidente Bill Clinton. Quando o jornalista enfatizou a preocupação a respeito de algum problema oculto e mais sério de saúde de Hillary, Clinton respondeu: "Bem, se for isso, é um mistério para mim e todos os seus médicos. Frequentemente, bem, não frequentemente, raramente, em mais de uma ocasião ao longo de muitos anos, o mesmo tipo de coisa aconteceu com ela ao ficar gravemente desidratada".

Deixe-me sublinhar o "frequentemente, bem, não frequentemente, raramente"; o ato falho não contribui para descartar a percepção solidificada de segredos e mentiras em torno dos Clinton. Além do mais, a entrevista foi bizarramente editada, não só na versão veiculada, mas também na transcrição. O escorregão freudiano de Bill Clinton simplesmente desapareceu: o "frequentemente, bem, não frequentemente, raramente" tornou-se apenas "raramente". Desnecessário adicionar comentários.

Wall Street

Hillary começou a semana após a cerimônia do 11 de Setembro fora de circulação, descansando em sua casa em Chappaqua (Nova York). Enquanto isso, Trump interpreta "o policial bom e o policial mau" (good cop/bad cop) de maneira inteligente. Enquanto o policial bom afirmou "Só espero que ela fique bem, volte à ativa e a vejamos no debate", o policial mau caiu em cima da declaração sobre a "cesta de deploráveis":

> Fiquei profundamente chocado e alarmado nesta sexta-feira ao ouvir minha oponente atacar, difamar, enlamear e rebaixar as pessoas maravilhosas e incríveis que estão apoiando nossa campanha. Nosso apoio vem de todas as partes da América e de todas as categorias. Temos o apoio de policiais e soldados, carpinteiros e soldadores, jovens e idosos, de milhões de famílias de trabalhadores que querem apenas um futuro melhor. Foram essas as pessoas que Hillary Clinton demonizou com tanta perversidade. Elas estavam entre os inúmeros americanos que Hillary Clinton chamou de deploráveis, irremediáveis e antiamericanos. Ela chamou esses homens e mulheres patriotas de todos os insultos vis possíveis – chamou de racistas, sexistas, xenófobos e islamofóbicos. (...) Ela divide as pessoas em cestas como se fossem objetos, não seres humanos.

As observações aconteceram em Baltimore, Maryland, onde ocorre a convenção da Associação da Guarda Nacional. Trump também afirmou:

> Nossa campanha quer dar voz aos sem voz. Quer representar os homens e mulheres esquecidos deste país. Estou aqui para representar todos, mas em especial aqueles que estão lutando contra a injustiça e a iniquidade. (...) Se eu tiver a honra de servir como presidente, (...) vocês terão um amigo verdadeiro e leal na Casa Branca. Quer votem em mim ou votem em outra pessoa, serei o maior defensor de vocês. Não vou decepcioná-los. Estou concorrendo para ser um presidente para todos os americanos.

A seguir, o candidato do Partido Republicano voltou ao ataque:

> Hillary Clinton fez esses comentários em um de seus requintados eventos de arrecadação de fundos em Wall Street. Ela e seus

> ricos doadores deram boas risadas. Riram das pessoas que pavimentam as estradas que ela percorre, pintam os prédios onde ela fala e mantêm as luzes acesas em seu auditório. Hillary Clinton é uma *insider* apoiada por *insiders* poderosos, atacando americanos que não têm poder político. (...) Estou concorrendo para que os poderosos não possam mais tripudiar os impotentes. Estou concorrendo para atacar os interesses especiais, os grandes doadores e os *insiders* políticos corruptos. Estou concorrendo para ser a voz de vocês. Hillary Clinton é a voz de Wall Street, dos gestores de fundos, dos 0,1% do topo. Basta olhar as pessoas que financiam a campanha de Hillary Clinton e pagam por seus discursos para saber quem ela representa.

E finalizou:

> Clinton usou um expediente muito deliberado da cartilha democrata – enlamear os outros com esses termos a fim de dissuadi-los de votar por mudança. (...) Ela usou essas palavras vis para intimidar e assustar cidadãos honestos em busca de reformar o governo, (...) levou isso a um novo nível ao aplicar a dezenas de milhões de pessoas. (...) Vamos ser claros. Não foram comentários improvisados de Hillary Clinton. Não foram observações dispersas em uma entrevista ou uma escolha acidental de palavras. Foram observações detalhadas, planejadas e preparadas, talvez tenha sido o ataque mais explícito ao eleitor americano já pronunciado por um candidato à Presidência de um partido majoritário. (...) Não vejo como ela possa ter credibilidade para fazer campanha.

Decidi destacar mais trechos do discurso de Trump para que possamos entender melhor a mensagem do bilionário, a maneira como ele corteja a classe trabalhadora (*blue collar*), os que estão "em busca de reformar o governo" e "aqueles que estão lutando contra a injustiça e a iniquidade". A candidatura de Trump incorpora a fome de mudança dos destituídos. Isso é vital em sua mensagem.

Dito isso, não estou disposto a relegar as afirmações de Trump sobre a conexão entre Hillary e Wall Street. De fato, os números respaldam Trump. Na fatídica sexta-feira 9, Jack Tapper, do programa *The Lead*, da CNN, entrevistou a senadora democrata Elizabeth Warren. Enquanto perguntava sobre as preocupações de Warren relacionadas aos laços de Hillary com Wall Street, Tapper informou que, até 9 de setembro, a candidata havia recebido US$ 47 milhões do setor financeiro, enquanto Donald Trump recebera apenas US$ 345 mil.

Trump visa representar "Main Street" não apenas confiando em seu histórico de negócios, mas também retratando Hillary como a garota de Wall Street. Nos Estados Unidos, o contraste Main Street-Wall Street é bem conhecido. O termo "Main Street" representa os empreendimentos independentes, as pequenas empresas, os empregados, investidores individuais e a economia em geral, enquanto "Wall Street" se refere ao grande capital bancário-financeiro e corporativo americano – os membros dessas duas tribos têm destoantes acesso político, preocupações, níveis de conhecimento etc.

Dito isso, vamos agora entender melhor Wall Street. Muito mais do que uma rua de 1,1 quilômetro de extensão no distrito financeiro de Lower Manhattan, é onde se localiza a Bolsa de Valores de Nova York (NYSE), sede de todo o grande capital detalhado no parágrafo anterior. Assim, Wall Street se torna a metonímia que descreve tudo isso e simboliza o epicentro do poder econômico dos EUA – razão pela qual Nova York é considerada a capital financeira do mundo. Wall Street é o olho do furacão da cidade, para onde as pessoas que fazem acontecer (*movers and shakers*) de todo o mundo convergem, inspiradas e desafiadas por Frank Sinatra, que afirmava: "Se eu consigo fazer lá, vou conseguir fazer em qualquer lugar" (If I can make it there, I'll make it anywhere). Os seguintes números também nos auxiliam na compreensão.

A NYSE é de longe a maior bolsa de valores da Terra. O valor de mercado somado de cerca de 2,8 mil empresas listadas na NYSE é de US$ 19,6 trilhões (dados de agosto de 2016) – por coincidência se assemelha ao atual PIB dos Estados Unidos. Depois dela, a segunda maior bolsa de valores do mundo é a NASDAQ. Situada a poucos quarteirões da NYSE, a NASDAQ é o primeiro mercado de ações do setor digital do planeta, reunindo mais de três mil corporações que juntas têm valor de mercado atual de US$ 6,8 trilhões. Essas colossais organizações simbolizam bem a robustez econômica dos Estados Unidos.

Para termos um referência justa, faço a seguinte analogia: para atingir o montante equivalente ao valor de mercado da NYSE e da NASDAQ somados, precisamos contabilizar o valor de mercado das subsequentes oito principais bolsas de valores no mundo – classificadas da terceira à décima posição: London Stock Exchange Group (engloba as economias do Reino Unido e da Itália, sediada em Londres), Japan Exchange Group (Japão, sediada em Tóquio), Bolsa de Xangai (China, sediada em Xangai), Bolsa de Valores de Hong Kong (Hong Kong, sediada em Hong Kong), Euronext (União Europeia, sediada em Amsterdã, Bruxelas, Lisboa, Londres e Paris), Bolsa de Valores de Shenzhen (China, sediada em Shenzhen), TMX Group (Canadá, sediada em Toronto) e Deutsche Börse (Alemanha, sediada em Frankfurt).

Obama: "Love trumps hate"

Hoje é 13 de setembro e estamos exatamente a oito semanas do dia da eleição. Hillary está tirando alguns dias de folga. O presidente Obama havia feito sua última aparição na campanha de Hillary na Convenção Nacional Democrata em julho, na Filadélfia, e hoje volta à cidade em aparição solo, consolidando a noção de a Pensilvânia ser um *battleground state* indispensável para os democratas. Obama enumerou o que considera os feitos de sua administração, a fim de argumentar que essas conquistas devem ser preservadas e que Hillary é a única opção.

O presidente contextualizou a eleição como "uma escolha sobre o significado da América" e enfatizou seu empenho em eleger Hillary dizendo: "Vou trabalhar o mais que puder". Obama expressou confiança na competência e preparação da candidata: "Ela tem discernimento, temperamento e experiência", e garantiu que Hillary "tem um plano para todos terem uma oportunidade". Além disso, fez um trocadilho com o nome de Trump, dizendo que Hillary sabe que "love trumps hate" (o amor supera o ódio).

Além disso, irônica e astuciosamente Obama explica a percepção que ele entende que Trump tem sobre o presidente russo Vladimir Putin: "Pensem sobre o que está acontecendo com o Partido Republicano. Seu candidato está lá louvando um cara [Putin], dizendo que ele é um líder forte porque invade países menores, priva seus oponentes, controla a imprensa e leva sua economia a uma longa recessão. (...) Pensem no fato de que esse é o modelo de Donald Trump". No intuito de incutir medo no eleitorado em geral e estimular dissensões entre os republicanos, Obama distorce os fatos e tenta enganar as pessoas. Na essência, sua mensagem poderia ser traduzida assim: uma vez que Putin é inequivocamente o modelo de Donald Trump, o presidente Trump invadirá países menores, prenderá seus oponentes, controlará a imprensa e levará sua economia a uma longa recessão. Obviamente, não há no mundo um ser humano mentalmente saudável que acolha um cenário como esse.

Como estamos a oito semanas da eleição, este é o começo de uma mensagem muito bem articulada. Vou chamar de "momento de coçar a cabeça" – o presidente está convidando os eleitores a pensar. A mesma ideia será repetida e submetida impiedosamente às pessoas não só pelo presidente, mas também pelo enorme número de personalidades que fazem campanha para Hillary. O estratagema visa levar os cidadãos ao próximo passo – o "momento que porra é essa". Quando esse estágio atinge o ponto de ebulição, é hora de executar o ato final de "consolidação da mensagem". Se as três fases forem concretizadas, o estratagema será bem-sucedido. Com a missão cumprida, chega o momento de aproveitar a "colheita recompensadora" – a vitória nas eleições.

O presidente Obama também critica a imprensa, dizendo que esta "simplesmente desiste" e "aceita" Trump. Ele afirma existir um padrão distinto contra Hillary, que está sujeita a muito mais escrutínio. Obama usa com inteligência o que eu estou batizando de argumento de ponta-cabeça, ou argumento virado do avesso. A manobra é adotada quando a pessoa fica sem palavras e a solução é desafiar a lógica e a obviedade. A melhor maneira de fazer isso é retratar uma fantasia que é o exato oposto da realidade. Nesse caso, a ideia de vitimização também permeia a explicação aberrante de Obama.

Com seu discurso, o presidente tem a clara missão tradicional de motivar os eleitores democratas, o que é sem dúvida a tarefa do momento para ele. Afinal, os partidários democratas estão longe de estar entusiasmados. Quando a multidão vaia o nome de Trump, Obama enfatiza o que expressou de passagem na convenção democrata: "Não vaiem, votem". Ele também traz de volta o incrível lema "Yes We Can" (sim, nós podemos) e tenta transferir sua popularidade entre democratas e independentes para Hillary: "Eu preciso que vocês trabalhem duro para Hillary como fizeram por mim. (...) Chegou a hora de eu passar o bastão, mas Hillary Clinton vai (...) terminar essa corrida, e é por isso que estou com ela, é por isso que eu estou superanimado, é por isso que estou pronto para agir".

A menção de uma corrida pelo presidente se refere ao trabalho permanente para proporcionar um melhor padrão de vida para todos, então essa corrida nunca terminará. Deixando de lado o erro aceitável de caracterização, aqui está a principal motivação de Obama: eleger seu sucessor. Qualquer político anseia eleger o sucessor; afinal, em teoria é a melhor maneira de preservar um legado. Assim, nada mais legítimo do que Obama perseguir esse objetivo.

A compilação das declarações de Obama na Filadélfia nos dá um gostinho de sua narrativa. Ah, há uma última observação presidencial digna de nota. E neste caso eu assino embaixo: "Em época de eleições, muitas vezes vocês vão ouvir coisas malucas".

Um *jab* (soco) que o presidente desferiu em Trump nos leva a outro assunto: "A fundação do outro candidato pegou dinheiro que outras pessoas deram em caridade e comprou uma pintura dele de dois metros de altura. Bem, ele teve o discernimento de não pegar uma versão de três metros". Com uma boa dose de sarcasmo, o presidente coloca outra entidade no centro das atenções: a Fundação Donald J. Trump. Na verdade, a fundação tem estado sob escrutínio público e críticas. O presidente insinua que há mais coisas ruins a serem descobertas na fundação, e dentre outras funções, insinuações funcionam bem para acionar os botões emocionais. Já que as bases democratas precisam de motivação, o presidente está aí para isso. Cabe registrar que até o momento não há fatos consistentes comprometendo Trump no que tange à fundação.

Trump: "A Casa Branca vai se tornar a casa do povo"

Enquanto o presidente Obama falava na Filadélfia, Trump discursava em um evento em Clive, Iowa. Considero as seguintes frases um resumo perfeito do recado do candidato republicano: "A Casa Branca vai se tornar a casa do povo. (...) Esta é uma campanha sobre grandes ideias concebidas para ajudar as pessoas comuns".

Trump voou de Clive para a Filadélfia, onde Obama estava, e realizou um comício em Aston, na periferia da cidade. Ao lado da cândida "primeira-filha" Ivanka, Trump contradisse os democratas e ofereceu algo: uma nova proposta de assistência infantil.

Na realidade, faz um bom tempo que, toda semana, Trump traz proposições concretas sobre tópicos relevantes. O candidato das platitudes está tomando outro rumo. A proposta para a assistência infantil é fazer com que as despesas sejam completamente dedutíveis do imposto de renda. A medida seria aplicável a indivíduos que ganham menos de US$ 250 mil e famílias com renda inferior a US$ 500 mil por ano. O benefício seria concedido para o máximo de quatro crianças e limitado ao custo médio de assistência infantil no respectivo estado.

Concessão de benefícios é uma agenda democrata. Trump começou a elaborar sua versão com o claro propósito de abocanhar uma fatia da torta democrata. Essa eleição não é ideológica. Entre todas as opções iniciais do Partido Republicano, o magnata do setor imobiliário é o mais apto a cruzar as linhas ideológicas.

Em visita ao Clube Econômico de Nova York (Economic Club of New York), Trump expôs seu plano econômico para uma plateia de ricos. O candidato calculou a "nação silenciosa de americanos desempregados" em "92 milhões" e estabeleceu a seguinte premissa: "Toda decisão política que tomarmos deve passar por um teste simples: ela gera mais empregos e melhores salários para os americanos?". O republicano afirmou que criará 25 milhões de empregos em dez anos e estabeleceu "uma meta nacional de atingir 4% de crescimento econômico". Para chegar lá, propôs uma profunda modernização nas políticas tributária, regulatória, energética e comercial.

O projeto de Trump propõe um corte de impostos de US$ 4,4 trilhões, compensado pelo crescimento econômico (US$ 2,6 trilhões) e pela reforma nos setores de energia, comércio e regulamentação (US$ 1,8 trilhão). Ele pretende economizar US$ 800 bilhões fazendo o que chama de "reformas simples e de bom senso", que incluem apenas gastos em programas que não envolvem os setores de defesa e benefícios.

Outra parte relevante do plano é a decisão de trazer trilhões de lucros de empresas no exterior, estimados entre US$ 2 trilhões e US$ 5 trilhões, taxando-os a 10% em vez de 35%. Trump garantiu que seu programa faz sentido e é convincente. "Não estou concorrendo a presidente do mundo, estou concorrendo a presidente dos Estados Unidos da América", disse ele.

Junto com a imigração, a necessidade de melhores acordos comerciais é uma característica da cruzada de Trump desde o primeiro dia. Essa noção permeia seu plano econômico. Trump critica com frequência o déficit comercial anual de US$ 800 bilhões e afirma que esse cenário será revertido com rapidez. Ao apresentar seu projeto econômico para a rica plateia do Clube Econômico, Trump também estava se dirigindo a outros grupos – os americanos mais simples e os figurões do Partido Republicano. Em relação ao primeiro grupo, Trump tem sido muito eficaz; quanto ao último, ainda tem uma tarefa difícil pela frente.

O programa de Trump está imbuído da premissa da sustentabilidade, algo muito palatável para os líderes republicanos. O conservadorismo refuta o estado gigante e babá, então o zelo de Trump é muito pertinente. Pode ajudar para que pelo menos os conservadores apoiem sua agenda econômica, já que o engajamento do alto escalão republicano com a candidatura ainda é muito escasso. Por exemplo, os dois ex-presidentes republicanos, chamados coloquialmente apenas de Bush 41 e Bush 43, se abstiveram de apoiar, e os dois últimos candidatos do partido, Mitt Romney (2012) e John McCain (2008), negaram apoio. Até mesmo alguns dos principais nomes que disputaram a nomeação republicana com Trump e assinaram a promessa de "endossar o candidato presidencial republicano de 2016, independentemente de quem seja", ainda estão longe de cumprir o compromisso. Ted Cruz, John Kasich e Jeb Bush estão nessa categoria.

Passando bem uma mensagem

Depois de três dias de descanso, Hillary retomou a campanha em Greensboro, Carolina do Norte. Subiu ao palco e se dirigiu ao púlpito ao som retumbante de "I Got You", de James Brown: "I feel good, I knew that I would now" (Eu me sinto bem, eu sabia que agora me sentiria). Hillary fez um discurso cauteloso. Tentou minimizar o anúncio público adiado do diagnóstico de pneumonia e se humanizar fazendo uma analogia com as dificuldades das pessoas comuns:

> Ter alguns dias para mim acabou na verdade sendo um presente. Conversei com alguns velhos amigos. Passei um tempo com nossos adoráveis cachorros. Pensei um pouco. (...) Com certeza me sinto sortuda. Quando estou indisposta, posso me dar ao luxo de tirar alguns dias de folga. Milhões de americanos não podem. Eles vão trabalhar doentes ou perdem o salário, não é? Muitos americanos ainda não têm seguro, ou têm, mas é muito caro para realmente usarem. Então, tomam uns Tylenols, suco de laranja e esperam que a tosse ou o vírus desapareçam por si. (...) Essa ainda é a história de muita gente na América. Quando a doença ataca ou acontece um acidente, você se sente sozinho. Se você perder o emprego ou não puder pagar a faculdade, estará sozinho. Se seu pai idoso

começar a precisar de mais ajuda e você não souber o que fazer, estará sozinho. Fatos da vida como esses são catastróficos para algumas famílias.

E acrescentou: "Minha promessa para vocês é a seguinte: vou encerrar minha campanha da forma como comecei minha carreira e como vou servir como presidente, se me derem essa grande honra – focada em oportunidades para as crianças e justiça para as famílias".

Poucas horas depois, em Washington, D.C., Hillary participou de um evento do Instituto Hispânico do Congresso e proclamou: "Donald Trump está conduzindo a campanha mais divisora de nossas vidas. A mensagem dele é que você deve ter medo – medo de pessoas cuja raça ou etnia seja diferente, ou cuja fé religiosa seja diferente, ou que tenham nascido em um país diferente. Não há mais insinuações ou entrelinhas. Está tudo bem na cara agora. Então, temos que voltar duas vezes mais fortes e duas vezes mais claros".

Hillary provocou a audiência: "Quando ele vai parar com essa baixeza, esse fanatismo?". Ressaltou a importância de usar o broche "Love Trumps Hate", vendido por sua campanha por US$ 5.

Lembra do presidente Obama e do começo de uma mensagem muito bem articulada? Aqui está ela. Hillary disparou: "O que temos que fazer nesta eleição é isto, (...) precisamos nos levantar e repudiar essa retórica divisora. Precisamos detê-lo de vez em novembro, em uma eleição que envie uma mensagem que até ele possa ouvir".

Espero que Hillary se sinta bem de verdade e que o breve descanso neste momento não seja um pouco tarde demais para a plena recuperação de sua saúde. A democrata terá de exibir constante vigor a partir de agora. Nem sequer poderá tossir em aparições públicas até o dia da eleição, se é que você me entende. Ela está em uma sinuca nesse tocante também.

Em termos de comunicação, Hillary perdeu outra grande chance de trazer algo novo, de surpreender o eleitorado e expandi-lo. Um artigo da AP intitulado "Checagem de fatos da AP: Trump diz que Clinton carece de políticas. Sério?", de 13 de setembro, relata que "o *site* de Trump atualmente oferece oito propostas de políticas públicas" e que "Clinton oferece posição sobre 38 questões para eleitores em potencial lerem". Eu pergunto: que porcentagem do eleitorado acessará o *site* para ler? Do meu ponto de vista, Hillary não está indo bem. Ela precisa transmitir uma mensagem melhor e de uma maneira melhor, ela deve melhorar o "o que" e o "como". Além disso, precisa selecionar melhor as circunstâncias apropriadas para abordar casos específicos.

Há oito anos, o núcleo da retórica de Obama era a esperança. Agora, em vez de priorizar discursos políticos positivos, os democratas e Hillary estão baseando a campanha em demonizar o oponente. Hillary joga um rolo compressor de coisas ruins nos grandes veículos de comunicação em toda oportunidade que aparece. Concentra-se desproporcionalmente em retratar o cara louco, extremamente perigoso e incapaz de ser presidente. Em consequência, o eleitorado escuta a voz desagradável e estridente de Hillary apenas insultando Trump. Essa estratégia está dando errado.

Vou usar os dados do programa *Forum NBC Commander-in-Chief* como prova. Durante o evento, no mesmo período em que Trump respondeu dezesseis perguntas, Hillary respondeu apenas sete. Não obstante o teor e a precisão das respostas, Trump aborda as questões de forma concisa, direta e firme. Ele não dá sermão, ele conversa com as pessoas, usando poucas palavras simples, colocadas em frases curtas. Hillary elabora demais, dando respostas longas demais. Fica excessivamente chato. Os espectadores não podem nem repetir o que ela diz, simplesmente porque é difícil de digerir. Além disso, ela parece estar sempre pisando em ovos.

Somando tudo, neste momento a candidatura democrata está marcando passo. Hillary Clinton está com muito medo de perder. E, quando o medo de perder domina um concorrente, ele cede a vitória ao adversário. O apego ao *status quo* – ou a qualquer outro tipo de privilégio – torna-se um tremendo inimigo em um campo de batalha, mutilando o combatente.

A confiança na mídia

Uma pesquisa do Gallup divulgada em 14 de setembro registra que apenas 32% dos americanos têm "grande" ou "razoável" confiança na mídia. O número de 2016 assinala queda acentuada em relação ao ano anterior (40%) e confirma a tendência de baixa (de 51% em 2000, 50% em 2005 e 43% em 2010). Os atuais 32% são o nível de confiança mais baixo já registrado pelo Gallup, que faz pesquisas sobre o tema desde 1972. O índice mais alto foi alcançado em 1976 (72%), devido ao jornalismo investigativo sobre o escândalo de Watergate e a Guerra do Vietnã.

Irônica e curiosamente, enquanto examino esses números, testemunho o entusiasmo da imprensa ao levantar a controvérsia "birther", que remonta à campanha presidencial de 2008, quando o país de nascimento de Barack Obama foi tema de imenso questionamento. Os defensores da tese de que ele havia nascido no Quênia pretendiam caracterizar sua inelegibilidade para a Presidência, uma vez que a Constituição exige expressamente que um presidente tenha nascido nos Estados Unidos. Vários assessores de Hillary aderiram ao "birtherism". Donald Trump também foi uma das figuras proeminentes da tese.

Obama esperou até 27 de abril de 2011 para liberar sua certidão de nascimento completa, já que em 2008 ele publicou apenas uma versão resumida. Tomo emprestada a polêmica frase de Hillary para questionar a motivação da mídia ao trazer à tona o "birther" neste momento: "A essa altura, que diferença isso faz?" (What difference at this point does it make?).

Bem, o tópico ressurge como um torpedo quando o envolvimento de Trump com os eleitores afro-americanos começa a dar resultados. Portanto, consiste em um contra-ataque para atenuar e dissipar suas chances de ter um desempenho satisfatório entre os afro-americanos. A tese se resume ao seguinte: Donald Trump participou com firmeza do "birtherism" porque é racista, o racismo o estimulou a tentar deslegitimar o primeiro presidente negro. O objetivo desse movimento é que a ideia se espalhe e se consolide na mente das pessoas, principalmente na comunidade afro-americana. A imprensa agora exige que Trump se desculpe publicamente com o presidente. Esse é um movimento bem orquestrado, que por certo corrobora o baixo nível de credibilidade da mídia.

Em 16 de setembro, Trump organizou um evento em sua nova propriedade em Washington, D.C., o Trump International Hotel, no antigo prédio sede dos correios. Sua equipe disse à imprensa que abordaria o "birtherism", então a cobertura foi gigantesca. Fox, CNN e MSNBC transmitiram ao vivo por cerca de trinta minutos a imagem de um empreendedor de sucesso que ganhou dinheiro no mercado privado. Por fim Trump pega o microfone e diz o seguinte: "Hillary Clinton e sua campanha de 2008 começaram a controvérsia, eu terminei. Terminei. Vocês sabem o que eu quero dizer. O presidente Barack Obama nasceu nos Estados Unidos. Ponto. Agora todos nós queremos tratar de tornar a América forte e grande outra vez. Obrigado. Muito obrigado".

Trump levou a imprensa à loucura. A brevidade do comentário e a ausência de uma sessão de perguntas e respostas pode ser um modo intrigante de lidar com a controvérsia. Na teoria, faz sentido: ir direto ao âmago, abordá-lo e virar a página. Mas os oponentes de Trump – nesse caso, os democratas e também a mídia – não permitirão que ele deixe o assunto de lado. Prova disso é que, logo após a declaração de Trump, Hillary usou o Twitter: "O sucessor do presidente Obama não pode e não será o homem que liderou o movimento racista 'birther'. Ponto".

Para piorar, logo após o *tweet* de Hillary, James Asher, editor do *Injustice Watch* em Washington, respondeu: "@HillaryClinton, então por que seu chapa #sidblumenthal espalhou o boato #obama birther para mim em 2008, nos pedindo para investigar? Lembra?". "#sidblumenthal" é Sidney Blumenthal, homem da extrema confiança de Hillary. O *tweet* reforçou a percepção esmagadora de que em 2008 os amigos de Hillary mexeram os pauzinhos nos bastidores e espalharam boatos sobre o assunto.

Obama: "Um insulto ao meu legado"

Alguns acontecimentos provam que os Clinton desconsideram a realidade e continuam fazendo as coisas do jeito deles, haja o que houver. Mesmo em meio a tantas controvérsias sobre a angariação de fundos, os Clinton mantêm o padrão de transformar todos os momentos possíveis em uma oportunidade de arrecadar dinheiro. Em 16 de setembro, Bill Clinton realizou uma festa no elegante Rainbow Room, no 65º andar do Comcast Building, no Rockefeller Center, em Nova York. Na ocasião, foram arrecadados milhões de dólares em nome da fundação da família. Os doadores escolheram entre três opções de ingresso: US$ 250 mil, US$ 100 mil e US$ 50 mil.

De imediato, os participantes puderam apreciar as apresentações de Barbra Streisand e Bon Jovi enquanto celebravam o 70º aniversário do presidente Clinton junto com a famosa família. Muito mais do que isso, os participantes presumivelmente esperam ser incluídos na lista de convidados da Casa Branca de Hillary. Assim, os US$ 250 mil são o preço do visto de entrada para a próxima administração federal, já que todos acreditam que Hillary vá ganhar. Enquanto isso, Hillary garante que está fazendo um caminho por si: "Não estou concorrendo para o terceiro mandato do meu marido. Não estou concorrendo para o terceiro mandato do presidente Obama. Estou concorrendo para o meu primeiro mandato".

De um jeito ou de outro, Bill e Barack, os Bs, são muito mais do que os dois principais ativistas VIPs de Hillary. Os Bs são multitarefas, e Barack em especial tem papel-chave a desempenhar na comunidade afro-americana. Assim, na noite de sábado, dia 17, o presidente se dirige à Fundação do Caucus Negro do Congresso (*Congressional Black Caucus Foundation*). De modo inesperado, um Obama ríspido grita e decreta:

> Vocês podem ter ouvido o adversário de Hillary nesta eleição dizer que nunca houve um momento pior para ser uma pessoa negra, (...) mas temos um museu para ele visitar. (...) Vamos educá-lo. (...) Ele diz que não temos mais nada a perder. (...) Todo o progresso que fizemos está em jogo nesta eleição. (...) Meu nome pode

> não estar na cédula, mas nosso progresso está na cédula, (...) e há uma candidata que irá avançar essas coisas. (...) Vou considerar um insulto pessoal, um insulto ao meu legado, se essa comunidade baixar a guarda e não se mobilizar nesta eleição.

Insulto pessoal? Sério? Uau! É um discurso autoritário e dramático. É autoritário porque não implica respeito ou consideração pelo livre-arbítrio das pessoas. Pela afirmação, podemos inferir que Obama apenas acolhe e reconhece a escolha das pessoas se corresponderem às dele. Ao mesmo tempo, não apenas se recusa a aceitar, mas também condena escolhas que não são iguais às suas. É dramático por causa do rosto zangado e do tom exaltado. Obama está abordando com veemência o "momento que porra é essa" e terraplanando para o "momento de consolidação da mensagem". A exacerbação da situação – a candidatura democrata está estagnada – antecipa os passos do plano de comunicação.

Tenho considerações adicionais a fazer. Primeiro, há todo tipo de percepção do legado de Obama por aí. Com certeza reconheço que questões não econômicas e sociais têm desempenhado papel importante na sociedade moderna há um bom tempo, como a identidade das pessoas. Não obstante, considerando a relevância vital da economia, que afeta a renda das famílias e, portanto, seu padrão de vida, o legado de Obama é realmente questionável.

É provável que Obama se torne o único presidente desde a Grande Depressão (1929–1939) a não ter uma taxa de crescimento econômico de três dígitos no currículo. Em 15 de setembro, o *Wall Street Journal* publicou uma análise dos números do Censo dos Estados Unidos com relação à renda desde 2008, em uma base estadual. O artigo aponta que seis dos nossos onze *battleground states* tiveram crescimento de renda abaixo da média nacional: Wisconsin, Ohio, Michigan, Flórida, Carolina do Norte e Nevada. O mau desempenho afeta partes do território americano que podem decidir a eleição.

Minha segunda consideração é que, em teoria, a eleição se refere principalmente aos candidatos. No entanto, neste momento, testemunhamos

Hillary confiando em suas alianças e ativistas VIPs para galvanizar a massa. Além dos Bs, Joe Biden, Michelle Obama e Bernie Sanders compõem o primeiro escalão. Em seguida vem o grande grupo de secretários, senadores, congressistas e outros, para não falar da forte base eleitoral e do fluxo de caixa irrestrito.

Em contraste, Trump tem seus filhos e muito poucos assessores relevantes engajados para valer. Os ativistas mais qualificados e bem preparados de Trump são o ex-prefeito de Nova York Rudolph "Rudy" Giuliani e o governador de Nova Jersey, Christopher "Chris" Christie. Trump trabalha publicamente 24 horas por dia todos os dias, com vários eventos em diferentes cidades. Seus comícios têm público dez vezes maior que os de Hillary. É assim que ele se esforça para compensar a falta de apoio tradicional e luta contra todas as probabilidades, incluindo os próprios comentários negativos prévios.

858 pessoas que deveriam ser deportadas recebem cidadania

A administração democrata continua gerando fatos que infelizmente se assemelham a relatos de repúblicas de bananas. Um *e-mail* interno dos Serviços de Cidadania e Imigração (USCIS) se torna público. Enviado na quinta-feira, 21 de julho de 2016, às 14h41, o *e-mail* orientou:

> Todos, estou entrando em contato com a Equipe, precisamos processar nossos casos pendentes da N-400 que estão em seu escritório e pendentes nas prateleiras da sala de arquivo. (...) Devido ao ano eleitoral, precisamos processar a maior quantidade possível de seus casos N-400.

O *Washington Times* analisou as estatísticas do USCIS e descobriu: "Neste ano a agência recebeu cerca de 538 mil pedidos de naturalização nos primeiros seis meses e aprovou quase 367 mil". Essa população aprovada obviamente é propensa a ser contra Trump. Como se não bastasse, um relatório do escritório do inspetor-geral do Departamento de Segurança Interna (DHS), ao qual o USCIS é vinculado, afirmou:

> O USCIS concedeu cidadania norte-americana a pelo menos 858 indivíduos que deveriam ser deportados ou removidos sob outra identidade quando seus registros de impressões digitais não estavam disponíveis durante o processo de naturalização. (...) Embora os procedimentos do USCIS exijam a verificação das impressões digitais dos candidatos contra os depósitos digitais de impressões digitais do DHS e do FBI, nenhum deles contém todos os registros antigos de impressões digitais.

Em resumo, temos aqui um caldeirão de coisas feias. Pode-se até entender que a determinação de apressar as cidadanias devido ao ano eleitoral, combinada com a grosseira incompetência, se transforma em uma demonstração do baixo nível administrativo estabelecido pelo presidente Obama. Afinal, é inconcebível que "pelo menos 858 indivíduos que deveriam ser deportados", ao invés disso tenham recebido a cidadania norte-americana – em geral algo bem difícil.

26 de setembro, o primeiro debate presidencial

Hoje é 26 de setembro, dia do primeiro debate presidencial. Trata-se do evento mais importante de toda a campanha até aqui e espera-se que seja assistido por cem milhões de pessoas. Hillary Rodham Clinton e Donald John Trump enfim irão se enfrentar. Os debates dos candidatos a presidente e vice são organizados desde 1988 pela Comissão de Debates Presidenciais (Commission on Presidential Debates, CPD) – organização apartidária sem fins lucrativos, criada para fazer desses debates parte permanente da eleição geral.

Os critérios de participação dos candidatos são os seguintes: ser constitucionalmente elegível para ocupar o cargo de presidente dos Estados Unidos, ter alcançado o acesso à votação em número suficiente de estados para ganhar maioria teórica do Colégio Eleitoral nas eleições gerais e ter demonstrado nível de apoio de pelo menos 15% do eleitorado nacional, conforme determinado por cinco organizações nacionais selecionadas de opinião pública, usando a média dos resultados mais recentes publicados pelas organizações. Apenas Hillary Clinton e Donald Trump satisfazem os três critérios; na sequência o libertário Gary Johnson e a verde Jill Stein são os que chegam mais perto, preenchendo os dois primeiros quesitos.

As cinco organizações escolhidas pela CPD para utilizar suas pesquisas como parâmetro determinador são ABC–*Washington Post*, CBS–*New York Times*, CNN–Opinion Research Corporation, Fox News e NBC-*Wall Street Journal*. Os cinco moderadores dos debates são profissionais das organizações de TV correspondentes a cada pesquisa: ABC, CBS, CNN, Fox e NBC.

No dia 2 de setembro, quando a comissão anunciou os debates, me compeli a escrever a seguinte análise:

> Neste instante, há três aspectos dominantes: os americanos querem comparar suas principais opções lado a lado, cara a cara; Hillary anseia por manter a eleição no caminho atual; e Trump deseja mudar a trajetória.
>
> Para virar o jogo, Trump precisa mais do que tonificar a mesma retórica. É imperativo algo mais ousado e inédito. Na teoria, se guardamos algumas cartas na manga, podemos surpreender e atacar nosso adversário mortalmente quando o instante perfeito aparece. Campanhas são um jogo de xadrez. Mais do que ser capaz de antever os movimentos de nosso oponente, devemos manobrá-los em um xeque do qual não há fuga: um xeque-mate.
>
> No caso, o momento adequado e perfeito começa hoje à noite, passa pelo segundo debate, na Universidade de Washington, em St. Louis (Missouri), em 9 de outubro, e termina no terceiro debate, em 19 de outubro, na Universidade de Nevada, em Las Vegas (Nevada). Como ninguém sabe ao certo o que o futuro reserva e

qualquer outro debate pode até ser boicotado ou cancelado, cada candidato tem que trabalhar para fazer desta noite o seu ápice.

Trump precisa apresentar uma proposta surpreendente, que desafie sua concorrente de maneira inesperada. Refiro-me, por exemplo, a algo que Hillary acredite ser um problema para ele, mas que na verdade não seja. Esse algo deve ser intrigante para a mídia e o eleitorado. Uma pesquisa da Universidade Quinnipiac divulgada em 25 de agosto informou que 74% dos entrevistados acham que "Trump deveria divulgar publicamente suas declarações de imposto de renda". O *Washington Times* de 1º de junho de 2016 publicou: "Dois terços dos eleitores dizem que Clinton deveria divulgar transcrições dos discursos pagos feitos para Wall Street".

Vendo esses dados, Trump deve esperar ser atacado por Hillary em sua controvérsia da declaração de imposto de renda e contra-atacar com as seguintes observações: concordo com a Sra. Clinton e vou além. Nossos compatriotas têm o direito supremo de examinar os candidatos presidenciais por completo. Assim, proponho aqui e agora: vamos nos reencontrar daqui a exatas 24 horas neste mesmo lugar. Na ocasião, trarei as minhas declarações de imposto de renda dos últimos cinco anos e as entregarei à imprensa, tanto em papel como digitalizadas. Eu faço primeiro. Depois disso, será a sua vez. Você traz as transcrições, tanto impressas quanto digitalizadas, de todos os seus discursos pagos proferidos a portas fechadas durante os últimos cinco anos e entrega à imprensa. Combinado?

Bem, essa foi minha linha de raciocínio em 2 de setembro. Como são anotações de 24 dias atrás, três considerações se fazem aconselháveis. Primeiro, a teoria apresentada ainda é válida e sempre será, é atemporal. Segundo, por coincidência, Trump esboçou parte do meu exemplo em 6 de setembro na Fox News, no programa *The O'Reilly Factor*. Só que, em vez de entregar à imprensa a transcrição dos discursos pagos, Hillary teria que liberar seus 33 mil *e-mails* excluídos. Em terceiro lugar, 24 dias em uma campanha política é uma eternidade. Assim, dois dos três aspectos dominantes que destaquei se inverteram; agora Trump é quem anseia por manter a eleição no caminho atual, e Hillary é quem deseja mudar a trajetória.

A mudança ocorreu porque dois fatos opostos, por assim dizer, podem coexistir e ser verdadeiros ao mesmo tempo. Explico. Durante esses 24 dias, Trump atraiu o eleitorado, ao passo que Hillary afugentou eleitores; portanto, Trump está subindo, e Hillary está descendo. Essa é a dinâmica atual. É oportuno verificar a imagem de hoje em todo o país, pela média do Real Clear Politics, bem como em nossos onze *battleground states*. Embora os números não reflitam nitidamente a realidade que acabei de descrever, já provam que o empate agora é estatístico:

- 9 de setembro: Clinton + 2,7 / Clinton, 45,6%; Trump, 42,9%
- 10 de setembro: Clinton + 2,7 / Clinton, 45,6%; Trump, 42,9%
- 11 de setembro: Clinton + 3,1 / Clinton, 46,0%; Trump, 42,9%
- 12 de setembro: Clinton + 2,8 / Clinton, 45,9%; Trump, 43,1%
- 13 de setembro: Clinton + 2,4 / Clinton, 45,8%; Trump, 43,4%
- 14 de setembro: Clinton + 2,3 / Clinton, 46,1%; Trump, 43,8%
- 15 de setembro: Clinton + 1,5 / Clinton, 45,7%; Trump, 44,2%
- 16 de setembro: Clinton + 1,5 / Clinton, 45,7%; Trump, 44,2%
- 17 de setembro: Clinton + 1 / Clinton, 44,9%; Trump, 43,9%
- 18 de setembro: Clinton + 0,9 / Clinton, 44,9%; Trump, 44%
- 19 de setembro: Clinton + 0,9 / Clinton, 44,9%; Trump, 44%
- 20 de setembro: Clinton + 1,3 / Clinton, 45,3%; Trump, 44%
- 21 de setembro: Clinton + 1,9 / Clinton, 45,4%; Trump, 43,5%
- 22 de setembro: Clinton + 2,6 / Clinton, 46%; Trump, 43,4%
- 23 de setembro: Clinton + 3 / Clinton, 46,2%; Trump, 43,2%
- 24 de setembro: Clinton + 3 / Clinton, 46,2%; Trump, 43,2%
- 25 de setembro: Clinton + 3,1 / Clinton, 46,5%; Trump, 43,4%
- 26 de setembro: Clinton + 2,3 / Clinton, 46,6%; Trump, 44,3%

- Carolina do Norte: Trump + 5 / Clinton, 40%; Trump, 45% (Fox News, 18 a 20 de setembro)
- Colorado: Trump + 1 / Clinton, 41%; Trump, 42% (CNN/ORC, 20 a 25 de setembro)
- Flórida: Trump + 1 / Clinton, 44%; Trump, 45% (Universidade de Suffolk, 19 a 21 de setembro)
- Iowa: Trump + 7 / Clinton, 37%; Trump, 44% (Universidade Quinnipiac, 13 a 21 de setembro)
- Michigan: Clinton + 3 / Clinton, 38%; Trump, 35% (Detroit Free Press, 10 a 13 de setembro)
- Nevada: Trump + 3 / Clinton, 40%; Trump, 43% (Fox News, 18 a 20 de setembro)
- New Hampshire: Clinton + 9 / Clinton, 47%; Trump, 38% (Universidade Monmouth, 17 a 20 de setembro)
- Ohio: Trump + 5 / Clinton, 37%; Trump, 42% (Fox News, 18 a 20 de setembro)
- Pensilvânia: Clinton + 1 / Clinton, 45%; Trump, 44% (CNN/ORC, 20 a 25 de setembro)
- Virgínia: Clinton + 8 / Clinton, 45%; Trump, 37% (CBS News/ YouGov, 21 a 23 de setembro)
- Wisconsin: Clinton + 3 / Clinton, 41%; Trump, 38% (Universidade Marquette, 15 a 18 de setembro)

Somado ao nosso acompanhamento regular, dessa vez temos algo quentinho saindo da imprensa. Antes do encontro desta noite, a Bloomberg relatou: "Trump apaga margem de Clinton". A pesquisa da Bloomberg, efetuada de 21 a 24 de setembro, mostra empate em 46%. A informação acrescenta ainda mais drama ao roteiro inédito.

Agora, deixe-me enfatizar que concordo por inteiro com Hillary Clinton na questão de fazer debates simulados, estudar temas, assistir a apresentações anteriores de Trump por horas e assim por diante. Dedicar tempo à preparação e aprendizagem é sempre aconselhável.

O general e sábio chinês Sun Tzu (544–496 a.C.) maravilhosamente nos ensinou na *Arte da guerra*: "Se você conhece o inimigo e conhece a si mesmo, não precisa temer o resultado de cem batalhas. Se você conhece a si mesmo, mas não o inimigo, para cada vitória obtida, você também sofrerá uma derrota. Se você não conhece nem o inimigo nem a si mesmo, vai sucumbir em todas as batalhas".

Humildemente, atrevo-me a dizer que chego a atribuir maior relevância ao autoconhecimento. Do meu ponto de vista, é imperativo saber em primeiro lugar o que você sabe, saber o que você não conhece e saber o que pode desencadear reações positivas e negativas em você. Se você deseja ser capaz de permanecer no centro de sua consciência sob grande pressão e em ambientes hostis, o autoconhecimento é obrigatório. Se você deseja ser capaz de aproveitar sua presença de espírito, sabedoria, prontidão, intuição, engenhosidade, sagacidade e assim por diante em qualquer circunstância, o autoconhecimento é pré-requisito. Quando chega a esse nível, você é capaz de ler seu inimigo com precisão ao longo de uma batalha. E com isso fazer os ajustes apropriados no decorrer da contenda. Essas características conferem a aptidão para superar a situação mais difícil: depois de uma derrota considerável, recuperar-se e cumprir a missão, tudo durante o mesmo combate.

Do meu ponto de vista, as características acima retratam o maior predicado de todos. Quando você as combina com a utilização de 100% de seus talentos durante 100% do tempo de trabalho, o resultado merece um batismo: Performance Absoluta (PA). Quando se refere a grupos de pessoas, a PA demanda o engajamento de 100% dos membros, cada qual contribuindo com suas melhores expertises.

No fim das contas, a PA é seu porto seguro permanente, tanto na vitória quanto na derrota. Na vitória, a recompensa é evidente. Na derrota, a PA fornece a certeza reconfortante de que você fez o seu melhor a cada passo do caminho. Caso você fracasse, isso significa que seu adversário de fato era superior. Nesse caso, você deve reconhecer isso pública e intimamente – ou pelo menos para si mesmo. Depois, deve melhor se preparar para o futuro.

No contexto do debate, o começo e o final são os dois momentos mais relevantes. Por um lado, uma desestabilização na parte inicial pode ser catastrófica e repercutir durante todo o evento – a PA é o antídoto para isso. Por outro lado, a fala final deve conter o cerne de sua mensagem mais inspiradora, para continuar ecoando na mente das pessoas. Mas atenção! Qualquer momento pode tornar-se "o momento". Para ficar à altura da ocasião, novamente a PA é o ideal, fornecendo a prontidão para atacar o adversário com golpes decisivos. Essa é a melhor maneira de obter vitórias definitivas nos debates.

Deixe-me fazer uma analogia e afirmar que você jamais vai ganhar um debate pelo sistema de pontuação do boxe profissional. A razão é simples: esse tipo de vitória é sempre questionável e controverso. Esqueça os pontos e se concentre em derrubar de forma explícita e inequívoca e em obter um grande nocaute. Finalizações explícitas e inequívocas combinam uma substância fatal e uma execução cirúrgica. A fórmula tem um poder mágico que reside nas sutilezas. As sutilezas são fascinantes. É fascinante examinar a perpetração do golpe, captar a linguagem corporal, entender o uso da dose adequada de humor e sarcasmo e observar a reação da vítima. Tudo isso resulta da ilimitada engenhosidade humana. Requer preparação, estudo, dedicação, ensaio. E exige uma grande dose de humildade para reconhecer que o aprendizado é permanente, que é um trabalho vitalício em andamento.

Tendo em conta tudo o que percebemos ao longo da campanha e o "vento da mudança" contínuo, Trump deve apresentar uma persona consciente, confiável e estável. O principal objetivo de Trump é provar que todos estão errados e exibir o caráter, temperamento e prudência adequados para ser o presidente e o comandante em chefe das Forças Armadas.

Em comparação, como Hillary não tem mensagem, sua primeira e principal tarefa é provar que o Trump descrito acima não existe, narrativa que ela está divulgando de modo implacável. Além disso, Hillary deve demonstrar vigor, saúde e resistência para o cargo. Ah, e ainda tem de lidar com a imagem de pessoa desonesta e indigna de confiança.

A seguinte lição é atribuída ao ex-presidente John Kennedy: "Jogue luz sobre o seu problema" (Hang a lantern on your own problem). O ensinamento da lenda democrata cai como uma luva na atual disputa, em que os dois principais candidatos não são os mais adorados na história, bem pelo contrário. Antes que seus defeitos sejam abordados pelo adversário, comente-os à sua maneira, expresse uma versão verdadeira que possa amenizá-los. Mostre transparência e destemor. Mas não faça isso durante um debate. Esse não é de modo algum o momento adequado para abordar qualquer imperfeição. Se o seu oponente trouxer uma fraqueza sua, você precisa estar pronto para enfrentar de forma direta, concisa e confiante. E siga em frente imediatamente. Quero dizer, vire o jogo! Engate em uma vantagem sua ou em uma falha do adversário. O ideal é voltar-se para questões de interesse dos eleitores.

Em 1984 o presidente republicano Ronald Reagan buscava a reeleição debaixo de críticas por estar com 73 anos. O oponente, Walter Mondale, era dezessete anos mais moço. Em um debate com o candidato democrata, quando Mondale levantou a questão, Reagan saiu-se com o seguinte: "Não vou fazer da idade um assunto desta campanha. Não vou explorar para fins políticos a juventude e inexperiência de meu oponente". Foi surpreendente, com uma dose tão precisa de humor que provocou uma risada espontânea até em Mondale. Reagan, o ator que se tornou estadista, venceu de lavada. Esse exemplo ilustra o uso conveniente do humor. Acredito que a adoção perfeita do lúdico é vital para amenizar questões difíceis.

Já observei que Hillary dedicou tempo à preparação para o primeiro debate. Trump criticou a decisão e realizou vários comícios todos os dias. Nesse caso, o fato de um presidente precisar ser multitarefa não importa; Hillary fez uma priorização inteligente.

Os adeptos leais de Hillary e Trump votarão neles independentemente do desempenho no confronto. Os dois líderes precisam energizar esses seguidores e fornecer munição para eles usarem em favor da causa. Então, o debate tem sua maior relevância para os candidatos serem ouvidos pelo considerável número de indecisos. É irrelevante se os indecisos são originalmente democratas, republicanos, independentes ou votam em outros partidos; são eles que devem ser persuadidos nesse ciclo destituído de ideologia.

Portanto, os candidatos devem responder a perguntas do tipo: O que você vai fazer pelo país? Quais melhorias serão garantidas sob seu mandato? Como minha família e eu estaremos melhores daqui a quatro anos, ao término de sua administração?

Enfim aterrissamos na pista do debate, na Universidade Hofstra, em Hempstead, Nova York. De agora em diante, registro minhas observações sobre o encontro.

Hillary está ensaiada demais – mensagem e movimentos. Por mensagem, quero dizer as frases memorizadas que ela tem de verbalizar. Por exemplo, ela predeterminou relatar histórias sobre sua família e disse: "Donald, sei que você vive em sua própria realidade". Em certa ocasião, forçou para enfiar uma dessas frases obrigatórias previamente memorizadas: "Acho que Donald me criticou por me preparar para este debate. Sim, fiz isso. E sabem para o que mais eu me preparei? Me preparei para ser presidente. E acho que isso é bom". A observação foi ótima no conteúdo, mas ruim na implementação e feita fora de contexto.

Outro exemplo que cai na mesma categoria é o: "Hum. Está bem". Expressão simples e muito boa, Hillary expressa no momento certo, e ainda assim parece falsa. Esse é o padrão dela, e este é meu argumento aqui: o comportamento robótico orquestrado também é um efeito colateral do ensaio excessivo. Até mesmo o sorriso fica falso.

Apesar de tudo isso, a atriz tem um ótimo roteiro, e em certos momentos Trump até ajuda sem querer. Hillary abusa de insinuações para irritar Trump, que morde a isca e a interrompe em muitas oportunidades. Uma infeliz interrupção foi quando Hillary insinuou que ele não pagou impostos durante anos. Trump cunhou: "Isso me faz esperto". O pensamento faz sentido, mas é muito sucinto; portanto, negativo. O que Trump queria dizer era: ninguém deveria esperar que você pague impostos além do devido, a lei determina a cota, e estou cumprindo o presente preceito legal.

O ápice foi quando Hillary abriu o pacote Alicia Machado. O contêiner reservado para o *grand finale* ilustra o estratagema ofensivo de Hillary:

> Uma das piores coisas que ele falou foi sobre uma mulher em um concurso de beleza. Ele ama concursos de beleza – patrocina e circula por eles, e chamou essa mulher de Miss Piggy (Srta. Porquinho), depois a chamou de Miss Housekeeping (Srta. Doméstica), porque era latina. Donald, ela tem um nome. O nome dela é Alicia Machado. Ela se tornou cidadã americana, e você pode apostar que ela vai votar em novembro.

Trump foi pego de surpresa; perplexo, perguntava: "De onde você tirou isso?". Hillary lançou insinuações. No apagar das luzes, levantou uma acusação relativa a um episódio de vinte anos atrás, e a trama bem planejada foi muito proveitosa para ela. Foi uma nova versão da família Khan, e Trump caiu na armadilha de novo.

Hillary descarrilou com sucesso o trem de Trump da estrada ideal e compensadora. Trump não foi eficaz em colocar Hillary em saias justas. O republicano não aproveitou as oportunidades naturais que emergiram durante a interação nem levantou ou litigou questões cruciais contra ela.

Por exemplo, quando Hillary o acusou de misógino, Trump não mencionou Bill Clinton e seus casos amorosos ou os países que doaram milhões de dólares para a Fundação Clinton e maltratam as mulheres. Enquanto Hillary palestrava à vontade sobre segurança cibernética e o Estado Islâmico, ele não comentou o escândalo do servidor de *e-mail* e a investigação do FBI. Trump nem sequer se referiu à "cesta de deploráveis" e "irremediáveis".

A mídia satiriza o candidato do Partido Republicano, propagando a noção de um lunático perigoso, embora os partidários de Trump não gostem que a imprensa lhes diga o que pensar ou fazer. Não obstante, Trump exibiu preocupação excessiva em parecer presidencial para enfrentar a representação de lunático, e isso afetou negativamente seu desempenho geral. Trump foi esperto ao se projetar como um grande negociador e, com base nisso, prometer ser capaz de consertar o que for necessário. Como homem de negócios experiente, o neófito político contrastou com Hillary e cunhou uma frase forte: "Você faz isso há trinta anos. Por que só está pensando nessas soluções agora?".

Uma coisa terrível do desempenho de Trump: ele interrompeu o moderador. Nunca se faz isso por motivo algum. Uma coisa surpreendente da performance, que na verdade ocorreu após o debate: Trump foi falar com os jornalistas. Ao que parece, foi a primeira vez na história que o candidato de um grande partido fez tal coisa depois de um debate.

O moderador, Lester Holt, interrompeu Trump 41 vezes e interferiu com Hillary apenas sete; lançou questões desagradáveis para ele e não para ela. Mesmo assim, Holt não deve ser culpado pela frustração de ninguém.

A plateia na Universidade Hofstra foi de apenas 1,1 mil afortunados, mas milhões de telespectadores tiveram a chance de ver e examinar os candidatos em detalhe, na transmissão em formato de tela dividida, durante noventa minutos, sem anúncios. Foi o debate mais assistido de todos os tempos no país, segundo a Nielsen, com audiência estimada em 84 milhões de pessoas. Apesar da grandiosidade, já é coisa do passado. Será gravado em livros como este. Agora é história.

Repercussões do debate

Por falar em história, em 26 de setembro de 1960, exatos 56 anos antes do debate desta noite, John Kennedy e Richard Nixon inauguraram uma nova era das campanhas políticas, protagonizando o primeiro debate televisionado, assistido pela incrível quantidade de mais de 70 milhões de americanos, segundo a Nielsen. A partir daquele momento, a TV viria a ser a estrela mais brilhante da constelação da mídia.

O debate Kennedy–Nixon foi a primeira evidência irrefutável da importância do "jeito" e da "aparência" em comparação com a "substância". Enquanto os ouvintes de rádio consideraram Nixon o vencedor do confronto, os telespectadores preferiram Kennedy. Ambos os candidatos se recusaram a ser maquiados, mas a decisão comum produziu resultados opostos.

Kennedy, 43 anos de idade, senador democrata por Massachusetts, relativamente desconhecido e considerado inexperiente, passou o fim de semana em um hotel de Chicago, relaxando e fazendo sua lição de casa. O senador até nadou e se bronzeou na piscina do hotel. Assim, chegou aos estúdios da CBS com boa aparência, descansado, calmo, confiante e pronto para a ação. Kennedy exibiu intimidade com as câmeras, olhando diretamente para as lentes, dirigiu-se aos telespectadores e conversou com o eleitorado.

Em contraste, Nixon, 47 anos de idade, o conhecido e poderoso vice-presidente dos Estados Unidos, chegou à CBS com aspecto acabado. O candidato republicano estava com um cronograma exaustivo de campanha, tentando compensar o período em que estivera hospitalizado (de 29 de agosto a 12 de setembro) devido a uma terrível infecção no joelho esquerdo. Surrealmente, ao sair do carro na CBS, ele bateu o joelho esquerdo, o que provocou dor intensa. Para completar, Nixon bateu com a cabeça em um microfone suspenso ao se levantar para cumprimentar Kennedy antes do debate.

Tendo tudo isso em conta, é evidente a aura desastrosa que pairava sobre Nixon no momento em que ele subiu ao palco. O confronto histórico desempenhou o papel decisivo na eleição de Kennedy por uma margem exígua. Nixon não parou para se preparar adequadamente para aquele momento único, entendeu o debate como apenas outro evento comum de campanha. Subestimou não só o confronto, mas também o oponente, uma falha imperdoável. De certa forma, Donald Trump fez o mesmo, não aproveitando uma rara confluência de águas puras. A boa notícia para ele é que ainda há muita água para rolar por debaixo da ponte, e pode haver uma segunda ou até uma terceira chance. A má notícia é que a segunda chance é apenas em 9 de outubro, e nesse ínterim a votação antecipada está em pleno andamento.

Apenas por curiosidade, Barack Obama, em 2012, George H. W. Bush, em 1988, e Ronald Reagan, em 1984, tiveram um desempenho ruim e perderam seus primeiros debates respectivamente para Mitt Romney, Michael Dukakis e Walter Mondale. No entanto, se tornaram presidentes.

De volta ao ciclo atual, no início da manhã de 27 de setembro, Trump dobrou as apostas na nova controvérsia de Alicia Machado no programa *Fox & Friends*, da Fox News: "Eu conheço essa pessoa, foi uma pessoa do Miss Universo e foi a pior que já tivemos, a pior, a pior absoluta. Ela era péssima. Foi candidata e por fim ganhadora do Miss Universo, com quem se teve tremendas dificuldades. Ela foi a vencedora do Miss Universo e ganhou uma enorme quantidade de peso. Foi um verdadeiro problema". Como disse o magnata do setor imobiliário, "a propósito, isso se chama negócio". Ele de fato está correto. Não obstante, seu negócio principal agora é política, onde há várias nuances divergentes, e ele deve reconhecer isso, compreendendo, acolhendo e assimilando-as.

Trump deu pistas de que não está disposto a poupar Hillary no próximo encontro. "Eu estava me segurando. Não queria envergonhá-la. (...) Hillary Trapaceira (Crooked Hillary) vai ser pior do que Obama, e não podemos deixar isso acontecer, (...) vamos nos livrar dessa mulher trapaceira, ela é uma mulher muito desonesta", prometeu Trump em outro grande comício, dessa vez em Melbourne, na Flórida, com cerca de quinze mil participantes.

Enquanto isso, Hillary apareceu nessa manhã andando alegremente, distribuindo sorrisos e energizada. Fez um comício para cerca de 1,5 mil pessoas em Raleigh, na Carolina do Norte, onde, entre risadas estridentes e desproporcionais, gritou para a multidão: "Alguém viu o debate ontem à noite? Ah, sim. Um já foi, faltam dois!". Quando Hillary se regozija com sua conduta, além de outros aspectos negativos, deixa claro que sua candidatura não é pela nação. A celebração do triunfo íntimo representa um ato falho clássico.

O comportamento implica que a coisa toda é por ela mesma – não pela coletividade. Hillary está supermotivada, agindo com exagero e cheia de si. Isso pode não ser um bom presságio para ela, e essa postura me lembra uma frase do general Colin Powell: "Tudo que Hillary toca, ela meio que estraga com sua arrogância". Pode novamente ser o caso.

A disputa presidencial de 2016 é singular. Hillary e Trump são os candidatos mais impopulares que os partidos Democrata e Republicano já tiveram. E ambos estão levando muito a sério a missão de ser o maior trunfo um do outro. Sinto que, no final desta narrativa, poderemos testemunhar como um deles cedeu a vitória ao outro. Ou seja, como o perdedor garantiu a vitória ao eleito.

O dia seguinte ao debate, 27 de setembro, é o Dia Nacional do Cadastramento Eleitoral (National Voter Registration Day). Trata-se de um esforço para lembrar as pessoas dos prazos de cadastramento nos estados e inscrever o maior número possível de eleitores imediatamente. Organizações, voluntários e celebridades mobilizaram-se por todo o país nesta terça-feira.

A cobertura da mídia pós-debate focou no desempenho inferior de Trump. A imprensa ignorou seus melhores momentos e até zombou do candidato republicano. Em 1º de outubro, o programa cômico *Saturday Night Live*, da NBC, exibiu um quadro hilariante do debate, com Alec Baldwin (Trump) e Kate McKinnon (Hillary) se enfrentando, moderados por Michael Che (no papel de Lester Holt). A repercussão foi enorme.

Devemos levar em consideração o efeito cascata da cobertura da imprensa e do boca a boca. Um debate envolve mais do que os telespectadores que assistem em primeira mão; muitos outros milhões de pessoas têm acesso apenas à reação em cadeia.

A dificuldade que Trump está enfrentando agora pode ser descrita em uma analogia com o futebol. Em um jogo de final de Copa do Mundo, o atacante está sozinho dentro da área, prestes a marcar aquele que pode ser o gol do título, mas tropeça nas próprias pernas e cai. Um zagueiro então toma posse da bola e a dirige para o ataque. Durante uma longa fração de segundo, o atacante fica inconsolável e descontrolado. Aí corre atrás do zagueiro em desespero para recuperar a bola a todo custo. O resultado é muito previsível: o atacante vai cometer uma falta imprudente e no mínimo ser punido com cartão amarelo. No fim o atacante se encolhe, o time inteiro recua e grande parte da torcida também.

A próxima sequência de *tweets* de Trump, de 30 de setembro, ilustra meu argumento. Preste atenção também nos horários:

- "Uau, Hillary Trapaceira foi enganada e usada pela minha pior Miss Universo. Hillary a alçou a 'anjo' sem checar seu passado, que é terrível!" (2h14)
- "Usar Alicia M. no debate como modelo de virtude apenas mostra que Hillary Trapaceira sofre de mau discernimento! Hillary foi enganada por uma vigarista." (2h19)
- "Hillary Trapaceira ajudou a repugnante Alicia M. (confira a fita de sexo e o passado) a se tornar cidadã americana para poder usá-la no debate?" (2h30)
- "Lembre-se, não acredite em 'fontes disseram' da mídia muito desonesta. Se não dão nomes às fontes, as fontes não existem." (5h50)

Hillary trouxe das cinzas uma irrelevante rainha de um concurso de beleza de vinte anos atrás, e Trump mordeu a isca com voracidade. É provável que nem mesmo Hillary e sua equipe imaginassem que daria tão certo. Quantas armas secretas semelhantes Hillary tem? Quantas vezes serão necessárias para Trump entender? A revista *Time* publicou duas edições com capas emblemáticas. Em 20 de agosto de 2015, ainda nas primárias, uma capa exibia o rosto de Trump e a frase: "Lide com isso". Em 11 de agosto, outra capa trouxe uma ilustração assustadora do rosto de Trump e uma palavra: "Colapso".

Ao longo dessa campanha, Trump conseguiu levantar, sacudir a poeira e superar muitos tropeços potencialmente irrecuperáveis. O agravamento agora não é apenas por causa do padrão, mas também pela proximidade da eleição. A restrição de tempo estreita a margem de manobra.

Tenhamos em mente que Trump não perderá seus leais apoiadores. Porém, enquanto os mantém energizados para garantir um comparecimento maior às urnas, precisa expandir o eleitorado entre os que eu defino como "aqueles a serem persuadidos". No fim das contas, o republicano está encarnando a essência do dito do filósofo Epicteto (55-135): "Não é o que acontece com você, mas o modo como você reage que é importante". Espetacular lição!

Sigilo, falsidade, verdade... E o pior das pessoas

Uma pesquisa da Universidade Monmouth divulgada em 28 de setembro reporta alguns dados relevantes. Entre esses, enfatizo:

- 7% dos eleitores dizem que perderam ou terminaram uma amizade por causa das eleições presidenciais.
- 30% consideram justificada a linguagem ríspida usada na política.
- 70% afirmam que a corrida presidencial deste ano trouxe à luz o pior das pessoas.

Algumas pessoas defendem haver grande valor em guardar segredos, ou seja, você nunca revelar o seu interior. Algumas acreditam que você é o que revela sobre si. Seja qual for a sua posição sobre o assunto, na teoria cada um de nós pode se enquadrar em uma das seguintes categorias: viver em sigilo, ou seja, você não parece ser o que é; viver na falsidade, ou seja, você parece ser o que você não é; viver na verdade, ou seja, você parece ser o que você é.

A realidade tem revelado evidências de que a porta-estandarte democrata não vive perfeitamente na verdade. Agora, logo após um evento público muito positivo, vazou uma observação contraditória feita a portas fechadas. O evento foi o anúncio do programa de universidade gratuita (DebtFree College), com as estrelas Hillary Clinton e Bernie Sanders – pela primeira vez juntos na campanha. No centro da iniciativa está a necessidade dos democratas de apelar aos *millennials*, que admiram Sanders e rejeitam Hillary. Para conquistar esses eleitores jovens, a promessa de faculdade gratuita cai como uma luva.

Hillary destacou: "Até 2021 as famílias com renda de até US$ 125 mil não pagarão mensalidades em faculdades e universidades públicas estaduais de quatro anos. E desde o início todos os alunos de famílias com renda até US$ 85 mil por ano poderão frequentar faculdades públicas ou universidades de quatro anos sem pagar mensalidade". Hillary não economizou palavras e foi peremptória ao abordar o que está em jogo: "Nada disso acontecerá se todos vocês não forem votar".

E aí vaza o áudio de um evento democrata de angariação de fundos ocorrido em fevereiro. Nele Hillary expôs uma visão distinta das políticas de Sanders que acabara de propor como suas para cortejar os *millennials*. A candidata também retratou esse grupo como aqueles que "moram no porão da casa dos pais" e, em vez de "acreditar que o caminho para o progresso é aquele em que você tem de levantar todos os dias para trabalhar", preferem "fazer parte de uma revolução política". Ela continuou: "[Trabalhar] não é tão glamouroso. Não é tão excitante. Não promete uma revolução (...) atraente. (...) Aqueles de nós que entendem disso (...) sabem que é uma promessa falsa. Mas não acho que se diz a pessoas sonhadoras, particularmente jovens, que elas compraram uma promessa falsa".

Promessa falsa ou não, em 28 de setembro Hillary endossa o principal argumento de Sanders para iniciar tal revolução. Em 3 de abril, no *Meet the Press*, da NBC News, ela havia abordado as ditas mentiras de Sanders aos *millennials*: "Sinto muito pelos jovens que acreditam nisso, (...) simplesmente não é verdade".

A manchete do *New York Times* engloba a ideia por trás do programa de universidade gratuita: "Velhos inimigos, Bernie Sanders e Hillary Clinton se unem para conquistar a garotada". A verdade é que nem os velhos inimigos estão se tornando amigos, nem o trabalho em equipe para conquistar a garotada será necessariamente frutífero. Logo após o vazamento do áudio embaraçoso, a manobra começou a desandar. Todos os eventos de campanha que teriam Hillary e Sanders dividindo o palco foram cancelados. Sigilo, falsidade e verdade estão emaranhados nesse episódio. Para ser franco, não apenas nesse caso.

O apoio da mídia

O programa *Meet the Press*, da NBC, é apresentado pelo famoso e influente jornalista Chuck Todd. Farei alusão ao desempenho de Todd em 2 de outubro para exemplificar como a mídia liberal em geral reage quando perde nos argumentos. Nesse dia, o ex-prefeito de Nova York Rudy Giuliani foi entrevistado como apoiador de Trump. Giuliani respondeu perguntas sobre Trump, os casos extraconjugais de Bill Clinton e como Hillary lida com eles. De repente, Chuck Todd ataca o próprio Giuliani: "Mas, no seu passado, você tem suas infidelidades, senhor". Giuliani respondeu com presença de espírito: "Bem, todo mundo tem. Eu sou católico romano e confesso essas coisas ao meu padre. Mas nunca, nunca ataquei alguém que foi vítima. (...) E acho que você mencionar minha vida pessoal é irrelevante para o que Hillary Clinton fez".

No mesmo dia, o mesmo programa da manhã de domingo apresentou o que considera o "endosso dos principais jornais". É impressionante e muito didático: Hillary reina absoluta com o apoio de 16 veículos, Trump não conta com nenhum. Gary Johnson (Libertário) tem o apoio de quatro jornais. A NBC News não incluiu o *New York Post* e o *National Enquirer* na lista.

Não obstante a lista da NBC, assinalo aqui vinte jornais que apoiam Hillary, a começar por estes quinze: *The New York Times*, *New York Daily News*, *The Boston Globe*, *The Philadelphia Enquirer*, *The Baltimore Sun*, *Miami Herald*, *The Dallas Morning News*, *Dallas Voice*, *Houston Chronicle*, *Las Vegas Sun*, *Chicago Sun-Times*, *Detroit Free Press*, *Portland Press Herald*, *San Francisco Chronicle* e *Los Angeles Times*. Hillary conta ainda com o respaldo inédito de *The Arizona Republic*, *The San Diego Union-Tribune* e *The Cincinnati Enquirer*, que pela primeira vez apoiam um democrata em seus respectivos 126, 148 e 175 anos de história. O *USA Today* seguiu nessa linha à sua maneira: "desendossou". Depois de 34 anos de uma política de não manifestar apoio, no editorial "Não vote em Trump", o jornal de maior circulação do país insistiu: "O que quer que você faça, resista ao canto da sereia de um demagogo perigoso. Seja como for, vote, só não vote em Donald Trump". O *Washington Post* meio que se enquadra na mesma categoria.

Donald Trump não conseguiu ficar calado diante de tudo isso e postou um *tweet* em 30 de setembro: "As pessoas são realmente espertas por cancelar assinaturas dos jornais de Dallas e Arizona, e agora o *USA Today* perderá leitores! As pessoas estão entendendo!".

Um eleitorado entre a cruz e a espada

Os Estados Unidos estão por demais polarizados. Talvez os eleitores se sintam entre a cruz e a espada. O veterano Donald Trump é um novo nome na política. A veterana Hillary Clinton é um velho nome na política. Talvez os Estados Unidos não tenham conseguido gerar e promover novos líderes. Acredito que o sinal de alerta soou. Os novos líderes a que me refiro seriam pessoas capazes de verdadeiramente reconciliar a nação, prover as principais necessidades para melhorar a vida das pessoas e levar o país a crescimento e prosperidade contínuos. Não é muito fácil identificar indivíduos que se enquadrem nessa categoria – aqui ou em qualquer outro lugar.

A escassez de novos líderes abre uma janela de oportunidade, e a verde Jill Stein e o libertário Gary Johnson estão desperdiçando-a. Me refiro a eles porque são os únicos candidatos de um outro partido (*third-party candidates*) que conseguiram acesso eleitoral em número suficiente de estados para obter maioria teórica no Colégio Eleitoral.

Setembro começou com Jill Stein fazendo objeção física à construção do oleoduto Dakota Access, uma obra de 1,8 mil quilômetros e US$ 3,8 bilhões. Ela até pintou a lâmina de uma pá mecânica com tinta *spray* no protesto. Um juiz de Dakota do Norte emitiu um mandado de prisão.

Gary Johnson também entrou em uma rota contraproducente. Em entrevista no programa *Morning Joe*, da MSNBC, o painelista Mike Barnicle perguntou: "Caso eleito, o que você faria sobre Aleppo?". Johnson respondeu: "E o que é Aleppo?". Aleppo é a maior cidade da Síria. Ou era, antes da guerra que gerou uma crise humanitária gravíssima.

Outro episódio que não ajudou Johnson ocorreu em meados de setembro, em uma conversa com a repórter Kasie Hunt, da MSNBC. Ambos estavam sentados em um banco de praça, Johnson defendia sua participação no debate presidencial; de repente, para espanto da jornalista, botou a língua para fora e continuou falando assim. Disse ele: "As pessoas reconheceriam que há outra opção. Haveria um exame meu e de Bill Weld [companheiro de chapa], quem somos e o que fizemos. E, com base nisso, não vou ficar lá o debate inteiro e não dizer nada", e depois não deu mais para entender o palavreado. Surreal. Vale a pena conferir em https://www.youtube.com/watch?v=NXhR41lsEJY.

Como se não bastasse, teve mais uma na MSNBC. No final de setembro, em um programa com perguntas da plateia, o apresentador Chris Matthews pediu a Johnson para nomear um líder estrangeiro que ele admirava. O libertário hesitou bastante, Matthews tentou instigá-lo, e seguiu-se isto:

> "Vá em frente, você tem que fazer isso. Qualquer lugar. Qualquer continente. Canadá, México, Europa, Ásia, América do Sul, África. Nomeie um líder estrangeiro que você respeita".
>
> "Acho que estou tendo um 'momento Aleppo' no ex-presidente do México."
>
> "Mas estou dando o mundo inteiro para você."
>
> "Eu sei, eu sei, eu sei."
>
> "Estou dando o mundo todo para você. Qualquer pessoa no mundo de quem você gosta. Qualquer pessoa. Escolha qualquer líder."
>
> "O ex-presidente do México."
>
> "Qual deles?"
>
> "Estou tendo um branco."

A despeito dos três episódios, os *millennials*, não muito empolgados com as opções democrata e republicana, ainda se inclinam para o libertário. Em 13 de agosto, o *Washington Post* abordou a preferência nestes termos: "Para eleitores *millennials*, a escolha Clinton ou Trump 'parece uma piada'".

Johnson começou setembro tendo que se justificar sobre o primeiro incidente e terminou o mês admitindo: "Estou incrivelmente frustrado comigo mesmo, (...) tenho que ficar mais esperto".

Lições são sempre bem-vindas, e Johnson demonstrou humildade. Mas não está fortalecendo sua candidatura; o ex-governador do Novo México (1995–2003) poderia estar se saindo muito melhor. Johnson ao menos conquistou uma espécie de prêmio de consolação; afinal, introduziu um novo termo na política americana: "momento Aleppo".

Devastação total

Em 6 de outubro, um novo personagem entra em cena com poder devastador. O nome dele é Matthew – o furacão. Além do considerável impacto econômico e social, Matthew adiciona um componente à campanha eleitoral. A violenta tempestade provoca discussões relacionadas a incidentes do tipo e afeta a eleição na Flórida, um dos *battleground states*. O governador republicano Rick Scott avisa: "Não vou estender [o cronograma da eleição] (...), todo mundo já teve muito tempo para se registrar. (...) Temos muitas oportunidades de votar – antecipadamente, à distância e no dia da eleição, então não pretendo fazer mudanças".

Matthew está impactando diretamente milhões de americanos que vivem na Flórida, na Geórgia e nas Carolinas. Porém, de forma prejudicial ou benéfica, nada afeta tanto os Estados Unidos quanto os resultados das eleições gerais. Nesta temporada eleitoral, democratas e republicanos têm seus próprios Matthews provocando chuvarada, rajadas de vento e tempestades que podem flagelar a todos – políticos, chefões dos partidos, apoiadores de base, eleitores e cidadãos que nem se interessam em votar. O modo como os Mathews democrata e republicano causam estragos é diferente, e em 7 de outubro eles deram ampla mostra de suas capacidades.

O WikiLeaks revelou trechos dos famosos discursos secretos e regiamente pagos proferidos a portas fechadas pela Matthew democrata. "Política é como salsicha sendo feita, (...) todas as discussões de bastidores e os acordos, (...) as pessoas ficam um pouco nervosas, para dizer o mínimo.

Então você precisa de uma posição pública e de uma privada", disse Hillary. Definir política como "salsicha sendo feita" é tanto infeliz quanto exata, pois remete à afirmação atribuída ao chanceler alemão Otto von Bismarck (1815–1898), que segue válida: "As leis são como salsichas. É melhor não vê-las sendo feitas [senão perderemos o respeito por ambas]".

O WikiLeaks afirmou que esse lote de *e-mails* corresponde a 1% do que tem em seu poder. Se for o caso, a exposição de como Hillary prepara salsicha soa perigosa para os democratas. O vazamento é outra punhalada nas costas para os partidários de Sanders, que Hillary define nas transcrições como "um bando de perdedores" (*bucket of losers*). De fato, os simpatizantes de Sanders sentem-se a cada dia menos motivados para apoiar Hillary. Sobre fronteiras e comércio, Hillary disse: "Meu sonho é um mercado comum hemisférico, com comércio aberto e fronteiras abertas. Temos que resistir ao protecionismo". A democrata admitiu: "Estou muito distanciada [das lutas da classe média], por causa da vida que vivi e da fortuna econômica de que meu marido e eu hoje desfrutamos".

As revelações colocaram a desconfiança em Hillary mais uma vez no centro das atenções, revelando discrepâncias em suas opiniões sobre políticas públicas. E as políticas implementadas por uma administração são cruciais para construir o ambiente ideal para que as pessoas possam melhorar de vida.

O Matthew republicano, por sua vez, continua perdendo a capacidade de fazer a lição de casa para ampliar sua base. A nova revelação sobre Trump pode ser mais prejudicial do que as de Hillary. O que agrava a situação é que o conteúdo pode ser ouvido em áudio claro e assistido em imagem brilhante. O teor não diz respeito às ideias políticas do candidato, mas fortalece a percepção de que a fanfarronice seja um componente infantil de sua persona, ainda mais que ele era quase sexagenário quando fez os comentários. O *Washington Post* divulgou o episódio ocorrido em 2005 no qual Trump faz comentários indecentes sobre uma mulher antes de participar do programa *Access Hollywood*, da NBC. Aqui está o diálogo, travado com o jornalista Billy Bush – primo do presidente Bush 43 e do ex-governador da Flórida Jeb Bush – sobre a também jornalista Nancy O'Dell.

TRUMP: "Você sabe, eu dei mesmo em cima dela. Você sabe, ela estava em Palm Beach".

DESCONHECIDO: "Ela era maravilhosa. Ainda é muito bonita".

TRUMP: "Dei em cima dela e fracassei. Tenho que admitir. Tentei comer ela. Ela era casada".

DESCONHECIDO: "Isso é uma tremenda notícia".

TRUMP: "Não, não. Nancy. Não, foi... Fui para cima dela com tudo. Na verdade, eu a levei para comprar móveis. Ela queria uns móveis. Eu disse: 'Vou lhe mostrar onde tem uns móveis bonitos'. Fui para cima dela como se ela fosse uma puta, mas não consegui chegar lá. E ela era casada. Então, de repente, eu a vejo, agora ela tem peitos falsos e tudo mais. Ela mudou totalmente o visual".

BUSH: "Nossa, sua garota é gostosa pra cacete. Coisa fina. Uau, sim, Donald é bom! Uau, Você é o cara!".

TRUMP: "Olhe para você. Você é um fresco. (...) Talvez seja uma diferente".

BUSH: "É melhor não ser o agente publicitário. Não, é ela. É ela".

TRUMP: "Sim, é ela, com o ouro. Tenho que usar uns Tic Tacs, só para o caso de começar a beijá-la. Você sabe, sou automaticamente atraído pela beleza – simplesmente começo a beijá-las. É como um ímã. Apenas beijo. Nem espero. E, quando você é uma estrela, elas deixam você fazer isso. Você pode fazer qualquer coisa".

DESCONHECIDO: "O que você quiser".

TRUMP: "Agarrá-las pela b*ceta. Você pode fazer qualquer coisa".

Depois de algumas horas de intensa e devastadora repercussão, a equipe de Trump divulgou uma declaração por escrito na qual ele afirmou: "Isso foi brincadeira de vestiário, uma conversa particular que aconteceu há muitos anos. Bill Clinton disse coisa muito pior para mim no campo de golfe, nem perto disso. Peço desculpas se alguém ficou ofendido". Foi a primeira vez que Trump usou a palavra "desculpas" na campanha. Mas suas palavras foram tímidas demais para lidar com a grandiosidade do problema.

Não demorou para os figurões do Partido Republicano manifestarem opiniões. Os comentários são estratégicos para seus autores, uma espécie de escudo a que podem recorrer ao ser pressionados pela imprensa. Aqui estão as reações do mais alto escalão:

> Como marido e pai, fiquei ofendido com as palavras e ações descritas por Donald Trump no vídeo de onze anos atrás divulgado ontem. Não desculpo suas observações e não posso defendê-las. Sou grato por ele ter expressado remorso e se desculpado com o povo americano. Oramos por sua família e aguardamos a oportunidade que ele tem de mostrar o que traz no coração quando se apresentar à nação amanhã à noite.
>
> – Mike Pence, companheiro de chapa

> Estou enojado com o que ouvi hoje. As mulheres devem ser defendidas e reverenciadas, não objetificadas. Espero que Trump trate essa situação com a seriedade que merece e trabalhe para demonstrar ao país que ele tem mais respeito pelas mulheres do que esse vídeo sugere. Enquanto isso, ele não irá mais ao evento de amanhã em Wisconsin.
>
> – Paul Ryan, presidente da Câmara

> Trump precisa se desculpar diretamente com as mulheres e meninas em todos os lugares e assumir plena responsabilidade pela total falta de respeito pelas mulheres mostrada em seus comentários.
>
> – Mitch McConnell, líder republicano no Senado

> Nenhuma mulher deve ser descrita nesses termos ou falada dessa maneira. Jamais.
>
> – Reince Priebus, presidente do Partido Republicano

Como pudemos ver, Paul Ryan desconvidou Trump para o evento de campanha que ambos fariam juntos pela primeira vez no estado do congressista. É evidente que os republicanos consideram que suas chances de conquistar a Presidência estão diminuindo, e por isso estão se distanciando de seu Matthew e se posicionando para serem os socorristas após a passagem do furacão. Esse movimento deve ser cirúrgico, do contrário, pode dar muitíssimo errado, colocando em risco a maioria republicana no Congresso.

Trump foi à luta para conter a hemorragia e, da noite para o dia, lançou um vídeo no qual declarou:

> Eu nunca disse que sou uma pessoa perfeita, nem fingi ser alguém que não sou. Eu disse e fiz coisas de que me arrependo, e as palavras divulgadas hoje nesse vídeo de mais de uma década são uma delas. Qualquer um que me conhece sabe que essas palavras não refletem quem eu sou. Eu disse isso, eu estava errado e peço desculpas. Eu viajei pelo país falando sobre mudanças para a América, mas minhas viagens também me mudaram. (...) Prometo ser um homem melhor amanhã, e nunca, nunca vou decepcionar vocês. Sejamos honestos. Estamos vivendo no mundo real. Isso não é mais do que uma distração dos assuntos importantes que estamos enfrentando hoje. (...) Hillary Clinton e os do tipo dela acabaram com o nosso país. Eu disse algumas coisas tolas, mas há uma grande diferença entre as palavras e ações de outras pessoas. Bill Clinton de fato abusou de mulheres, e Hillary amedrontou, atacou, envergonhou e intimidou as vítimas dele. Vamos discutir mais sobre isso nos próximos dias. Vejo vocês no debate de domingo.

Celebridade e político republicano, o ex-governador da Califórnia Arnold Schwarzenegger anunciou: "Pela primeira vez desde que me tornei cidadão americano, em 1983, não votarei no candidato republicano a presidente". Entre as muitas celebridades que criticaram Trump, nenhuma supera o ator, produtor e diretor Robert De Niro, que gravou um vídeo em linguagem incendiária sem precedentes:

> Ele é muito descarado e idiota. Ele é um delinquente. Um cachorro. Um porco. Um vigarista, um artista de merda. Um vira-lata que não sabe do que está falando. Ele não faz a lição de casa, não se

> importa, acha que está jogando com a sociedade, ele não paga seus impostos. Ele é um idiota. (...) Ele fala que quer dar socos na cara das pessoas? Bem, eu gostaria de dar um soco na cara dele.

A lista é longa, mas paro por aqui, o efeito dominó negativo já ficou claro. Embora a maioria desses nomes nunca tenha aceitado Trump, a enorme crise em sua campanha é óbvia. Enquanto a bola de neve aumenta ao rolar montanha abaixo, a reação de Trump contém seu DNA – combina o poder das mídias sociais com o poder da imagem que só a presença física pode garantir. As mídias sociais são eficazes por permitir o contato direto com as pessoas, sem a tradicional interferência dos meios de comunicação. Trump transmitiu as seguintes mensagens aos seus quase 25 milhões de seguidores de Twitter e Facebook:

> A mídia e o *establishment* querem tanto que eu saia da disputa – eu jamais abandonarei a disputa, nunca decepcionarei meus apoiadores! (8 de outubro, 12h40)
>
> Um tremendo apoio (exceto por algumas "lideranças" republicanas). Obrigado. (9 de outubro, 6h)
>
> Tantos hipócritas presunçosos. Vejam os números das pesquisas deles – e das eleições – caírem! (9 de outubro, 7h12)

Quanto à imagem gerada pelo contato em pessoa, no final da tarde de sábado, dia 8, o candidato republicano saiu da Trump Tower, na 5ª Avenida, em Nova York, onde mora e trabalha, para saudar e abraçar seus apoiadores. E foi aplaudido com entusiasmo. Mais do que nunca, o experiente magnata do setor imobiliário e novato na política se mostra ser um movimento.

Muitos membros do Partido Republicano estão tão preocupados com a ascensão de uma figura independente como Trump que desejam que Hillary vença. Mas, do ponto de vista de Trump, o Partido Republicano é o melhor meio disponível para realizar as proezas desejadas. Assim, enquanto os republicanos viram a cara para Trump, ele reencontra as raízes – e deixa Trump ser Trump.

Poucas horas antes do segundo debate presidencial, Trump apareceu ladeado por quatro ex-acusadoras dos Clinton. Paula Jones, Juanita Broaddrick e Kathleen Willey tiveram relacionamento sexual ou denunciaram Bill Clinton por assédio sexual. Kathy Shelton foi estuprada aos 12 anos, e Hillary advogou a favor do suposto agressor, Thomas Alfred Taylor, no tribunal. Na ocasião, Hillary afirmou no tribunal que a menina era "emocionalmente instável" e tinha "tendência a procurar homens mais velhos e se envolver em fantasias". De acordo com o depoimento, Hillary acrescentou: "Também me foi dito por um especialista em psicologia infantil que as crianças no início da adolescência tendem a exagerar ou romantizar as experiências sexuais e que os adolescentes de famílias desorganizadas, como a da queixosa, são ainda mais propensos a comportamento exagerado". Dada a argumentação de Hillary, em vez de enfrentar uma acusação de estupro em primeiro grau, Thomas Alfred Taylor acabou passando apenas um ano na prisão e quatro anos em liberdade condicional por se declarar culpado de acariciar uma criança com menos de 14 anos de idade.

O problema na conduta de Hillary é duplo. Primeiro, ela manchou a sanidade e credibilidade da garota e afetou sua família. Segundo, anos mais tarde Hillary reconheceu que não acreditava na inocência de Taylor. Em um áudio descoberto em 2014 pelo The Washington Free Beacon, Hillary é franca: "O triste foi que o promotor tinha provas, entre as quais a roupa íntima dele (...), que estava ensanguentada. (...) É claro que ele alegou que não tinha feito. (...) Fiz ele ser testado com um polígrafo, e ele passou, o que destruiu para sempre a minha fé em polígrafos [risos]".

Com essa coletiva de imprensa, Trump mudou com sucesso a cobertura da mídia horas antes do confronto. Também tentou abalar a oponente – ele convidou as quatro ex-acusadoras dos Clinton para assistir ao debate, e elas irão sentar na primeira fila. Minutos antes de os candidatos subirem ao palco, Hillary postou *tweet* com um vídeo do discurso de Michelle Obama na convenção democrata e a frase: "Quando eles vão por baixo, nós vamos por cima".

Esses últimos acontecimentos bloquearam o bom debate. Nas 48 horas que antecederam o histórico segundo encontro presidencial, cidadãos e eleitores não tiveram chance de discutir sobre a plataforma democrata ou o programa republicano. Tendo em vista o panorama devastador, registro minha percepção de que em geral os políticos só desistem de candidaturas quando não têm mais chances matemáticas, quando ficam sem dinheiro, quando não energizam o eleitorado em absoluto ou quando têm ônus éticos insuperáveis que se tornam públicos. Alguém pode considerar que Trump e Hillary de algum modo se encaixam em alguma dessas categorias. Mesmo assim, nenhum dos dois desiste – e daí sairá o próximo presidente.

9 de outubro, o segundo debate presidencial

Vamos conferir a média das pesquisas nacionais pelo Real Clear Politics e a situação nos nossos onze *battleground states*.

- 27 de setembro: Clinton + 2,4 / Clinton, 46,7%; Trump, 44,3%
- 28 de setembro: Clinton + 3 / Clinton, 47,4%; Trump, 44,4%
- 29 de setembro: Clinton + 3 / Clinton, 47,4%; Trump, 44,4%
- 30 de setembro: Clinton + 3,1 / Clinton, 47,5%; Trump, 44,4%
- 1º de outubro: Clinton + 2,7 / Clinton, 47,4%; Trump, 44,7%
- 2 de outubro: Clinton + 2,5 / Clinton, 47,5%; Trump, 45%
- 3 de outubro: Clinton + 3,2 / Clinton, 47,8%; Trump, 44,6%
- 4 de outubro: Clinton + 3,8 / Clinton, 48,1%; Trump, 44,3%
- 5 de outubro: Clinton + 3,9 / Clinton, 48,1%; Trump, 44,2%
- 6 de outubro: Clinton + 4,1 / Clinton, 48%; Trump, 43,9%
- 7 de outubro: Clinton + 4,7 / Clinton, 47,6%; Trump, 42,9%
- 8 de outubro: Clinton + 4,6 / Clinton, 47,5%; Trump, 42,9%
- 9 de outubro: Clinton + 4,6 / Clinton, 47,5%; Trump, 42,9%

- Carolina do Norte: Clinton +1 / Clinton, 44%; Trump, 43% (Bloomberg, 29 de setembro a 2 de outubro)

- Colorado: Clinton + 11 / Clinton, 49%; Trump, 38% (Universidade Monmouth, 29 de setembro a 2 de outubro)
- Flórida: Clinton + 3 / Clinton, 41%; Trump, 38% (Universidade do Norte da Flórida, 27 de setembro a 4 de outubro)
- Iowa: empate em 38% (Faculdade Loras, 20 a 22 de setembro)
- Michigan: Clinton + 11 / Clinton, 43%; Trump, 32% (Detroit Free Press, 1º a 3 de outubro)
- Nevada: Clinton + 1 / Clinton, 45%; Trump, 44% (*Las Vegas Review Journal*, 27 a 29 de setembro)
- New Hampshire: Clinton + 2 / Clinton, 44%; Trump, 42% (*Boston Globe*/Suffolk, 3 a 5 de outubro)
- Ohio: Clinton + 2 / Clinton, 44%; Trump, 42% (Universidade Monmouth, 1º a 4 de outubro)
- Pensilvânia: Clinton + 10 / Clinton, 50%; Trump, 40% (Universidade Monmouth, 30 de setembro a 3 de outubro)
- Virgínia: Clinton + 7 / Clinton, 42%; Trump, 35% (Universidade Christopher Newport, 27 a 30 de setembro)
- Wisconsin: Clinton + 8 / Clinton, 43%; Trump, 35% (Faculdade Loras, 4 a 5 de outubro)

O segundo encontro dos candidatos é na verdade um *town hall*, um programa aberto a perguntas da plateia, o que permite a interação direta com os eleitores e evita o vaivém apenas entre um e outro. Nesse tipo de programa, o objetivo dos candidatos é se conectar com o público, demonstrando o devido interesse pelas visões apresentadas. Deixe-me sublinhar que Hillary mais uma vez reservou alguns dias para se preparar; todavia, graças à grande máquina democrata, que emprega substitutos à altura para circular por toda parte, sua ausência não é muito notada. Trump de novo manteve a agenda intensa antes do evento.

O clima é tenso quando os candidatos aparecem no palco do programa. Vindos de lados opostos, rumam para o centro e apenas acenam com a cabeça um para o outro. Nem mesmo um aperto de mãos é trocado. As aventuras extraconjugais de Bill Clinton, Alicia Machado, o baixo nível de discernimento de Hillary, terrorismo, estratégia militar, Obamacare, islamofobia, WikiLeaks, o servidor de *e-mail* de Hillary, reforma tributária, Síria/Aleppo, Putin e a Rússia, Suprema Corte, 2ª Emenda, energia, muitas alegações e insinuações – tudo isso fez parte do enredo.

Ambos os candidatos foram muito eficazes em turvar as águas. Quando você tem um público de 66,5 milhões de pessoas, como atestado pela Nielsen, a insinuação pode se transformar na mesma hora em uma onda prejudicial. Assim, é difícil apontar quem foi o maior beneficiário das agressões recíprocas. Foi rompido o acordo tácito de não usar golpes baixos. Pareceu um vale-tudo. Sobre o ponto mais fraco de cada candidato martelado com mais intensidade pelo adversário, eu diria que Trump enfatizou a suposta indignidade de Hillary e que ela mirou na suposta inaptidão dele.

O formato do programa não favorece o diálogo direto entre os participantes. No entanto, após alguma observação de Hillary, Trump às vezes fazia um comentário. Por exemplo, Hillary disse: "É maravilhoso que alguém com o temperamento de Donald Trump não esteja encarregado da lei em nosso país", e ele emendou: "Porque você estaria na cadeia".

Outro trecho de diálogo digno de nota aconteceu quando Hillary tentou explicar sua declaração sobre a necessidade de ter uma posição pública e outra privada. A democrata recorreu ao grande Abraham Lincoln: "O presidente Lincoln conseguiu que o Congresso aprovasse a 13ª Emenda, (...) tentando convencer algumas pessoas, ele usou alguns argumentos; para convencer outras, usou outros argumentos. Foi ótimo, considero uma grande demonstração de liderança presidencial". Trump interveio: "Que ridículo, (...) ela foi pega em uma completa mentira, (...) ela mentiu. Agora está atribuindo a mentira ao grande Abraham Lincoln, (...) 'Abe, o Honesto' nunca mentiu. O bom é que essa é uma grande diferença entre Abraham Lincoln e você".

De fato, a história registra que até mesmo Lincoln se envolveu na "produção de salsicha". Ele teve que ceder um pouco e aceitar uns truques sujos da política para se tornar o candidato do Partido Republicano na eleição de 1860. Em 18 de maio daquele ano, dia da votação na convenção republicana, os partidários de Lincoln lotaram o salão com delegados falsos antes de os delegados legítimos chegarem, criando uma sensação de que ele seria o vencedor. O plano deu certo. Depois disso, Lincoln teve que costurar acordos com figuras controversas, até mesmo entregando ministérios em troca de apoio. O importante a notar é que "Abe, o Honesto" teve que fechar os olhos para ações impróprias de seus assessores e engolir algumas controvérsias a fim de ter a oportunidade de usar sua inteligência e sabedoria, fazer história e se consagrar para sempre. Essa lição pode fazer com que algumas pessoas repensem sua opinião sobre atos questionáveis.

No segundo confronto Hillary–Trump, outro aspecto a ser destacado é a maior presença física do republicano no palco. Enquanto Trump respondia perguntas, Hillary permanecia simplesmente sentada. Em contraste, durante as respostas de Hillary, Trump ficava sempre atrás dela, pairando como uma presença desagradável sobre a cabeça da adversária.

Do meu ponto de vista, a pergunta mais desafiadora para os candidatos foi a última, feita por Karl Becker, um eleitor descompromissado. Naquele ambiente contencioso, brutal e perverso, Becker foi muito perspicaz: "Independentemente da retórica atual, algum de vocês teria como citar alguma coisa positiva que respeita no outro?".

Hillary respondeu: "Bem, eu com certeza tenho, pois considero uma pergunta muito justa e importante. Olha, eu respeito os filhos dele. Os filhos são incrivelmente capazes e dedicados, e acho que isso diz muito sobre Donald. Não concordo com quase nada do que ele diz ou faz, mas respeito isso. Como mãe e avó, isso é muito importante para mim".

Trump declarou: "Tenho o seguinte a dizer sobre Hillary: ela não desiste. Respeito isso. Ela é uma lutadora. Não concordo com muitas das coisas pelas quais ela luta. Discordo do julgamento dela em muitos casos. Mas ela luta forte, e ela não desiste. Considero essa uma característica muito boa".

Karl Becker conseguiu fazer Hillary e Trump jogarem bonito. A sutileza da situação é a seguinte: enquanto Trump reconheceu uma característica "muito boa" da própria Hillary, ela se concentrou nos filhos dele. Hillary aproveitou para reforçar a condição de mulher, mãe e avó. Os candidatos concluíram o debate com uma nota positiva, e houve até um aperto de mãos.

O desempenho de Trump melhorou em comparação ao primeiro encontro, treze dias atrás. Eu gostaria de ressaltar que a partir de agora, a trinta dias da eleição, a principal diferença é que Trump está de volta à corrida. O candidato republicano parece ter estancado a hemorragia. Para avançar desse diagnóstico de melhora até a plena saúde e condições ideais para ganhar a eleição é outra história. O bom para Trump é que, em um sistema complexo como esse, a posição atual não é necessariamente o destino, a chance mais recente não é necessariamente a última chance, e o resultado mais provável hoje não será necessariamente o resultado final.

Embora trinta dias sejam uma eternidade na política, para virar o jogo Trump precisará de uma bomba inédita e imperdoável contra Hillary ou aperfeiçoar seu desempenho, o que significa escolher corretamente as batalhas e se concentrar no cerne da mensagem – de preferência ambos. Precisa ainda de um desempenho superlativo no próximo debate. Caso contrário, será difícil, para mim, sustentar com segurança a percepção de que Trump vencerá. Meu entendimento é de que Trump está apenas fortalecendo sua posição com a base já leal e negligenciando alcançar todos os outros eleitores. A seguinte descrição perfeita é creditada a Albert Einstein: "Insanidade é fazer sempre a mesma coisa e esperar resultados diferentes".

A estratégia repetitiva de Trump, junto com o bombardeio de todos os lados, criou um ambiente letal. Portanto, se a "insanidade" se mantiver à solta nessa situação quase suicida, o final feliz pode não ser mais possível. Para ilustrar meu argumento: no debate, Trump provou que aprendeu a desviar, mas ainda não sabe genuflexionar. Em vez de aproveitar a enorme audiência e pedir desculpas explícitas pela "brincadeira de vestiário", o que poderia amenizar parte da rejeição, Trump só se referiu ao pedido de desculpas feito em vídeo.

Como um rápido aparte, em teoria o arrependimento leva ou a um ato de atrição, que é astuto e insincero, motivado pelo ódio e pelo medo de um futuro sombrio, ou a um ato de contrição, que vem espontânea e sinceramente do coração, inspirado pelo amor e pela crença em um melhor porvir em conjunto.

O silêncio de Trump também desconsiderou seus nobres camaradas republicanos. Trump não acenou para eles com a bandeira branca; em vez disso, assinou o divórcio com o partido ao vivo pela TV. Mais do que nunca, Donald Trump é um movimento e um candidato por si mesmo.

Nesse contexto, o presidente da Câmara tornou explícito que não irá mais defender o candidato do partido, nem fazer campanha. Paul Ryan concedeu anistia aos deputados republicanos, dizendo-lhes para fazer o que for melhor para eles em seus distritos. As apostas são altas. Cada republicano presente na cédula eleitoral precisará chegar a um equilíbrio com o "elefante na sala" – a descrição de Trump feita por Ryan; do contrário, o ato de emancipação assinado por Ryan pode ser um tiro pela culatra. Afinal, caso seja necessário conter a agenda democrata de Hillary a partir de 20 de janeiro, manter o controle da Câmara é obrigatório para os republicanos nestas eleições. Nesse contexto, em vez de anunciar a decisão de não mais apoiar Trump, Paul Ryan poderia apenas ter colocado a ideia em prática. Também poderia ter aconselhado seus colegas a fazer o que fosse melhor para eles de maneira muito mais discreta. No entanto, optou por tornar claro e público onde ele se encontra nesse emaranhado.

A guerra civil republicana e os marinheiros democratas

Na terça-feira 11 de outubro, a quatro semanas da eleição, a "declaração de independência" formal de Trump foi promulgada às 7h em ponto, quando ele postou no Twitter: "Que bom que as correntes foram retiradas de mim e agora posso lutar pela América do jeito que eu quero". O *tweet* da liberdade foi seguido por mais dois: "Mesmo ganhando o segundo debate de lavada (em todas as pesquisas), é difícil se dar bem quando Paul Ryan e outros dão zero apoio!"; "Os Rs desleais são muito mais difíceis do que Hillary Trapaceira. Eles atacam de todos os lados. Eles não sabem como ganhar – vou ensiná-los!". Dá para ver que os *tweets* foram mais do que uma declaração de independência: são uma declaração de guerra civil.

Na teoria, todos os membros do Partido Republicano presentes na cédula têm uma necessidade maior de ser eleitos do que Trump. Afinal, se Trump perder, ainda será um bilionário de 70 anos – e mais famoso do que nunca. Se o navio está afundando, com certeza Trump não está prestes a se afogar sozinho. Considerando o cenário de guerra, ele poderia até fazer um movimento final incitando seus apoiadores a dar um fora nos republicanos nas urnas. A coisa toda poderia ter consequências catastróficas não só para o Partido Republicano nesta eleição, mas também para o conservadorismo como um todo – ainda mais levando em conta os ministros da Suprema Corte e outros juízes que serão nomeados pelo próximo presidente.

Só um parêntese. Não pretendo estabelecer uma conexão entre Trump e o ex-presidente Theodore Roosevelt (1901–1909), entretanto, talvez Trump pense em escrever um roteiro adaptado do comportamento de Roosevelt depois que este não conseguiu a nomeação do Partido Republicano – o que afetou profundamente as eleições de 1912. Na versão de 2016, e a partir desta eleição, o Progressive Party de Teddy Roosevelt pode se transformar em qualquer outro, mas a ideologia agora tem um nome específico que já vimos: "trumpismo". E em caso de vitória, o Partido Republicano virará o Partido de Trump – pelo menos por um período.

Estudo de cenários à parte, o certo agora é que os democratas vivem uma realidade oposta à republicana: o alinhamento com Hillary Clinton é quase unânime. Até um dos poucos que não a endossaram nas primárias – o ex-candidato a presidente e ex-vice-presidente Al Gore – agora se juntou ao navio. Como sabemos, no navio democrata todo marinheiro tem uma tarefa específica e é contratado para conversar com um grupo específico de passageiros. Gore renasce das cinzas em um novo esforço para persuadir os *millennials*, já que a aliança com Bernie Sanders não funcionou conforme o esperado. Embora Gore não seja uma figura popular, o aquecimento global é uma questão relevante entre os simpatizantes democratas jovens, e o documentário de Gore, *Uma verdade inconveniente*, é exibido em escolas públicas de todo o país.

Hillary seguiu o roteiro e jogou para a torcida. No palco com o novo apoiador, afirmou: "Mal posso esperar para ter Al Gore me aconselhando quando eu for presidente dos Estados Unidos". Ah, sim, claro que sim.

Desmascarando Hillary e seu relacionamento com a mídia

Quanto mais *e-mails* de Hillary aparecem, mais os fãs de Bernie Sanders se desanimam. E os americanos em geral têm a chance de saber detalhes da "produção de salsicha". Em 13 de outubro, o WikiLeaks publicou mais de nove mil *e-mails*. Incluirei apenas algumas ilustrações, começando pela relação entre Hillary e a mídia – um fator que está prejudicando Trump nas eleições gerais, assim como debilitou Sanders nas primárias.

O repórter político do *New York Times* Mark Leibovich aparece na correspondência, interagindo com a porta-voz de Hillary, Jennifer Palmieri, em busca de aprovação para algumas expressões específicas em um artigo. O correspondente da CNBC em Washington, John Harwood, é pego aconselhando o gerente de campanha, John Podesta, sobre o que Hillary deve fazer para ter sucesso na disputa presidencial. Antes de entrevistar Hillary em 24 de fevereiro de 2016, o apresentador Steve Harvey enviou todas as perguntas que faria e a descrição de o que aconteceria no programa. Mesmo assim, quando Harvey exibiu uma foto de Hillary de 1961, com 14 anos de idade, a candidata, aparentemente muito comovida e surpresa, exclamou: "Oh, nossa".

Hillary também recebeu de antemão as perguntas de um programa da CNN de 13 de março, do qual Bernie Sanders também participou. A atual presidente do Comitê Nacional Democrata, Donna Brazile, na época vice-presidente do Comitê e colaboradora da CNN, mandou um *e-mail* para Jennifer Palmieri: "Assunto: Re: De tempos em tempos recebo as perguntas com antecedência (...) Aqui está uma que me preocupa quanto a

HRC. Pena de morte – 19 estados e o Distrito de Colúmbia proibiram a pena de morte". Durante o programa da CNN, quando "inesperadamente" questionada sobre pena de morte, Hillary disse: "Como sabem, essa é uma questão profundamente difícil".

Com o "de tempos em tempos", Brazile deixa claro que isso já aconteceu várias vezes, o que evidencia um padrão insalubre. O preâmbulo de Hillary expõe a necessidade de uma satisfação íntima e secreta, zombando do público com a introdução desnecessária e forjada. É semelhante ao "oh, nossa" no programa de Steve Harvey, e confirma outro padrão doentio.

As revelações desmascaram uma faceta de Hillary e a preparação da salsicha política da candidata. Seu comportamento falso expõe uma realidade: via de regra, tudo é teatro. Toda essa encenação tem por objetivo manipular os eleitores e cidadãos em geral. Isso é triste e injusto. A pior parte é o gênero dessa encenação: drama – ou mesmo tragédia.

A ativista política Neera Tanden, presidente do Centro para o Progresso Americano (CAP), advertiu John Podesta, presidente da campanha de Hillary: "Temo que a incapacidade de dar uma entrevista nacional e comunicar sentimentos genuínos de remorso e arrependimento agora esteja se tornando um problema de caráter (mais do que de honestidade). As pessoas odeiam a arrogância dela. (...) Não vejo nenhuma desvantagem em ela apenas dizer 'me desculpem'".

Outra observação sobre a imprensa: quando o controle não é 100% garantido, a solução é ficar afastada por completo. Pudemos observar essa tática em vigor de 5 de dezembro de 2015 a 5 de setembro de 2016 – longos 275 dias –, período que Hillary passou sem realizar uma coletiva. O estratagema foi discutido entre Human Abedin, vice-presidente da campanha e considerada a pessoa mais próxima de Hillary, e John Podesta. "Podemos sobreviver sem responder a perguntas da imprensa nos eventos? O discurso [de Hillary no David Dinkins Forum] e a mensagem sobre imigração fracassaram porque não aceitamos perguntas. (...) A mensagem sobre os bancos comunitários se perdeu porque ela respondeu perguntas sobre a fundação e os *e-mails*", escreveu Abedin. Podesta respondeu: "Se ela pensa que podemos chegar até o Dia do Trabalho sem responder perguntas da imprensa, acho que é suicídio. (...) Temos que encontrar algum mecanismo para aliviar a pressão".

Hillary conseguiu empurrar a situação desagradável até o Dia do Trabalho, 5 de setembro. No entanto, não sabemos todas as consequências e armadilhas que ainda podem aparecer como resultado dessa estratégia repressiva.

Comentários adicionais dirigidos a John Podesta revelam a longa e contínua luta para corrigir uma candidata falha, encontrar a identidade da candidatura e descobrir uma mensagem inspiradora. "Neste momento, estou petrificado porque Hillary depende quase que totalmente de os republicanos indicarem Trump. (...) Ela tem enormes fraquezas políticas endêmicas que seria sábio corrigir", escreveu o colunista político Brent Budowsky. "Temos alguma noção sobre o que ela acredita ou deseja que seja sua mensagem central?", perguntou o conselheiro Joel Benenson.

É uma espécie de missão impossível, para os americanos, compreender quem é Hillary Clinton. Até seus colaboradores lutam para entender no que ela acredita. Pudemos testemunhar esse embate por meio dos *slogans* que sua campanha experimentou. "É a sua hora", "Estou com ela", "Tornar a América inteira", "Amor e bondade", "Pontes, não muros", "Romper barreiras", "Construir escadas de oportunidade" são apenas alguns. "Mais fortes juntos" (Stronger together), revelado por Hillary no final de maio, parece ser o final. Trump, por sua vez, usou "Tornar a América grande outra vez" (Make America great again) desde o lançamento da candidatura, em 16 de junho de 2015.

Outro *e-mail* interessante para Podesta partiu de Robby Mook, estrategista político e gerente de campanha de Hillary: "O objetivo é tirar as primárias de Illinois de meados de março. (...) Eles [os burocratas democratas locais] receberão um bônus de 10% de delegados extras se mudarem para abril e 20% se mudarem para maio. (...) O ponto-chave é que não é um pedido de Obama, mas de Hillary. E os Clinton não esquecem o que seus amigos fazem por eles".

Deixando de lado que Robby Mook parece desprezar o presidente Obama – que tem Chicago e Illinois como lar político –, a mensagem real está implícita no reverso da moeda, por assim dizer. Podemos identificar tanto um aviso quanto uma ameaça: os Clinton nunca esquecem aqueles que se recusam a fazer o que eles pedem. O documento revela ainda a facilidade com que o sistema de delegados democratas pode ser ajustado para recompensar aliados.

Todas essas verdades expostas pelo WikiLeaks não são exatamente novas para nós. Tenho abordado essas questões ao longo desta narrativa. A grande diferença é que minhas percepções e sugestões anteriores se revelaram a realidade inegável. Uma verdade inconveniente.

A conexão russa: uma manobra diversionista

O espectro dos materiais vazados de Hillary abrange de auxiliares de Hillary zombando de católicos e evangélicos a evidências do tipo de presentes de aniversário que Bill Clinton (ou WJC, de William Jefferson Clinton) recebe. Amitabh Desai, diretor de política externa da Fundação Clinton, escreveu a John Podesta: "[O embaixador do] Qatar gostaria de ver WJC por cinco minutos em Nova York para entregar o cheque de US$ 1 milhão que o Qatar prometeu para o aniversário de WJC". Como podemos ver, o embaixador é descrito como quase implorando para ver Bill Clinton para entregar o cheque. Os exemplos continuam indefinidamente, mas acredito que a amostra seja suficiente para fornecer as dimensões do potencial dano.

Para evitar resultados catastróficos, tudo é tratado com absoluto profissionalismo. Como Bernie Sanders descreveu, os Clinton dirigem a organização política mais poderosa dos Estados Unidos. A dificuldade agora é que três opções usuais – atacar duramente o mensageiro, negar categoricamente a veracidade dos fatos e dar longas explicações vagas, complexas e confusas – já estão descartadas por serem inúteis. Portanto, a solução é produzir a conexão russa.

Rússia e China são os dois principais inimigos em trégua, por assim dizer, dos Estados Unidos, enquanto Irã e Coreia do Norte são mais explícitos. Assim, um suposto conluio entre a Rússia, o antigo inimigo estrangeiro, e Donald Trump, o mais recente inimigo doméstico, almejando atacar a democracia americana, seria perfeito. A singular manobra diversionista criou um ambiente soberbo para dissipar as questões expostas dos Clinton.

Alguém poderia alegar que meu argumento aqui é falho. Embora eu acredite que não, reconheço que seria possível eu ter chegado a uma conclusão imprópria. Afinal, não tenho informação privilegiada sobre o assunto. Assim, é aconselhável e instrutivo seguir vários caminhos. Vamos considerar um: se a conexão russa fosse verdade, o presidente estaria em situação delicada. Se existe uma pessoa nos Estados Unidos – no mundo – que dispõe de informação privilegiada, é o presidente norte-americano.

Se a conspiração Rússia–Trump fosse real, Obama jamais poderia ter ficado de braços cruzados. Teria a obrigação institucional de se dirigir à nação a propósito desse fato inaceitável. Se o presidente soubesse disso e não fizesse nada, para mim, seria prevaricação, se não ilegal, no mínimo imoral. Como não acredito que o presidente Obama negligenciaria um conluio contra o país, não tenho outra opção senão concluir que a conexão russa é uma manobra política.

Obama foi enfático sobre a possibilidade de o sistema político americano ser manipulado por quem quer que seja: "Não há pessoas sérias por aí que sugiram de alguma forma que você possa fraudar as eleições americanas, em parte porque são muito descentralizadas e por causa do número de votos envolvidos. Não há provas de que isso tenha acontecido no passado ou que haja circunstâncias em que aconteça desta vez". Só me cabe aceitar a palavra do presidente.

Colapso total

O candidato republicano enfrenta dificuldades na luta para sobreviver dentro de um ambiente brutal. Não é exatamente uma novidade. A diferença inédita é que agora uma avalanche de mulheres acaba de aparecer em diferentes plataformas de imprensa, acusando Trump de uma variedade de práticas de assédio sexual, de olhares a apalpamento.

Começou em 12 de outubro, quando o *New York Times* publicou duas histórias. Jessica Leeds alegou que, durante um voo no início dos anos 1980, Trump botou as mãos nela "como um polvo". Rachel Crooks relatou que em 2005, depois de se apresentar e apertar a mão de Trump, ele começou a beijá-la nas bochechas e na boca em seu arranha-céu. Outras sete mulheres relataram episódios do tipo. Seus nomes, o ano do fato alegado e o meio de divulgação neste momento são os seguintes: Natasha Stoynoff, 2005, *People Magazine*; Mindy McGillivray, 2003, *The Palm Beach Post*; Kristin Anderson, anos 1990, *The Washington Post*; Summer Zervos, 2007, coletiva de imprensa; Kathy Heller, 1997, *The Guardian*; Temple Taggart, 1997, *The Times*; Cassandra Searles, 2013, postagem no Facebook.

Trump afirmou que os nove relatos são "totalmente fabricados e falsos" e suavizou as acusações com uma tentativa controversa de humor: "Quando você olha aquela mulher horrível de ontem à noite, você diz: acho que não. Acho que não. Acredite em mim, ela não seria minha primeira opção, isso posso garantir". A mídia está levando as alegações muito a sério e atacando o candidato republicano sem compaixão.

Acredito que a imprensa tenha papel fundamental de dar voz aos cidadãos sem voz; no entanto, também tem a obrigação de examinar os fatos antes de divulgá-los. Esse conceito é básico. Em teoria, qualquer um pode dizer qualquer coisa sobre qualquer outra pessoa a qualquer momento e ser recompensado com os lendários quinze minutos de fama. Não faço ideia do que aconteceu entre Trump e cada uma dessas mulheres. O que sei é que nenhuma delas forneceu qualquer evidência sólida para apoiar suas declarações. Apenas como um exemplo do que quero dizer, nenhuma dessas nove senhoras sequer foi à polícia fazer um boletim de ocorrência na época.

O fato é que o jornalismo priorizado pela grande mídia norte-americana está desequilibrado. É intrigante viver nesta realidade em que fatos podem ser desconsiderados e insinuações podem tomar as primeiras páginas e o horário nobre desde que essa equação invertida favoreça os pressupostos dos formadores de opinião.

Quer gostemos ou não, as comunicações expostas pelo WikiLeaks são fatos. São uma verdade verificável. Os *e-mails* despem uma parte íntima de alguns assessores e da própria Hillary, exibindo seus sentimentos sobre uma infinidade de questões relevantes para o país. O material vazado ajuda os americanos a entender o que seus políticos querem dizer com uma posição pública e outra privada.

Analisar as minúcias do pensamento dessas mentes VIPs é aconselhável e instrutivo. Afinal de contas, as pessoas em questão podem vir a ser as principais tomadoras de decisão no país no mínimo pelos próximos quatro anos. Fazer tal exame seria uma excelente iniciativa jornalística para a imprensa livre e para toda a nação.

Em 14 de outubro, o programa *Fox & Friends*, da Fox News, comparou a cobertura dos escândalos pelas grandes redes de TV na noite de 13 de outubro: ABC News, trinta segundos para Hillary–WikiLeaks, nove minutos para Trump–mulheres; NBC News: nada sobre Hillary–WikiLeaks, nove minutos sobre Trump–mulheres; CBS News: 26 segundos sobre Hillary–WikiLeaks, cinco minutos sobre Trump-mulheres. Quanto à CNN, de acordo com o que observei de sua cobertura contínua, dedicou mais minutos ao escândalo de Trump do que os outros três canais citados juntos. O *Times* não fez qualquer referência ao Hillary–WikiLeaks em sua primeira página na edição em que publicou as histórias mencionadas acima.

Em consequência disso e de outros fatores, Trump está perdendo terreno. O atoleiro é retratado pela capa da *Time*. Desta vez, a versão antiga, "Colapso", anteriormente citada, foi atualizada para "Colapso total"; a ilustração perturbadora do rosto de Trump se derreteu por completo.

Trump detona a cobertura da mídia: "Mídia trapaceira. São piores que ela [Hillary]". E diz mais: "A mídia é uma extensão do Partido Democrata. (...) Não é coincidência que esses ataques venham no exato instante em que o WikiLeaks libera documentos expondo a tremenda corrupção internacional da máquina dos Clinton". Talvez Trump esteja certo. Talvez todos esses ataques sejam um reforço da primeira manobra diversionista – a conexão russa.

Acolha o lúdico e todas as manifestações culturais

Discernimento é um atributo fundamental. Nestas águas turbulentas, é obrigatório valer-se da capacidade de separar o trigo do joio. O lúdico é uma faceta dessa lucidez. O primeiro provê a vitalidade da segunda. A apreciação da beleza presente em todas as formas de manifestação cultural nunca deve ser abandonada, ainda mais quando pode trazer uma diversão saudável. A sisudez deve ser revogada, e a alegria deve ser bem-vinda sempre. Portanto, em vez de podar a diversão, o candidato deve ser esperto o suficiente para tirar o melhor proveito das expressões artísticas, mesmo que o entretenimento não pareça um jogo imparcial e justo.

Brigham Young (1801–1877) foi muito feliz ao afirmar: "Aquele que se ofende quando nenhuma ofensa é planejada é um tolo, e aquele que se ofende quando a ofensa é intencional é um tolo ainda maior".

Donald Trump postou um *tweet* no dia 16 de outubro: "Assisti ao *Saturday Night Live* me atacando. Hora de aposentar o programa chato e sem graça. A interpretação de Alec Baldwin é podre. Mídia manipulando a eleição!". É verdade que o *sketch* não foi equilibrado. Houve várias abordagens desproporcionais; por exemplo, Trump foi apresentado como "o candidato republicano Donald Trump", e Hillary foi apresentada como "presidente Hillary Clinton". Apesar disso, acredito em meu argumento: acolher o lúdico e todas as manifestações culturais, em especial visões depreciativas sobre você.

Ultrassecreto, secreto ou confidencial

Em 17 de outubro de 2016, o FBI divulgou documentos relacionados à investigação do *e-mail* de Hillary. Não se trata da divulgação de *e-mails* de assessores de Hillary pelo WikiLeaks, mas sim de conteúdo do servidor de *e-mail* privado de Hillary. Um dos documentos revela que o subsecretário de

Administração do Departamento de Estado, Patrick F. Kennedy, pressionou o FBI para alterar a classificação de um *e-mail* de Hillary. O relatório do FBI mantém o nome de seu funcionário em segredo, mas a interação é clara:

> [Nome censurado] recebeu um telefonema de [nome censurado], da Divisão de Operações Internacionais do FBI, que o pressionou para mudar o *e-mail* de classificado para não classificado. [nome censurado] indicou que ele havia sido contatado por Patrick Kennedy, subsecretário de Estado, que pediu sua ajuda para alterar a classificação do *e-mail* em troca de uma compensação. [nome censurado] avisou que, em troca de tornar o *e-mail* não classificado, o Departamento de Estado retribuiria permitindo que o FBI colocasse mais agentes nos países onde hoje estão proibidos. De acordo com [nome censurado], Kennedy passou os 15 minutos seguintes debatendo a classificação do *e-mail* e tentando influenciar o FBI a mudar a marcação.

O funcionário não identificado do FBI também observou que o subsecretário Kennedy não desistiu: levou a pressão para outro nível – o diretor assistente da divisão de contraterrorismo do FBI, Michael Steinbach, que recusou a oferta. O FBI também declarou formalmente que o funcionário não identificado se aposentou e que a compensação não foi efetuada.

Precisamos ter a coragem de fazer perguntas difíceis. Isso nos ajuda não apenas a fazer as coisas de modo correto, mas também a fazer o que é correto. Na vida em geral, devemos nos perguntar se o movimento que estamos planejando está em consonância com os sonhos e desejos de mudança da pessoa que fomos durante nossa infância e adolescência. Um servidor público é obrigado a perguntar se o movimento que ele está planejando está alinhado com os interesses do conjunto das pessoas a que ele serve. É óbvio que Patrick Kennedy não se questionou antes de suas ações.

Se os *e-mails* de Hillary Clinton fossem desclassificados, não haveria outro beneficiário além dela. Uma das primeiras vezes em que Hillary afirmou isso foi durante uma entrevista em agosto de 2015: "Nunca enviei nem recebi nenhum material classificado". Se Kennedy tivesse sucesso em sua pressão, a inverdade teria se transformado em verdade.

Há outra coisa a ser observada. A partir de determinado momento, Hillary começou a reformular suas afirmações. A nova versão se tornou: "Nunca recebi nem enviei nenhum material marcado como classificado". Você vê alguma diferença? Ela existe. É sutil, mas muito significativa. Ao alterar a definição do material enviado ou recebido de "classificado" para "marcado como classificado", Hillary usou a semântica para tirar proveito da falta de familiaridade das pessoas com o assunto. Além disso, como em um passe mágica, ela ficou totalmente de acordo com a verdade. Ótimo, certo?

A explicação é simples. "Classificado" não é um nível de classificação. "Classificado" é um termo que descreve informações sigilosas em geral. O nível de classificação pode ser ultrassecreto, secreto ou confidencial. Portanto, a informação só pode ser categorizada, ou "marcada" como ela disse, em um desses níveis, ou seja, não existe qualquer "material marcado como classificado".

O conteúdo do servidor de *e-mail* privado de Hillary e os *e-mails* de seus assessores vazados pelo WikiLeaks estão desnudando a candidata e podem levantar grandes dúvidas no eleitorado. Por isso o sangramento precisa ser interrompido. Observamos algumas tentativas nessa direção, agora deixe-me rapidamente observar outra visando o WikiLeaks.

Antes, cabe destacar que o fundador do WikiLeaks, Julian Assange, vive na embaixada do Equador em Londres desde 19 de junho de 2012 e é de lá que opera sua organização. Dito isso, o governo do Equador emitiu uma declaração inesperada: "Nas últimas semanas, o WikiLeaks publicou uma série de documentos com impacto na campanha eleitoral dos Estados Unidos. Assim, o Equador exerceu seu direito soberano de restringir temporariamente o acesso a parte de sua rede privada de comunicações". Se você está se perguntando o porquê dessa restrição, a Fox News pode ajudá-lo a entender. Em 18 de outubro, o *Special Report*, da Fox, informou que foi a pedido do secretário de Estado John Kerry.

Apesar desses esforços, os democratas continuam afundando devido à torrente de danos do WikiLeaks – o total de *e-mails* liberados ultrapassou os vinte mil.

“Não é difícil fazer alguns desses babacas surtar”

Se você acha que já viu tudo nesta eleição, só tenho a dizer que não é o caso. O Projeto Veritas, organização conservadora liderada pelo jornalista, cineasta e ativista James Edward O'Keefe III, acaba de divulgar vários vídeos, gravados com câmeras ocultas, que colocam o Comitê Nacional Democrata, Hillary Clinton e Barack Obama em situação muito comprometedora. Nos vídeos, agentes democratas são mostrados planejando perturbar violentamente os comícios de Trump e se gabando após o fato. O arquivo do material liberado é vasto; para oferecer uma visão geral, nos concentraremos em duas pessoas: Scott Foval e Robert Creamer.

Scott Foval é o diretor nacional de campo da organização liberal sem fins lucrativos Americanos Unidos pela Mudança (AUC). Robert “Bob” Creamer é um estrategista democrata há quatro décadas, membro do Comitê Nacional e da AUC e chefe da Parceiros da Democracia, firma contratada pelo comitê. A esposa de Creamer, Jan Schakowsky, é deputada federal por Illinois, estado político do presidente Obama.

Nos vídeos, Foval descreve a trama passo a passo:

> A campanha paga o Comitê Nacional Democrata [passo 1], o comitê paga o Parceiros da Democracia [passo 2], o Parceiros da Democracia paga o grupo de Foval [passo 3], o grupo de Foval vai e executa a merda [passo 4]. (...) O Parceiros da Democracia é a ponta de lança da coisa, (...) eu sou contratado por ele [Robert Creamer], mas respondo ao chefe de eventos especiais do Comitê e ao chefe de eventos especiais e políticos da campanha. (...) A única coisa que temos que observar é garantir que haja uma dupla camada de segurança entre a campanha e o comitê e o que

> estamos fazendo. (...) Então, eles podem negar de modo plausível que soubessem de qualquer coisa.

Foval aparece explicando como uma ação específica foi planejada e executada com o objetivo de espalhar violência no comício de Trump em Chicago, em 11 de março – por mim mencionado anteriormente como um ponto de inflexão. O grupo de Foval foi tão eficaz que o evento foi adiado por razões de segurança. Quando a decisão foi anunciada, os manifestantes começaram a cantar "Nós paramos Trump". Foval afirma:

> Honestamente, não é difícil fazer alguns desses babacas [defensores de Trump] surtar. É só aparecer no comício com uma camiseta da Planned Parenthood. Ou, sabe como é, "Trump é um nazista". Você pode atraí-los com uma frase e levá-los a socar você. (...) Temos pessoas mentalmente doentes que pagamos para fazer merda, pode crer. Nos últimos vinte anos, paguei alguns sem-teto para fazerem coisas malucas, e também os levei para jantar, também me certifiquei de que tivessem um hotel e um banho. E eu os coloquei em um programa. (...) Muitos dos nossos sindicalistas, eles farão o que você quiser. (...) Não importa o que essa droga de gente formal e ética diz, nós precisamos ganhar desse filho da puta.

Ao ler isso, o pensamento que me vem à mente é de que a trama explora barbaramente as fraquezas de seres humanos vulneráveis e coloca em perigo dramático a segurança de milhares de participantes inocentes. A dignidade humana é o fator mais fundamental a ser considerado aqui. Do ponto de vista político, é intrigante termos enfim a oportunidade de ver pelo lado de dentro eventos que só havíamos observado de fora.

Essa estrutura isolada por uma dupla camada de segurança de Hillary e do Comitê Nacional Democrata parece bem organizada. Creamer, acima de Foval na hierarquia, comenta nos vídeos: "Onde quer que Trump e Pence estejam, temos eventos. Temos uma equipe inteira em todo o país que faz isso. Tanto consultores quanto pessoas do Partido Democrata, do aparato do partido e da campanha, da campanha de Clinton. E meu papel na campanha é gerenciar tudo isso".

Há mais dois fatos curiosos sobre Creamer. Em 2005 ele se declarou culpado de fraude bancária e violações tributárias no valor de US$ 2,3 milhões. Foi condenado a onze meses de prisão domiciliar, mas antes passou cinco meses na penitenciária de alta segurança de Terre Haute, Indiana. Em 19 de outubro, o *Fox Special Report* informou que, segundo os registros da administração federal, Creamer esteve na Casa Branca 342 vezes durante o governo Obama até agora e lá se reuniu 47 vezes com o presidente.

Questionado em uma coletiva de imprensa sobre a relação de Obama com Creamer, o porta-voz Josh Earnest, secretário de imprensa da Casa Branca, declarou: "Não creio que possa descrevê-la, porque não tenho certeza de que exista. Sei que eles se encontraram antes". O secretário prometeu investigar o que levou Creamer à Casa Branca centenas de vezes, e afirmou: "Congratulamo-nos com esse tipo de prestação de contas". Eu defino esse diálogo imprensa–Earnest como um jogo de faz de conta: imprensa pergunta, Earnest responde, todos teoricamente cumprem seus papéis. Contudo, é pleno cinismo: todos sabem que jamais precisarão voltar ao assunto.

Até o momento, a única consequência concreta do episódio foi que Robert Creamer anunciou que se afastaria de sua posição institucional e de sua relação comercial com o Comitê Nacional Democrata, alegando: "Não desejo ser uma distração para a importante tarefa de eleger Hillary Clinton e derrotar Donald Trump".

Este nosso livro tem revelado uma quantidade considerável de coisas feias, mas tenho que confessar que não me lembro de ter visto algo mais repugnante do que esse episódio. A exposição de quão brutal é a produção de salsicha política é profundamente desanimadora.

Americanos, um povo de bom coração

Enquanto as pessoas observam esses absurdos vir à tona, parece-me que sua capacidade de indignação pode estar desaparecendo. Do meu ponto de vista, talvez a boa-fé do povo americano o impeça de decifrar as mentes astutas por trás do que vimos na última seção. Fiz muitos amigos neste país e posso atestar que os americanos têm bom coração. A mim parece que os sentimentos desencadeados por essas revelações se assemelham aos previstos pela já mencionada teoria da "Grande Mentira": as revelações são tão monstruosas que ninguém acreditaria que alguém poderia ter a imprudência de cometer atos tão infames.

Enquanto no passado essas práticas democratas eram politicamente negativas para Trump, agora que a vasta premeditação veio à luz o candidato republicano sente impacto positivo. Quanto mais não seja, os vazamentos dão mais substância às alegações de Trump. Por coincidência, no final de semana anterior, antes das descobertas em questão, o candidato republicano postou no Twitter:

> Animais representando Hillary Clinton e os democratas na Carolina do Norte acabaram de bombardear nosso escritório em Orange County porque estamos vencendo @NCGOP (15h29, 16 de outubro de 2016)
>
> Tudo seguro em Orange County, Carolina do Norte. Com vocês até o fim, nunca esquecerei. Agora temos de vencer. Orgulhoso de todos vocês! @NCGOP (15h34, 16 de outubro de 2016)

Trump se referia ao escritório republicano em Hillsborough, que foi bombardeado. Os agressores pintaram uma suástica e a seguinte ameaça: "Republicanos nazistas deixem a cidade ou já sabem". Escritórios republicanos no Condado de Delaware, Indiana, e em Santo Antônio, Texas, também foram vandalizados. Se algo aqui se assemelha aos nazistas, é o conjunto de ações criminosas.

Trump é um candidato que compete de acordo com as regras e tem uma plataforma legítima. Se você defende a liberdade de expressão, protegida pela 1ª Emenda da Constituição, não pode encerrar o evento de alguém só porque não está alinhado com a mensagem. Fazer isso é absurdo e aberrante! Contudo, você tem o direito de debater a mensagem. Nesse caso, o único caminho democrático é aproveitar a mesma 1ª Emenda e defender seu ponto de vista. Em uma democracia, a batalha deve acontecer no campo das ideias. A deterioração dessa pedra angular da democracia por meio desse tipo de ato perturbador e extremista com certeza não constrói nada de positivo aqui ou em qualquer outro lugar, agora ou no futuro. Devemos sempre ser muito cautelosos para não perder de vista esse alicerce.

Melania e Ivanka Trump

Donald Trump aumentou o tom das acusações de manipulação das eleições. Em Bangor, Maine, afirmou:

> A eleição está sendo manipulada por meios de comunicação corruptos que promovem falsas alegações e mentiras descaradas em um esforço para eleger Hillary Clinton presidente. Mas vamos parar isso. Não vamos recuar. (...) Histórias falsas, todas inventadas. Mentiras, mentiras. Nenhuma testemunha, nada. Tudo grande mentira. É um sistema manipulado, pegam essas mentiras e colocam nas primeiras páginas. É um sistema manipulado, pessoal, mas não vamos deixar passar.

Não é novidade vermos Trump bater na imprensa, embora dessa vez ele esteja levando a estratégia para outro nível. Acredito que, à medida que a eleição se aproximar da reta final, Trump intensificará as acusações. O movimento é intrigante principalmente pelo que imagino como sua cartada final. Vou chamá-la de estratégia 100% de 100%. O objetivo de Trump é energizar seus eleitores a um nível tão tremendo que possa resultar em um comparecimento sem precedentes, suficiente para ajudá-lo a vencer a eleição.

Outro plano inteligente está em andamento: alcançar as mulheres brancas que tradicionalmente apoiam candidatos republicanos. Esse eleitorado não está entusiasmado com a linguagem imprópria de Trump exibida por toda parte, o tempo todo. Para enfrentar a resistência, começamos a ver o surgimento de Melania Trump. Três pesquisas nacionais divulgadas neste mês mostram Hillary à frente de Trump na preferência das mulheres: 18 pontos segundo a CBS News, 14 pontos segundo a CNN, e 10 pontos segundo a Fox News.

Melania aparece em um momento de vida ou morte para o marido, e sua tarefa é gigantesca. Recentemente ela deu longas entrevistas à CNN e Fox News e conversou diretamente com parte do eleitorado:

> Às vezes digo que tenho dois meninos em casa, tenho meu filho e tenho meu marido. (...) As palavras que meu marido usou [na controvérsia do *Access Hollywood*, da NBC] são inaceitáveis e ofensivas para mim. Elas não representam o homem que eu conheço. Ele tem o coração e a mente de um líder. (...) Meu marido é gentil, ele se preocupa com as pessoas. (...) Aquilo foi há muitos, muitos anos. (...) Ele pediu desculpas, eu aceitei seu pedido de desculpas, espero que o povo americano também aceite (...) e se concentre nas questões importantes que nossa nação e o mundo enfrentam.

Durante as duas entrevistas, o povo americano testemunhou a elegância de Melania, seu rosto bonito, a aura sincera e a voz suave, combinados com uma personalidade forte. Tudo isso em harmonia com um cenário exuberante e elegante. Considere as seguintes observações: "Eu sou muito forte, (...) as pessoas pensam e falam sobre mim como: 'Oh, Melania. Oh, pobre Melania'. Não sintam pena de mim. Eu posso lidar com tudo". Essa é de fato uma afirmação intrigante.

Unindo forças com Melania Trump está o outro trunfo: Ivanka Trump. A filha de Trump falou na Cúpula das Mulheres Mais Poderosas de 2016 da *Fortune*, em Laguna Miguel, na Califórnia; antes disso veio a público defender o pai na revista *Fast Company* com declarações de precisão cirúrgica:

> Os comentários de meu pai foram claramente inadequados e ofensivos, e fico feliz que ele tenha reconhecido o fato com um pedido de desculpas imediato à minha família e ao povo americano.

> (...) O maior conforto que tenho é o fato de conhecer meu pai. A maioria das pessoas que escreve sobre ele não o conhece. Eu, sim, e isso me dá a capacidade de ignorar as coisas que leio sobre ele que estão erradas.

Ambas as mulheres são indispensáveis para Trump. Suas vozes são vitais na tentativa de reparar a deficiência de Trump em relação ao eleitorado feminino – e o espaço para melhorias é enorme. As aparições públicas de ambas devem se tornar mais frequentes a partir de agora. Deixe-me enfatizar que já era hora de a equipe de Trump realizar um trabalho focado nas mulheres.

Assim como Trump, também estou no ramo da atribuição de nomes. Trump gosta de definir os adversários com apelidos divertidos e depreciativos: o senador Ted Cruz virou "Lyin' Ted"; o governador John Kasich, "1 for 41 Kasich"; o senador Marco Rubio, "Little Marco"; o ex-governador Jeb Bush, "Low energy Jeb"; o senador Bernie Sanders, "Crazy Bernie"; e Hillary Clinton, "Crooked Hillary". Já eu gosto de definir facetas específicas observadas ao longo deste trabalho. Assim, vou batizar o movimento de Melania e Ivanka como a "abordagem correta, na hora certa, pelas pessoas adequadas". Pudemos sentir o alinhamento de tal estratégia, combinando o executor, a mensagem e o receptor. Os democratas são grandes mestres nisso. Por exemplo, quando recebo um *e-mail* deles – eu e os milhões que estão na lista –, o nome do remetente varia conforme o assunto. Pode ser Barack Obama, Joe Biden, Michele Obama, Hillary Clinton e assim por diante.

Além das estratégias para mobilizar a base e atrair as mulheres, Trump está apresentando habilmente o seu argumento sobre mudança. A iniciativa visa o grupo dos irresolutos, fora das bases de ambos os candidatos. Trump está divulgando a ideia de que é hora de fazer uma arrumação em Washington, D.C., e começou a usar a expressão "drenar o pântano" (*drain the swamp*). A expressão é impactante e bem conhecida na política americana, tendo a conotação de exterminar todas as pragas.

Para dar início à assepsia em Washington, D.C., Trump prometeu: "Se eleito presidente, vou trabalhar por uma emenda constitucional para impor limites de mandatos para todos os membros do Congresso". Em comício em

Grand Junction, Colorado, o candidato propôs o limite de dois mandatos para senadores (doze anos) e três para deputados (seis anos). O "pacote de reformas éticas para tornar o nosso governo honesto outra vez" inclui uma "proibição de cinco anos para todos os ex-funcionários do Poder Executivo fazerem *lobby* frente ao governo após deixar o serviço público".

Como podemos ver, Donald Trump está colocando o trem de volta nos trilhos. Agora o ponto alto da corrida é o debate final.

19 de outubro, o terceiro e último debate presidencial

Os olhos e ouvidos da América voltaram-se para a Universidade de Nevada, em Las Vegas, ansiosos para descobrir o que o último e mais importante confronto traria à mesa. Vamos conferir a média das pesquisas nacionais pelo Real Clear Politics e os números nos nossos onze *battleground states*:

- 10 de outubro: Clinton + 5,8 / Clinton, 47,9%; Trump, 42,1%
- 11 de outubro: Clinton + 6 / Clinton, 41,9%; Trump, 47,9%
- 12 de outubro: Clinton + 6,2 / Clinton, 48,0%; Trump, 41,8%
- 13 de outubro: Clinton + 6,7 / Clinton, 48,1%; Trump, 41,4%
- 14 de outubro: Clinton + 6,7 / Clinton, 48,1%; Trump, 41,4%
- 15 de outubro: Clinton + 6,7 / Clinton, 48,1%; Trump, 41,4%
- 16 de outubro: Clinton + 5,5 / Clinton, 47,7%; Trump, 42,2%
- 17 de outubro: Clinton + 7 / Clinton, 48,8%; Trump, 41,8%
- 18 de outubro: Clinton + 7,1 / Clinton, 49%; Trump, 41,9%
- 19 de outubro: Clinton + 6,5 / Clinton, 48,6%; Trump, 42,1%

- Carolina do Norte: Clinton + 1 / Clinton, 48%; Trump, 47% (CNN/ORC, 10 a 15 de outubro)
- Colorado: Clinton + 8 / Clinton, 45%; Trump, 37% (Universidade Quinnipiac, 10 a 16 de outubro)
- Flórida: Clinton + 4 / Clinton, 48%; Trump, 44% (Universidade Quinnipiac University, 10 a 16 de outubro)

- Iowa: empate em 44% (Universidade Quinnipiac, 20 a 26 de outubro; não houve pesquisa no Iowa nesse ínterim, esses são os dados mais próximos disponíveis)
- Michigan: Clinton + 11 / Clinton, 42%; Trump, 31% (*Detroit News*, 10 a 11 de outubro)
- Nevada: Clinton + 7 / Clinton, 47%; Trump, 40% (Universidade Monmouth, 14 a 17 de outubro)
- New Hampshire: Clinton + 8 / Clinton, 44%; Trump, 36% (Faculdade Emerson, 17 a 19 de outubro)
- Ohio: empate em 45% (Universidade Quinnipiac, 10 a 16 de outubro)
- Pensilvânia: Clinton + 6 / Clinton, 47%; Trump, 41% (Universidade Quinnipiac, 10 a 16 de outubro)
- Virgínia: Clinton + 12 / Clinton, 45%; Trump, 33% (Universidade Christopher Newport, 16 a 19 de outubro)
- Wisconsin: Clinton + 7 / Clinton, 47%; Trump, 40% (Universidade Monmouth, 15 a 18 de outubro)

Prestes a testemunhar o confronto final, acredito que haja uma grande pergunta na mente das pessoas: qual candidato aproveitará melhor os supostos deméritos do outro e levará a melhor? Essa tem sido uma narrativa predominante ao longo da disputa. Agora a questão se torna mais relevante, considerando-se a proximidade da eleição e os números que mostram uma nítida vantagem de Hillary sobre Trump.

Eu diria que a batalha de Nevada provavelmente surpreendeu alguns observadores. O debate ofereceu mais conteúdo político e menos ataques às controvérsias do que o previsto. Provavelmente, foi a noite mais importante de todo o ciclo, assistida por 71,6 milhões de americanos (segundo a Nielsen). O debate teve mediação do jornalista Chris Wallace, apresentador do *Fox News Sunday*. Os tópicos abordados ao longo dos noventa minutos foram Suprema Corte, imigração, economia, dívida e benefícios, questões internacionais e aptidão para ser presidente.

O encontro começou com uma nota negativa: de novo não houve aperto de mãos. Dessa vez, nem no final. Bill Clinton pediu para não trocar o tradicional aperto de mãos com Melania Trump. Deduzo que seja um reflexo da deterioração do relacionamento pessoal entre os Clinton e os Trump – de qualquer maneira, é injustificável.

Não houve discussão de temas inéditos, foi uma ocasião perfeita para os candidatos enfatizarem os argumentos com que já estamos familiarizados. Considero que a batalha central girou em torno do caráter de cada um. Trump se esforçou para apresentar Hillary como uma pessoa corrupta, Hillary se esforçou para apresentar Trump como uma pessoa instável. Os cavaleiros predominantes nesse duelo foram desonestidade *versus* inaptidão.

Foi uma disputa estratégica, pois os atributos considerados são intangíveis. O objetivo de ambos os candidatos foi construir um relacionamento com o público e ser percebido como aquele que defende os valores prezados pelos eleitores de forma mais sincera, forte e eficaz. Eu gostaria de destacar duas sutilezas identificadas nas declarações dos candidatos. Primeiro, vamos considerar como Hillary abordou a relação de Trump com os códigos das armas nucleares:

> O ponto principal das armas nucleares é que, quando o presidente dá a ordem, ela deve ser seguida. Há um intervalo de cerca de quatro minutos entre a emissão da ordem e sua execução pelos responsáveis pelo lançamento de armas nucleares. Por isso dez pessoas que tiveram essa incrível responsabilidade vieram a público e, de uma maneira sem precedentes, disseram que não confiariam em Donald Trump com os códigos nucleares ou com o dedo no botão nuclear.

Essas palavras podem ter sido politicamente vantajosas para Hillary; no entanto, do ponto de vista da segurança nacional, são um tremendo erro. O cronograma do lançamento de armas nucleares é informação classificada; portanto, Hillary nunca deveria ter divulgado tais detalhes. Talvez essa nuance tenha passado desapercebida pelo público, mas com certeza não pela comunidade militar. As palavras de Hillary podem ter fortalecido percepções sobre sua incapacidade de lidar com informação classificada.

Trump abordou o relacionamento de Hillary e Obama e os golpes baixos:

> Essas histórias [das acusações de assédio sexual] foram amplamente desmascaradas. (...) Eu não conheço essas pessoas. Tenho um pressentimento de como elas apareceram. Acredito que foi a campanha dela [Hillary] que fez isso. (...) Eu estava imaginando o que aconteceu no meu comício em Chicago e em outras manifestações em que tivemos tanta violência. Ela e Obama causaram a violência. Contrataram pessoas, pagaram US$ 1,5 mil, e elas foram gravadas dizendo ser violentas, provocar brigas, fazer coisas ruins. (...) Essas histórias [de assédio sexual] são totalmente falsas, tenho que dizer isso. E nem pedi desculpas à minha esposa, que está sentada aqui, porque não fiz nada. Eu não conhecia nenhuma dessas mulheres, não vi essas mulheres. Essas mulheres – a mulher no avião –, acho que elas querem fama, ou a campanha dela fez isso. Acho que foi a campanha dela. Porque o que eu vi foi o que eles fizeram [os vídeos com os agentes democratas], que é um ato criminoso, a propósito, no qual dizem às pessoas para sair e começar brigas e começar a violência. E quero dizer que, em particular em Chicago, pessoas foram feridas, e pessoas poderiam ter sido mortas naquele tumulto. E agora tudo está gravado, iniciado por ela [Hillary]. (...) Acredito que ela fez com que essas pessoas [as nove mulheres] se apresentassem. Se não foi, elas conseguiram seus dez minutos de fama. Mas era tudo ficção. Era mentira e ficção.

Trump disse que não pediu desculpas à esposa pelas acusações das nove mulheres para reforçar sua inocência e a afirmação de que não fez nada. No início da semana, Melania disse que havia aceitado as desculpas do marido pelos comentários grosseiros gravados em vídeo no *Access Hollywood*. São dois episódios distintos. Talvez essa nuance tenha passado desapercebida pelo público.

Vamos às declarações finais dos candidatos, quando tiveram oportunidade de abordar a sagaz indagação de Chris Wallace: "Digam ao povo americano por que devem elegê-los para presidente".

Hillary declarou:

> Bem, gostaria de dizer a todos que assistiram nesta noite que estou buscando todos os americanos – democratas, republicanos e independentes – porque precisamos de todos para ajudar a tornar nosso país o que ele deve ser, para fazer a economia crescer, para torná-lo mais justo, para fazê-lo funcionar para todos. Precisamos do talento, das aptidões, do comprometimento, da energia, da ambição de vocês. Vocês sabem, eu tive o privilégio de ver a Presidência de perto. E conheço a impressionante responsabilidade de proteger nosso país e a incrível oportunidade de trabalhar para tentar melhorar a vida de todos vocês. Eu fiz da causa das crianças e das famílias o trabalho da minha vida. Essa será a minha missão na Presidência. Defenderei as famílias contra interesses poderosos, contra corporações. Farei tudo o que puder para garantir que vocês tenham bons empregos, com rendimentos crescentes, que seus filhos tenham boa educação da pré-escola à faculdade. Espero que vocês me deem a chance de servir como sua presidente.

Trump declarou:

> Ela [Hillary] está angariando o dinheiro das pessoas que quer controlar. Não funciona assim. Quando comecei esta campanha, comecei com muita força. Chama-se "Tornar a América grande outra vez". Vamos deixar a América ótima. Temos Forças Armadas exauridas. Precisam de ajuda, precisam ser consertadas. Temos as melhores pessoas da Terra em nossas Forças Armadas. Não cuidamos dos nossos veteranos. Cuidamos de imigrantes ilegais, pessoas que entram ilegalmente no país, melhor do que cuidamos de nossos veteranos. Isso não pode acontecer. Nossos policiais e mulheres

> são desrespeitados. Precisamos de lei e ordem, mas também precisamos de justiça. Nossos bairros carentes são um desastre. Você leva um tiro andando até uma loja. Não há educação. Não há emprego. Eu farei mais por afro-americanos e latinos do que ela pode fazer em dez vidas. Tudo o que ela fez foi conversar com os afro-americanos e com os latinos; mas eles conseguem o voto e depois voltam, digamos, em quatro anos, para ver vocês. Vamos tornar a América forte outra vez e vamos tornar a América grande outra vez, e isso tem de começar agora. Não podemos ter mais quatro anos de Barack Obama, e é isso que vocês vão ter com ela.

No geral os debates são como as mídias sociais no sentido de que os participantes contornam a imprensa tradicional e podem abordar os eleitores de forma direta. Mas a vantagem é que os participantes podem ser vistos por todos os grupos, não apenas por seus simpatizantes. Debates são como os furacões de categoria cinco que atingem a nação inteira por alguns instantes. Suas reverberações geram resultados sem fim para os candidatos no centro deles. Os resultados podem ser positivos ou negativos, dependendo da capacidade de aproveitar o poder dessas violentas tempestades de vento.

Creio que Hillary e Trump não brilharam de forma deslumbrante, tampouco falharam terrivelmente durante o furacão em Nevada. Vale reconhecer que Trump melhorou muito sua conduta desde o primeiro debate, há 23 dias, e que Hillary se preparou melhor para esses ciclones. Evidência sólida da preparação de Hillary foi a gestão do tempo. Conforme a CNN, Hillary falou 41 minutos e 46 segundos, contra 35 minutos e 41 segundos de Trump. É uma vantagem colossal para a democrata.

Na minha opinião, o debate foi mais ou menos equilibrado. No entanto, considerando o fato de que Trump não teve um desempenho extraordinário o suficiente para fazer uma diferença imediata – algo de que ele obviamente precisa –, inclino-me à conclusão de que o encontro favoreceu Hillary. Essa percepção pode ou não ser fortalecida nas horas e dias à frente.

Trump forneceu nova munição contra ele quando Chris Wallace perguntou se o candidato "aceitaria irrefutavelmente o resultado desta eleição".

Trump respondeu: "Vou ver na hora. Vou mantê-lo em suspense". Ele fundamentou sua afirmação com uma extensa lista de pontos, mas a única mensagem que prevalece e continuará a prevalecer é a citada. Essa disputa segue imprevisível.

Aceitar ou não os resultados da eleição

A observação de Trump sobre aceitar o resultado da eleição eclipsou todas as outras discussões positivas ou relevantes do último debate. Trump está sendo severamente criticado. Da minha perspectiva, a declaração sintetiza o que Donald Trump é. Por natureza, ele aproveita até o último instante de tempo que tenha para tomar uma decisão, mantém todas as cartas na mesa, revela sua estratégia quando está prestes a implementá-la se for absolutamente necessário ou apenas quando já está em execução.

A primeira aparição de Trump após o debate foi no dia seguinte, em um comício em Delaware, Ohio, por volta do meio-dia. Ele usou de brincadeira para atenuar a seriedade do assunto e elucidou o que quis dizer com as palavras controversas: "Senhoras e senhores, quero fazer um grande anúncio hoje: gostaria de prometer a todos os meus eleitores e apoiadores e a todo o povo dos Estados Unidos que aceitarei totalmente os resultados desta grande e histórica eleição presidencial – se eu ganhar!". Imagine as circunstâncias em que Trump fez essa declaração. Foi um momento lúdico e espantoso. A plateia aplaudiu com entusiasmo, fervor.

Trump prosseguiu: "A América é uma República constitucional com um sistema de leis. Essas leis são acionadas em caso de fraude ou no caso de uma recontagem necessária. É claro que eu aceitaria um resultado eleitoral transparente, mas também reservaria o meu direito de contestar ou apresentar um recurso legal no caso de um resultado questionável. Certo?". Essa não é uma declaração falha. É no mínimo razoável. Afinal, considera a estrutura legal americana. Apesar disso, adivinhe o que aconteceu? Os principais meios de comunicação desconsideraram a explicação e continuaram a criticar Trump por ter acentuado a alegada decisão de não aceitar os resultados da eleição sob quaisquer circunstâncias. Independentemente da ênfase da imprensa, o principal problema para Trump é que apenas uma pequena parte da audiência do debate acabará ouvindo seu esclarecimento lúcido.

Quanto à sugestão de fraude potencial, Trump se baseia na autoridade do Pew Charitable Trusts, que, em fevereiro de 2012, publicou estudo afirmando: "Inexato, caro e ineficiente: evidências de que o sistema de cadastramento eleitoral da América precisa ser aprimorado". Conforme o levantamento, havia 2.688.046 pessoas cadastradas para votar em dois estados. Outras 68.725 estavam registradas em três estados. Somado a isso, "cerca de 24 milhões de registros de eleitor dos Estados Unidos – um a cada oito – não valem mais ou são significativamente imprecisos. (...) Mais de 1,8 milhão de pessoas falecidas estão cadastradas como eleitoras". A conclusão do Pew Charitable Trusts é de que tudo isso "pode levar a problemas com as listagens, inclusive à percepção de que carecem de integridade ou podem ser suscetíveis a fraude".

"Uma enorme e histórica vitória para Hillary Clinton"

"Se o Partido Republicano perder o Senado, não é porque os candidatos concorreram ao lado de @realDonaldTrump, mas porque fugiram dele. Não é hora para fracos e covardes!", postou Mike Huckabee, ex-governador do Arkansas e ex-candidato a presidente, em sua conta no Twitter, em 23 de outubro. Para mim, a mensagem faz completo sentido.

A escassez de apoiadores de Trump entre os republicanos que concorrem à reeleição obriga o candidato presidencial a continuar desempenhando os papéis de mocinho e bandido, alternando entre ideias políticas e ataques à oposição. A esta altura, Hillary está ignorando todas as declarações de Trump, por mais veementes que sejam. "Debati com ele por quatro horas e meia. Nem penso em responder mais a ele", é o argumento de Hillary.

O fato é que os democratas acham que o jogo acabou. As conversas sobre uma vitória democrata de lavada tornaram-se comuns. Não penso assim – especialmente quanto à Câmara. Quanto ao Senado, talvez; mesmo assim, não acredito que esse seja o cenário mais provável.

Por um lado, a legitimidade dos democratas para buscar a vitória de lavada é indiscutível. Por outro lado, sua maior fraqueza é o excesso colossal e prejudicial de confiança. A arrogância atribuída a Hillary Clinton pelo general Colin Powell em comentário já citado parece estar por toda parte. O senador Tim Kaine, candidato a vice, está amplamente profetizando "uma enorme e histórica vitória para Hillary Clinton". Oh, meu Deus.

A propósito, ao comentar o *tweet* de Trump de que "o presidente Obama sairá como o pior presidente da história dos Estados Unidos!", Obama retorquiu: "Bem, @realDonaldTrump, pelo menos eu vou sair como presidente". Talvez afirmar isso duas semanas antes da eleição seja cedo demais.

Obamacare é "a coisa mais louca do mundo"

Terminei a última seção falando de talvez ser cedo demais, e aqui começamos dizendo que talvez seja tarde demais. Existe uma "operação socorro" em curso para o Affordable Care Act – popularmente batizado de Obamacare. Sancionado pelo presidente Obama em 2010, é considerado o mais importante legado doméstico de sua administração e essencialmente sua única política que seria difícil para um governo republicano reverter, pois é lei.

O Obamacare está fragilizado mesmo antes que a presidência de Obama termine, pois não correspondeu às expectativas dos usuários, e destaco dois fatores: custo e cobertura. Os valores a serem pagos em vários estados têm aumentado dramaticamente. Quanto à cobertura, existe aqui o valor intangível de se manter o médico e o plano com que os usuários estavam satisfeitos. Nisso reside o grave erro pessoal do presidente Obama, que incansavelmente assegurou a proteção desse valor: "Manteremos essa promessa para o povo americano: se você gostar do seu médico, poderá ficar com seu médico. Ponto. Se você gosta de seu plano de saúde, você será capaz de manter seu plano de saúde. Ponto". Essa promessa não foi cumprida.

O resultado é um enorme nível de frustração. Acredito ser justo dizer que hoje dez entre dez democratas defendem melhorias no Obamacare – e esse reconhecimento dos democratas já é feito na arena pública. Tudo foi desencadeado pelo ex-presidente Bill Clinton, quando proclamou: "Temos agora que descobrir o que fazer na assistência à saúde. (...) Você tem esse sistema maluco, no qual de repente mais 25 milhões de pessoas têm assistência, e então as pessoas (...) acabam com seus prêmios dobrados e sua cobertura reduzida pela metade. É a coisa mais louca do mundo".

São as palavras de um ex-presidente democrata se referindo à principal iniciativa do atual presidente, também democrata, que escolhera a esposa do primeiro para sucedê-lo – tudo isso no auge da campanha. Como se não bastasse, a esposa-candidata assim se referia ao Obamacare no início de sua campanha: "Uma das maiores conquistas do presidente Obama, do Partido Democrata e do nosso país". Hillary até reivindicava a maternidade da iniciativa: "Antes de ser chamado de Obamacare, era chamado de Hillarycare".

Em suma, o que testemunhamos agora é a dita "operação socorro" – um movimento extraordinariamente estratégico. Explico. Os democratas sabem que o Obamacare decepcionou e que deve ser corrigido sem demora, então, Bill Clinton oferece solidariedade, conforto e dias melhores a todo o contingente de usuários. Olhando além, Bill Clinton também está anunciando o seguinte: Hillary não estará apegada a nenhum erro da administração Obama. Interessante observar: ao longo da campanha, vimos Hillary gradualmente passar de candidata do governo – portanto, protetora do legado de Obama – para um marinheiro democrata que também anseia velejar nos ventos da mudança.

O ato final sobre o Obamacare deve ser protagonizado pelo próprio presidente. Assim, Obama viajou para o importantíssimo *battleground state* da Flórida, onde abordou publicamente o problema em Miami: "Agora, isso não significa que [o Obamacare] é perfeito. Nenhuma lei é. (...) Também sempre soubemos – e sempre afirmei – que, por tudo de bom que o Affordable Care Act está fazendo agora, por um grande passo à frente, ainda é apenas um primeiro passo. É como construir uma casa inicial ou comprar uma casa inicial. É muito melhor do que não ter uma casa, mas você espera fazer algumas melhorias com o tempo. E, de fato, desde que assinamos a lei pela primeira vez, já tomamos algumas medidas para aprimorá-la. E podemos fazer ainda mais". Bingo! As palavras do presidente falam por si.

A bomba atômica do diretor do FBI

Na manhã de 28 de outubro, o mundo político volta os olhares para o FBI. O diretor, James Comey, envia carta para o Congresso em que diz:

> Em depoimento anterior no Congresso, me referi ao fato de que o FBI havia completado sua investigação do servidor de *e-mail* pessoal da ex-secretária Clinton. Devido a acontecimentos recentes, escrevo para complementar meu testemunho. Em conexão com um caso não relacionado, o FBI tomou conhecimento da existência de *e-mails* que parecem pertinentes à investigação. Fui informado sobre isso ontem e concordei que o FBI deveria tomar as medidas apropriadas para permitir que os investigadores revisassem esses *e-mails*, para determinar se contêm informações classificadas, bem como avaliar sua importância para a nossa investigação. Embora o FBI ainda não possa avaliar se esse material pode ou não ser significativo e eu não possa prever quanto tempo levaremos para concluir esse trabalho adicional, acredito que seja importante atualizar seus comitês sobre nossos esforços à luz do meu testemunho anterior.

A investigação sobre o servidor de *e-mail* pessoal de Hillary é reaberta. A investigação, que havia sido abruptamente fechada na semana do 4 de Julho, agora vai continuar. Ninguém sabe o que Comey tem em sua mesa. Mas podemos presumir que seja algo imenso, porque uma investigação do FBI é uma investigação criminal, que leva a potencial responsabilização, e pelo fato de o diretor fazer isso a apenas onze dias da eleição em que Hillary é a favorita.

Na minha opinião, Comey está agindo para salvar sua reputação e a do FBI, sob debate desde 5 de julho, quando ele não fez nenhuma acusação a Hillary. Por coincidência ou não, 28 de outubro foi sexta-feira, e finais de semana geralmente ajudam a amenizar situações críticas.

Talvez haja outro fato dentro desse enredo que tenha feito Comey coçar a cabeça. Em 24 de outubro, o *Wall Street Journal* divulgou: "A organização política do governador da Virgínia, Terry McAuliffe, um influente democrata com laços de longa data com Bill e Hillary Clinton, doou quase US$ 500 mil à campanha eleitoral da esposa de um funcionário do FBI que mais tarde ajudou a supervisionar a investigação sobre o uso do *e-mail* da Sra. Clinton". O funcionário do FBI é Andrew McCabe, subdiretor nomeado por Comey em janeiro passado, e sua esposa é Jill McCabe. O valor final da doação foi "pouco mais de US$ 675 mil de entidades sob controle direto ou forte influência de McAuliffe".

A coisa não está boa para os democratas, que agora estão em desfavor com o FBI. Sejam quais forem os motivos para isso, podemos ter certeza de que a carta de Comey implodiu o mundo dos democratas. A implosão pode influenciar os eleitores independentes, os republicanos que não votam em Trump e os democratas que não estão confortáveis com Hillary. Uma pesquisa recém-divulgada pela CBS News sobre a Carolina do Norte mostra que 31% dos partidários de Hillary dizem que ela não é honesta, mas mesmo assim vão votar nela. Pode não ser mais o caso.

A carta de Comey tornará muito mais difícil para os democratas ter sucesso na estratégia que, do meu ponto de vista, é a seguinte: ouça, desconsidere o mau cheiro, prenda o nariz e vote em Hillary Clinton. Deixando de lado todos os problemas que tenho com isso e levando em conta exclusivamente resultados e eficácia, vejo mérito nessa iniciativa. Afinal de contas, os dois candidatos principais não podem ser definidos como inquestionáveis.

A carta de Comey é um presente dos céus para os republicanos, a começar pelo candidato presidencial. É um trunfo que os demais candidatos republicanos também podem usar a seu favor. Acredito que os democratas agora sabem que o jogo ainda não acabou. E o tempo é um fator de peso. Meu argumento é que Trump aproveitará a oportunidade oferecida pela carta de Comey; por outro lado, Hillary se beneficiou da votação antecipada até o momento. De acordo com a Associated Press, 19,8 milhões de votos já foram dados (8,75 milhões em pessoa e 11,05 milhões por *e-mail*); a projeção é de que 40% do eleitorado (cerca de oitenta milhões de pessoas) vote antes de 8 de novembro.

Hillary Clinton estava em campanha em Iowa quando a carta foi divulgada. Depois de dois comícios sem tocar no assunto, ela leu uma declaração em Des Moines:

> Estamos a onze dias daquela que talvez seja a eleição nacional mais importante de nossa vida. A votação já está em curso no país. Assim, o povo americano merece receber todos os fatos imediatamente. (...) Estou confiante de que, sejam quais forem, não vão alterar a conclusão a que se chegou em julho.

Na minha opinião, Hillary fez o movimento mais sábio aqui. Ela embasa sua declaração na certeza de que o FBI não vai divulgar o que ela urge para que seja revelado, pois se trata de uma investigação criminal e deve ser conduzida em segredo. Como advogada, Hillary tem pleno conhecimento disso e aproveita a oportunidade para jogar para a torcida.

Surpresa de outubro

Na política americana, "surpresa de outubro" (October surprise) refere-se às notícias prejudiciais imprevistas que surgem na reta final das campanhas e podem definir o resultado da eleição. Para fechar o mês e este capítulo, estou propenso a afirmar que a carta de James Comey ao Congresso é de longe a mais significativa surpresa de outubro até o momento. A carta foi um ato oficial do temido e respeitado FBI para informar ao Poder Legislativo que a pessoa que o atual presidente escolheu para sucedê-lo será novamente investigada. Isso é colossal. Assim como a devastação potencial que pode causar.

De toda a retórica gerada por um acontecimento tão significativo, há um elemento que merece destaque. Se Hillary Clinton se tornar presidente, é provável que os pontos fracos de sua campanha permaneçam com ela. Hillary continua sob investigação política do Congresso e também será investigada criminalmente pelo FBI, circunstância que pode colocar os Estados Unidos à beira de uma crise constitucional. Isso é real.

Curiosamente, eu havia acabado de escrever o parágrafo anterior quando comecei a assistir à conferência de imprensa do porta-voz da Casa Branca,

Josh Earnest, em 31 de outubro. Ele declarou: "Um alto funcionário republicano, que anteriormente endossou o candidato republicano à Presidência, deixou escapar que seu partido considera a possibilidade de pedir o *impeachment* da presidente Clinton antes mesmo de ela ser eleita, se ela for eleita". *Impeachment* seria uma possível solução para a crise constitucional potencial que poderia ser causada pela eleição de Hillary.

Na tentativa de repreender os republicanos, os comentários do porta--voz do presidente cogitam uma crise constitucional. Milhões de pessoas que não estavam cientes da possibilidade de *impeachment* foram informadas – e em um contexto no qual o argumento ganha automaticamente certa quantidade de validação. Você sabe, Earnest é o especialista aqui, eu sou o leigo. Apesar disso, humildemente noto que foi um erro.

Por falar em erros, o ambiente pós-carta ofereceu uma oportunidade única aos que o ex-governador Mike Huckabee definiu como "fracos e covardes" e que erroneamente fugiram de Trump. Agora podem enfim se alinhar ao candidato. A grande parcela de republicanos em cima do muro também tem uma bela dose de motivação para se decidir. Mike Pence, o candidato a vice, é o encarregado de coordenar a convocação de todos os republicanos em apoio à chapa presidencial. Avalio Mike Pence como o homem certo para o trabalho certo.

Antes de concluirmos este segmento, gostaria de destacar uma reportagem do *Washington Post* publicada no último final de semana deste outubro fatídico: "Trump se orgulha de sua filantropia. Mas a doação fica aquém das palavras". O artigo afirma: "[Trump] promete dar o próprio dinheiro. Em grande parte, isso é uma fachada. Uma investigação de meses do *Washington Post* não conseguiu verificar muitas das alegações de Trump sobre sua filantropia".

Talvez essa investigação de meses represente um movimento estratégico comum em campanhas políticas: ter algum material atemporal que possa prejudicar a imagem do seu oponente no momento necessário, ao se transformar em artigos de jornalistas amigáveis em jornais favoráveis e gerar um efeito cascata com a reprodução em outros meios de comunicação. A reportagem materializa uma informação do editor associado do *Washington Post*, o lendário jornalista Bob Woodward – um dos jornalistas que revelaram o escândalo de Watergate: "Temos vinte pessoas trabalhando em Trump, vamos fazer um livro, estamos fazendo artigos sobre cada fase da vida dele". A candidatura de Hillary foi a mais prejudicada pelas surpresas de outubro; a reportagem oportunisticamente turvou as águas e lançou uma tábua de salvação para a candidata democrata.

Outubro chega ao fim hoje, mas outras surpresas podem ser desenterradas nos primeiros dias de novembro. Não poderíamos ter terminado essa fase com mais suspense em torno do futuro imediato.

5

A SEMANA ANTERIOR À ELEIÇÃO

1º de novembro, terça-feira

Bem-vindo à reta final desta jornada! Estamos a uma semana do dia da eleição – na verdade, do último dia de votação, ou seja, 8 de novembro, terça-feira. De agora em diante, teremos uma descrição seletiva e mais detalhada da semana. Descobriremos quão decisivos serão esses dias finais. Não se engane: seja qual for o resultado final, será a combinação de cada uma das facetas que já observamos, da forma como os candidatos vão enfrentar as oportunidades e desafios ainda à frente e do toque final que darão a suas campanhas.

Antes de mais nada, vamos verificar a média das pesquisas nacionais pelo Real Clear Politics e os números nos onze *battleground states.*

- 20 de outubro: Clinton + 6,4 / Clinton, 48,5%; Trump, 42,1%
- 21 de outubro: Clinton + 6,2 / Clinton, 48,1%; Trump, 41,9%
- 22 de outubro: Clinton + 6,1 / Clinton, 48%; Trump, 41,9%
- 23 de outubro: Clinton + 5,9 / Clinton, 47,9%; Trump, 42%
- 24 de outubro: Clinton + 5,5 / Clinton, 47,8%; Trump, 42,3%
- 25 de outubro: Clinton + 5,1 / Clinton, 48,3%; Trump, 43,2%
- 26 de outubro: Clinton + 5,4 / Clinton, 48,4%; Trump, 43%
- 27 de outubro: Clinton + 5,6 / Clinton, 47,8%; Trump, 42,2%

- 28 de outubro: Clinton + 4,6 / Clinton, 47,1%; Trump, 42,5%
- 29 de outubro: Clinton + 4,6 / Clinton, 47,1%; Trump, 42,5%
- 30 de outubro: Clinton + 4,3 / Clinton, 47,6%; Trump, 43,3%
- 31 de outubro: Clinton + 3,1 / Clinton, 48%; Trump, 44,9%
- 1º de novembro: Clinton + 2,2 / Clinton, 47,5%; Trump, 45,3%

- Carolina do Norte: Trump +2 / Clinton, 45%; Trump, 47% (Remington Research, 30 de outubro)
- Colorado: Clinton + 3 / Clinton, 42%; Trump, 39% (CBS News/YouGov, 26 a 28 de outubro)
- Flórida: Trump + 4 / Clinton, 42%; Trump, 46% (*The New York Times*/Faculdade Siena, 25 a 27 de outubro)
- Iowa: empate em 44% (Universidade Quinnipiac, 20 a 26 de outubro)
- Michigan: Clinton + 7 / Clinton, 50%; Trump, 43% (Fox 2 Detroit/Mitchell Research, 31 de outubro)
- Nevada: Clinton + 2 / Clinton, 44%; Trump, 42% (Faculdade Emerson, 26 a 27 de outubro)
- New Hampshire: Clinton + 3 / Clinton, 46%; Trump, 43% (Faculdade Emerson, 23 a 25 de outubro)
- Ohio: empate em 45% (Faculdade Emerson, 26 a 27 de outubro)
- Pensilvânia: Clinton + 5 / Clinton, 48%; Trump, 43% (Faculdade Emerson, 25 a 26 de outubro)
- Virgínia: Clinton + 4 / Clinton, 49%; Trump, 45% (Faculdade Emerson, 28 a 30 de outubro)
- Wisconsin: Clinton + 4 / Clinton, 46%; Trump, 42 (Remington Research, 30 de outubro)

Cabe ressaltar uma pesquisa da ABC News/*Washington Post* recém-divulgada, que verificou que 34% dos americanos estão menos propensos a votar em Hillary após a reabertura pelo FBI da investigação dos *e-mails*. A mesma pesquisa, realizada de 22 a 30 de outubro, descobriu que o entusiasmo entre os partidários de Hillary diminuiu de 52% para 45%, ao passo que o entusiasmo dos partidários de Trump aumentou de 49% para 53%.

Não é difícil entender que, embora Hillary ainda esteja à frente, a candidatura de Trump pegou embalo. A diferença de Trump para Hillary na média das pesquisas nacionais vem caindo, o que revela o humor do eleitorado. A surpresa de outubro acelerou essa tendência.

Com isso, os republicanos começaram a se reaglutinar em torno do candidato a presidente. Paul Ryan, o poderoso presidente da Câmara, fez isso. Do jeito dele, é claro, evitando menção ao nome "Trump". Nesta manhã, no programa *Fox & Friends*, da Fox News, Ryan declarou: "Já votei aqui em Janesville para nosso candidato na semana passada, na votação antecipada. Precisamos apoiar todos os nossos candidatos republicanos".

Ao começarmos esta nova fase, vale a pena fazer o que o Bloomberg Politics chamou de "Acompanhamento do dinheiro na corrida presidencial de 2016". Em 27 de outubro, as campanhas e super PACs entregaram seus relatórios sobre o angariamento de fundos e gastos referentes ao período de 1º a 19 de outubro à Comissão Federal de Eleições. Hillary levantou US$ 1,068 bilhão e ainda tem US$ 171,6 milhões à mão; Trump levantou US$ 512,2 milhões (US$ 56,2 milhões do dinheiro dele) e ainda tem US$ 83,9 milhões à mão.

O novo aroma de uma possível vitória de Trump pode ajudá-lo a reforçar as finanças nestes últimos dias. Ele acaba de garantir uma injeção de US$ 25 milhões em *cash* do magnata dos cassinos e dono do Las Vegas Sands, Sheldon Adelson.

Hillary ainda tem um monte de dinheiro e está gastando em uma avalanche de anúncios para lembrar os americanos de episódios prejudiciais a Trump. A democrata faz o mesmo nos comícios. Hoje, no evento em Dade City, Flórida, Alicia Machado bateu forte em Trump ao apresentar Hillary, que subiu ao palco e enumerou uma por uma as acusações ao adversário.

Vejo mérito no argumento de que Hillary precisa agir para conter o avanço de Trump, bem como garantir alta participação dos democratas nas urnas. Sem dúvida. Apenas considero a dose de negatividade colossal. E aqui surge o problema do medicamento que, em vez de curar o paciente, acaba por matá-lo. Foi uma dose suicida. Essa abordagem brutal deve provocar efeito contrário, especialmente entre os apoiadores de Hillary que não estão muito entusiasmados com este ciclo. Essa multidão pode simplesmente largar de mão.

Para que você possa entender melhor meu argumento e ter uma ideia de como Hillary forçou as coisas ao limite, somado aos golpes pessoais a Trump, sua pasta também continha envelopes sugerindo guerra civil e nuclear iminente caso o republicano vença:

> Ele tem uma visão sombria e divisora para a América que pode destruir nosso país. (...) Abraham Lincoln entendeu que uma casa dividida contra si mesma não pode manter-se erguida, (...) e nós lutamos uma guerra civil. (...) Imaginem-no no Salão Oval enfrentando uma crise real. Imaginem-no mergulhando-nos em uma guerra porque alguém feriu suas suscetibilidades. (...) Quando o presidente dá a ordem, está feito. (...) Não há veto do Congresso, nem veto dos chefes do Estado Maior. Os oficiais nos silos não têm escolha senão lançar. E isso pode levar apenas quatro minutos.

O bom coração do povo norte-americano não merece nada disso. No mesmo dia em que Hillary proferiu o discurso acima, Obama esteve em Columbus, Ohio, onde insistiu em que os americanos rejeitem o medo e escolham a esperança. Permita-me perguntar: quando Hillary diz que, se Trump for eleito, pode levar a nação a uma guerra civil ou começar uma guerra nuclear por motivo banal, ela está escolhendo a esperança em vez do medo?

Para esse bolo ficar perfeito, é imperativo o ingrediente do sexismo. A receita democrata inclui retratar Hillary como vítima de sexismo brutal, decorrendo disso que a percepção de que ela é inconfiável e as revelações de suas fraquezas são apenas propaganda preconceituosa contra uma mulher. Nesse sentido, o presidente afirmou:

> Quando os homens são ambiciosos, é normal. Bem, claro, eles devem ser ambiciosos. Quando as mulheres são ambiciosas, por quê? Esse tema, penso eu, continuará durante toda a presidência

> dela e contribuiu para a noção de que ela esteja escondendo alguma coisa. (...) Hillary Clinton é consistentemente tratada de forma diferente.

Conforme a receita do bolo democrata, Trump deve ser retratado como o carrasco impiedoso do gênero feminino. A segunda instrução é levada a cabo por Hillary ao declarar: "Ele não nos vê como seres humanos completos, com nossos próprios sonhos, nossas próprias capacidades, nossos próprios propósitos". Meu Deus! Parece que Hillary Clinton não conhece limites. A propósito, isso não é uma abordagem sexista? Hillary não está se aproveitando de suas companheiras para se tornar presidente?

Obama argumentou: "Quero que todos os homens que vão votar olhem para dentro de si e perguntem se estão tendo problemas com essa coisa". A mensagem de Obama contém a noção de que, se um homem não vota em Hillary, é porque é sexista. Assim, se você não quer ser considerado sexista, tem que votar nela. A propósito, isso não é uma abordagem sexista? Obama não está se aproveitando de seus companheiros para eleger seu sucessor?

Às vezes o absurdo vem de onde menos se espera; neste caso, da academia, proferido por um nome famoso. A edição desta semana da revista *Time* apresenta um artigo de Robin Tolmach Lakoff, professora da Universidade da Califórnia em Berkeley. O título do artigo é "Emailgate de Hillary Clinton é um ataque às mulheres". Lakoff declara:

> Estou louca. Estou louca porque estou com medo. Se você é uma mulher, deveria estar também. O "emailgate" é uma caçada, mas o alvo não é Hillary Clinton. Somos nós. A única razão pela qual o rebuliço do *e-mail* rende é porque o candidato é do sexo feminino. Você pode imaginar isso acontecendo com um homem? Clinton é culpada de ser uma mulher branca com voz.

Isso é simplesmente insano. Tomando emprestadas as palavras de Hillary Clinton, do meu modesto ponto de vista as observações do presidente, da candidata e da professora descrevem uma "visão sombria e divisora" extrema, que libera uma bactéria no ar capaz de gerar uma doença letal.

Poxa, os Estados Unidos são uma nação completa. Os americanos de hoje e seus ancestrais construíram uma nação maravilhosa. O que é uma eleição comparada a isso? O triste é que, mesmo que esse estratagema garanta uma vitória democrata em poucos dias, essas feridas vão levar gerações para sarar. São profundamente prejudiciais à nação como um todo em longo prazo. Para mim, é evidente que os democratas tomaram essa rota para tentar neutralizar a carta de James Comey.

O plano está em andamento, a mensagem selecionada está sendo transmitida em uma enorme e bem orquestrada avalanche de manifestações de todos os lados. Esse projeto foi elaborado como um superlativo ataque de campo, contando com a onipresença de militantes VIPs. Apenas hoje, enquanto Bill e Hillary Clinton estão em campanha na Flórida, Chelsea Clinton está no Colorado, Tim Kaine está no Wisconsin, o vice-presidente, Joe Biden, está na Carolina do Norte, e Sanders está em New Hampshire e Maine. O presidente Obama está em Ohio e por toda parte via rádio e TV. Inúmeros partidários de segundo escalão estão em outros estados. A operação está agendada para todos os dias até 8 de novembro.

No campo republicano, Trump divide o tempo hoje entre Pensilvânia e Wisconsin. Mike Pence fica só na Pensilvânia. Trump está equilibrando seus discursos entre a lembrança das fraquezas de Hillary – em uma versão mais leve do que a dela em relação a ele – e as melhorias que seu governo asseguraria aos americanos. Sobre o comportamento de Trump, também é revigorante para os republicanos que ele parou de pegar as iscas de Hillary, como Alicia Machado.

Trump está exibindo aceitação daquela nossa ideia de que não precisa ter primazia nas notícias 100% do tempo, está mais seletivo em sua exposição. Neste momento, parece que o republicano está fazendo seus movimentos com base no melhor discernimento possível. Um círculo virtuoso tomou conta da campanha de Trump na hora exata. Se vai ser suficiente para colocá-lo no Salão Oval é outra história.

2 de novembro, quarta-feira

O Real Clear Politics informa:

- Clinton + 1,7 / Clinton, 47%; Trump, 45,3%

Hoje Trump está em campanha intensa na Flórida (Miami, Orlando e Pensacola); Hillary está no Arizona e Nevada; Bill e Kaine, no Iowa; Biden, na Flórida; Sanders, em Michigan e Wisconsin; Chelsea, no Colorado; a senadora Elizabeth Warren, em Nevada; e por aí vai. O presidente Obama está na Carolina do Norte, onde lutou para espremer a última gota dos eleitores: "O destino da República está sobre os ombros de vocês. O destino do mundo está oscilando, e vocês, Carolina do Norte, vão ter que garantir que estamos na direção certa".

Como já destacamos, o legado de Obama é discutível. E a má notícia para ele agora é que a comunidade afro-americana está expressando certo grau de descontentamento. Afirmo isso com base não apenas no meu entendimento geral, mas também porque a comunidade está desconsiderando apelos diretos do presidente e não está comparecendo para votar conforme os democratas esperavam e precisavam.

Vejamos duas evidências. Em 2012, 68% dos eleitores cadastrados na Carolina do Norte já haviam votado até esta data. Nestas eleições, apenas 24% votaram até agora, conforme a Junta Eleitoral do estado. Na Flórida, o maior *battleground state*, os afro-americanos responderam por 36% do total de votos até este ponto em 2012. Agora, correspondem a 22%, segundo o professor Daniel Smith, da Universidade da Flórida.

Não é difícil ver que o presidente Obama está lutando para cumprir sua principal tarefa nesta campanha, ou seja, garantir que seus eleitores votem em Hillary Clinton. O presidente colocou em ação o que pode ser uma espécie de último recurso, classificando o episódio dos *e-mails* de um "erro honesto". Essa é uma tática impressionante de comunicação. Geralmente, erros não são eventos catastróficos e nos ensinam lições; o termo "honesto" envia uma mensagem subliminar que tenta dirimir a percepção de que Hillary não seja tão honesta.

O problema é que o WikiLeaks continua divulgando *e-mails* que drenam a credibilidade de Hillary. Essas revelações neutralizam justificativas de "erro honesto" e reforçam a mensagem de "drenar o pântano" de Trump.

Voltando à mensagem de hoje, Obama mais uma vez quebrou uma tradição desta República, que consiste em um presidente não comentar investigações do FBI. Obama não apenas fez isso, mas também rebaixou o FBI e seu diretor ao declarar: "Há uma norma de que, quando há investigações, não operamos com insinuações, não operamos com informações incompletas e não operamos vazamentos". Talvez essas palavras possam ser interpretadas como uma tentativa de intimidação. Nunca saberemos com certeza. De qualquer forma, se fosse esse o caso, não teria funcionado.

Poucas horas depois, a Fox News e o *Wall Street Journal* deram notícias sobre outra investigação do FBI, conduzida pela divisão de crimes do colarinho branco há mais de um ano, examinando uma possível interação entre a então secretária de Estado e a Fundação Clinton. Segundo a reportagem, a investigação envolve os escritórios do FBI em Washington, D.C., Nova York, Los Angeles e Little Rock, o lar político de Bill Clinton no Arkansas. O Departamento de Justiça teria atuado para impedir o FBI de inspecionar a Fundação Clinton; como não obteve sucesso, a investigação se tornou "prioridade muito alta" no FBI.

Considerando o quadro geral, acredito que o presidente Obama esteja planejando perdoar Hillary após a eleição. O perdão presidencial a impediria de ser indiciada, condenada ou destituída do cargo por *impeachment*, caso eleita. Em 1974 a renúncia de Richard Nixon eliminou a possibilidade do *impeachment*, e o perdão concedido a ele por Gerald Ford impediu um processo judicial. Acredito que esse será o caso em 2016. Obama poderia adaptar o conceito de Ford e encerrar um "longo pesadelo nacional".

O perdão a Hillary poderia invocar a necessidade de mudar o foco nacional e garantir um recomeço para o país. Obama poderia basear tal decisão no respeito à vontade do povo, visando a proteção da democracia. Acredito que a tese do "erro honesto" esteja preparando o terreno para um perdão pleno, livre e absoluto.

Além disso, não encontrei nenhuma restrição legal que pudesse impedir a presidente Hillary Diane Rodham Clinton de perdoar a cidadã Hillary Diane Rodham Clinton. O poder ilimitado do perdão presidencial tem apenas uma exceção: *impeachment*.

Por coincidência, um dos últimos escândalos do governo Bill Clinton acaba de ser desenterrado. "O perdão de última hora para Marc Rich, o obscuro negociador de *commodities* que fugiu para a Suíça em 1983 para evitar a justiça americana, foi um abuso chocante do poder presidencial e um lembrete de por que George W. Bush prometeu restaurar a integridade no Salão Oval", publicou o *New York Times* em 24 de janeiro de 2001. Segundo a ABC News, "Rich foi acusado de sonegar mais de US$ 48 milhões em impostos federais. (...) Se condenado, teria enfrentado sentença máxima de mais de trezentos anos de prisão". O escândalo moral do passado se torna outra alegação de pagamento para ter acesso no presente. A ex-mulher de Marc Rich, Denise Rich, entregou US$ 1,45 milhão à máquina de Clinton antes que o perdão fosse concedido.

Nesse ínterim, Trump aproveita as várias falhas da adversária. Primeiro, aconselha os eleitores: "Vocês podem mudar o voto em seis estados. Então, agora que veem que Hillary foi um grande erro, mudem seu voto para tornar a América grande outra vez". Depois, aconselha a si mesmo: "Temos que ser legais e bacanas, legais e calmos. Tudo bem, fique firme, Donald, fique firme. Nada de desvios, Donald. De leve e numa boa".

Com o segundo conselho, Trump estava imitando as recomendações de seus assessores, enquanto brincava com cautela sobre as próprias vulnerabilidades. Ao fazer isso, parece mais leve e se conecta muito melhor com o eleitorado; está sabiamente praticando a noção de abraçar a brincadeira e a lúdica autodepreciação. Dessa forma, também cria enorme contraste com a linguagem democrata. Trump destacou a disparidade: "Tenho observado Hillary nos últimos dias. Ela está totalmente desequilibrada. Não queremos nada disso. Ela ficou desequilibrada".

Acredito que paciência e memória são dois atributos essenciais para qualquer ser humano. A paciência nos torna capazes de administrar nossas ansiedades. A memória ajuda a ter sempre em mente que devemos ser pacientes. Às vezes somos sufocados pelo sentimento de que estamos muito atrás de onde pensamos que já deveríamos estar. Se não damos fim a essa percepção, ela pode levar a um círculo vicioso de desespero e imprudência. Quando esse círculo vicioso se transforma em realidade, é possível perder o sentido do norte verdadeiro. Para evitar isso, deve-se ter em mente dois elementos da trajetória humana: direção e ritmo. Independentemente do ritmo, devemos sempre priorizar a direção correta. Nada é pior do que viajar em alta velocidade na direção errada. Nesse contexto, a paciência é atributo *sine qua non*. Apenas com paciência podemos ter discernimento para corrigir nosso rumo e alcançar nossos objetivos.

Neste momento, os democratas parecem ter perdido algum discernimento, parecem um pouco desorientados. Hillary ainda está à frente, mas está dirigindo rápido na direção errada. Trump ainda está atrás, mas dirigindo devagar na direção correta.

Hoje o mapa do Colégio Eleitoral, segundo o Real Clear Politics, prevê 273 votos para Hillary e 265 votos para Trump. Em 19 de outubro, a previsão era de 333 votos para Hillary e 205 votos para Trump. Ou seja, em duas semanas, 60 votos eleitorais, 11,52% dos 538, foram transferidos de Hillary para Trump.

3 de novembro, quinta-feira

O Real Clear Politics informa que a situação nacional é a seguinte:

- Clinton + 1,3 / Clinton, 46,6%; Trump, 45,3%

Trump começa o dia na Flórida, vai para a Pensilvânia e acaba na Carolina do Norte, enquanto Pence fica no triângulo Iowa–Pensilvânia–Michigan. Trump também recebe um reforço doméstico: Melania visita a Pensilvânia para fazer seu primeiro discurso depois da convenção nacional republicana. Rudy Giuliani está em Ohio, Newt Gingrich está em Nevada, Ben Carson está em Iowa, e Ted Cruz está acompanhando Pence em Iowa e Michigan.

Do lado democrata, Tim Kaine está no Arizona, onde faz um discurso inteiro em espanhol; Hillary está na Carolina do Norte ao lado de Bernie Sanders, que tem o dever de persuadir jovens progressistas a votar nela. O presidente Obama rema na mesma direção, tentando capturar adolescentes e adultos jovens em dois comícios na Flórida – em Miami e Jacksonville. Um dia, dois comícios e a mesma mensagem do presidente Obama. Os democratas em geral e o presidente em particular continuam a praticar um método duplo: detonar Trump e apavorar os americanos. No reino dos movimentos democratas, existem três nuances dignas de nota.

Em primeiro lugar, como Obama é muito mais popular do que Hillary, o presidente está se esforçando para tornar esta eleição uma espécie de disputa entre Barack Obama e Donald Trump. Os ataques a Trump, a quem ele chama de "singularmente desqualificado" (*uniquely unqualified*), são cada vez mais pessoais.

Em segundo lugar, parece que o tom do mês são os supostos laços entre Trump e a Ku Klux Klan. O presidente declarou: "Se você aceitar o apoio da Klan, de um simpatizante da Klan, e hesitar quando perguntado sobre esse apoio, então você vai tolerar esse apoio quando estiver no cargo". Concordo plenamente com o presidente Obama de que a ideologia da KKK é repulsiva e desprezível. Dito isso, o que me parece aqui é que Obama opera exatamente do modo que ele próprio recriminou: com insinuações (sobre Trump e a KKK) e com informações incompletas (sobre os democratas e a KKK). Pode ser instrutivo relembrar as raízes da KKK e sua interconexão com os dois principais partidos do país.

Durante a Guerra Civil (1861–1865), o Partido Republicano liderou a libertação dos escravos, enquanto os democratas, que governavam os estados do Sul, lutaram pela preservação da escravidão. Devido ao resultado da guerra, um ano após o final, em 1866, a KKK foi fundada, em Pulaski, Tennessee. A KKK baseava-se no conceito das velhas patrulhas de escravos, que podem ser resumidas como homens brancos cavalgando durante a noite a fim de perseguir e oprimir afro-americanos; por mais horríveis que fossem, as patrulhas de escravos eram legais. Como a escravidão foi abolida pela 13ª Emenda, em 1865, os membros da KKK usavam lençóis compridos ou mantos, bem como máscaras ou capuzes, para se esconder; o traje tornou-se a assinatura da Klan. Os membros da KKK tornaram-se ainda mais brutais do que as patrulhas escravistas. Entre os fundadores da KKK, havia muitos veteranos confederados que não aceitavam o resultado da guerra. Portanto, é justo dizer que a KKK foi um instrumento ilegal e selvagem criado por sulistas brancos em apoio à resistência da reconstrução liderada pelo Partido Republicano. Os membros da Klan chamavam-na de "império invisível do Sul" (*invisible empire of the South*).

O primeiro líder – o "grande mago" do império invisível – foi Nathan Bedford Forrest, tenente-general do Exército Confederado. Forrest era membro do Partido Democrata e participou da Convenção Nacional Democrata de 1868 como delegado pelo Tennessee. O slogan dessa convenção era: "Este é o país de homens brancos. Deixem os homens brancos governar" (This is a white man's country. Let white men rule).

Quase um século depois, as eleições presidenciais de 1960 marcaram a virada na relação entre democratas e comunidade afro-americana. Podemos chamar o episódio de "o telefonema que mudou a história". Martin Luther King Jr. foi preso em uma cela em DeKalb County, na Geórgia. Richard Nixon, vice-presidente do país e candidato republicano à Presidência, tinha uma boa amizade com o Dr. King. Apesar disso, manteve silêncio público ensurdecedor sobre a prisão. Nixon não contatou membros da família King, nem se empenhou em libertar o ativista.

Seu rival, o candidato democrata John Kennedy, fez as duas coisas. Kennedy ligou para o governador da Geórgia para interceder pela libertação do Dr. King, e para Coretta Scott King, esposa de King, para expressar preocupação e solidariedade. Robert Kennedy, irmão do candidato e seu conselheiro mais influente, ligou para o juiz que sentenciou o Dr. King à cadeia e lhe negou fiança. Martin Luther King acabou solto com uma fiança de US$ 2 mil.

Em seu primeiro contato com os repórteres, o Dr. King deixou transparecer que estava em dívida com Kennedy: "Sei de fonte segura que o senador

Kennedy atuou como uma grande força para tornar a soltura possível. Tamanha coragem mostra que ele está realmente agindo por princípio, e não por conveniência". Esse episódio foi a surpresa de outubro daquela eleição.

Os Kennedy conseguiram encontrar o equilíbrio entre preservar o apoio dos líderes brancos democratas do Sul e diminuir o ceticismo da comunidade afro-americana sobre o compromisso do candidato do partido com a justiça racial. Houve um impacto imediato e profundo sobre os eleitores afro-americanos e também uma virada histórica na relação entre negros, republicanos e democratas.

Em 2010, quando era secretária de Estado de Barack Obama, Hillary gravou um vídeo expressando profunda admiração pelo senador democrata Robert Byrd, da Virgínia Ocidental, por ocasião de seu falecimento. Nos anos 1940, Byrd foi responsável pela criação do capítulo da Ku Klux Klan em Sophia, Virgínia Ocidental, sendo membro da KKK por vários anos. No vídeo em homenagem a Byrd, que atuou como senador democrata de 1959 a 2010, Hillary disse:

> Hoje nosso país perdeu um americano legítimo: meu amigo e mentor Robert C. Byrd. O senador Byrd era um homem de eloquência e nobreza insuperáveis. (...) É quase impossível imaginar o Senado dos Estados Unidos sem Robert Byrd. Ele era não apenas o seu membro mais antigo, ele era seu coração, sua alma e seu historiador. Busquei sua orientação desde o meu primeiro dia no Senado, e ele sempre foi generoso com seu tempo e sua sabedoria. (...) Como secretária de Estado, continuei a confiar em seus conselhos. (...) Robert C. Byrd liderava pelo poder do exemplo, e ele fez melhores funcionários públicos e melhores cidadãos de todos nós que tivemos a honra de servir como seus colegas. Depois de mais de cinco décadas de serviço, ele deixa uma marca indelével no Senado, na Virgínia Ocidental e em nossa nação. Não veremos outro como ele. (...) Esse é o legado de Robert C. Byrd.

É justo supor que Hillary Clinton não considere Robert Byrd um membro "irremediável" de qualquer "cesta de deploráveis". Isso é bom. Afinal, qualquer um de nós tem direito a uma chance de redenção.

Depois dessa digressão, deixe-me abordar a terceira nuance da mensagem do presidente Obama, na qual a ideia de operar com informações incompletas pode ser aplicada mais uma vez. Obama sabe que grande parte das pessoas que votaram nele em 2008 estão muito desapontadas. Ele precisa reconquistar sua confiança e fazê-las acreditar que Hillary entregará o que ele não pôde cumprir. Além disso, algumas pessoas mais jovens – que irão impactar os resultados das eleições por décadas e décadas – devem ser doutrinadas com as teses de Obama. A conquista da lealdade de eleitores jovens é um grande trunfo para qualquer partido político no mundo.

Assim, é necessário estabelecer alguma justificativa para oferecer às multidões de jovens na Flórida – uma que repercuta em todo o país. Ninguém mais adequado para assumir a culpa do que um inimigo obscuro; portanto, o Congresso surge como bode expiatório perfeito, tornando-se uma espécie de caixa de Pandora para a administração infrutífera de Obama. O presidente opera sem problemas nesse ambiente. Barack Obama sempre tira o máximo proveito de suas impressionantes habilidades quando faz campanha, e é particularmente bom em se conectar com eleitores jovens. Ele usa um linguajar bacana, tipo "qual é, cara!", com gestos e linguagem corporal descontraídos. O problema é que o conteúdo em si é vulnerável.

Quando culpa o Congresso por tudo que seu governo não entregou ao povo americano, ele se esquece de lembrar ao público sobre a maioria democrata no Congresso ao ser eleito em 2008. Após isso, com Obama já na Casa Banca, os democratas perderam o comando da Câmara nas eleições de meio de mandato de 2010. Quatro anos depois, nas eleições de meio de mandato de 2014, perderam o comando do Senado. Portanto, podemos inferir que Obama não teve coragem de tomar as medidas necessárias na primeira metade do primeiro mandato. Se um governo não implementa uma agenda auspiciosa e transformadora até a metade do mandato, qualquer empreitada do tipo se torna quase impossível de ser alcançada, porque a alavancagem política do início da jornada tende a desaparecer.

Na frente republicana, Trump está praticando seu mantra para pegar leve. Além disso, suas duas teses mais contundentes contra os democratas são: o presidente abandonou o trabalho e está totalmente concentrado apenas em fazer campanha por uma pessoa sob investigação criminal do FBI; haveria uma crise constitucional no governo Hillary Clinton – pelo menos até as duas investigações absolverem-na.

A grande novidade de hoje no campo republicano é a Sra. Trump, personagem muito simpática, que poderia ter estado mais presente durante todo este ciclo. Sua tarefa agora é deliciar a todos com sua natureza encantadora e atrair mulheres suburbanas decepcionadas por frases que ouviram da boca de Trump, por exemplo, no vídeo do *Access Hollywood*.

A Sra. Trump transmitiu a mensagem de que o Sr. Trump como presidente seria muito mais circunspecto. Melania enviou a mensagem subliminar de que ela seria um refúgio seguro para as mulheres durante a administração Trump. Até certo ponto, Melania assinou contrato próprio com as americanas:

> Sou uma imigrante. E deixem-me dizer (...), ninguém valoriza a liberdade e a oportunidade da América mais do que eu, tanto como mulher independente quanto como alguém que imigrou para a América. (...) Será uma honra e um privilégio servir a este país. Serei uma defensora das mulheres e das crianças. (...) Sou mãe em tempo integral para nosso filho Barron. (...) Enquanto o pai viaja pelo país concorrendo a presidente, estou com nosso filho. Falamos um pouco sobre política e muito sobre a vida, lição de casa e esportes. Barron tem muitos privilégios e vantagens. Nós sabemos o quanto somos afortunados. Ainda assim, tenho as mesmas conversas com meu filho que muitas de vocês têm com seus filhos e filhas, sobrinhos e sobrinhas, netos e afilhados. (...) Precisamos ensinar nossos valores americanos à juventude. Gentileza, honestidade, respeito, compaixão, caridade, compreensão, cooperação.

> Me preocupo com todos os nossos filhos. Como sabemos, agora a mídia social é parte central de nossas vidas, (...) pode aliviar o isolamento que tantas pessoas sentem no mundo moderno. A tecnologia mudou nosso universo. Mas, como tudo que é poderoso, pode ter um lado ruim. (...) Como adultos, muitos de nós somos capazes de lidar com palavras maldosas. Até mentiras. Crianças e adolescentes podem ser frágeis. Eles se machucam quando são ridicularizados ou se sentem diminuídos em aparência ou inteligência. Isso dificulta a vida deles. E pode forçá-los a se esconder e recuar. Nossa cultura se tornou muito cruel e dura demais, especialmente para crianças e adolescentes. Nunca é bom quando uma menina ou menino de 12 anos de idade é ridicularizado, intimidado ou atacado. (...) Temos de encontrar uma maneira melhor de conversar, discordar, respeitar um ao outro. Precisamos encontrar maneiras melhores de honrar e apoiar a bondade básica de nossos filhos, especialmente nas mídias sociais. Esse será um dos principais focos de meu trabalho se eu tiver o privilégio de me tornar sua primeira-dama. Também trabalharei duro para melhorar a vida cotidiana das mulheres.

É um tremendo aceno, em conteúdo e implementação.

4 de novembro, sexta-feira

A média das pesquisas nacionais computada pelo Real Clear Politics mostra:

- Clinton + 1,6 / Clinton, 46,4%; Trump, 44,8%

Hillary está em Ohio, Michigan e Pensilvânia, neste último um dia depois de Melania Trump, o que é uma forma estratégica de contrabalançar a mensagem da esposa de Trump. Ao que parece, alguém da equipe de Hillary concordou comigo sobre a dose suicida colossal. Hillary agora se esforça para parecer mais leve e cheia de alegria. De fato, está conseguindo mudar superficialmente sua aura, o que, considerando tudo o que vimos, é uma melhoria considerável.

Nesse ponto, parece que o material mais pesado ficará principalmente a cargo das propagandas negativas – toneladas delas pairam sobre a cabeça dos cidadãos americanos. Ambos os partidos recorrem aos anúncios tentando provocar todos os tipos de sentimento nos eleitores. A cada dia a eleição parece mais voltada para a emoção.

Enquanto Hillary está mais "de boa", seu principal ativista segue o tom das propagandas. O presidente Obama parece ter assumido o papel de fazer os argumentos finais da campanha, que se resumem a enfatizar o quão terrível é o adversário. Obama continua a fritar Trump pelo temperamento inadequado e a aterrorizar os americanos, enfatizando, por exemplo, a ideia de que Trump pode "jogar os oponentes na cadeia".

Hoje Obama participou de comícios em Fayetteville e Charlotte, na Carolina do Norte. Em Fayetteville, um idoso em traje militar levantou-se na multidão em favor de Trump. Os participantes reagiram verbalmente, e o presidente interveio do palco:

> Ei, esperem aí! Parem aí! (...) Ei, escutem aqui! (...) Ei, já disse para vocês ficarem focados, e neste momento vocês não estão focados. Escutem o que estou falando. Parem aí! Sentem-se todos e fiquem quietos um instante. Agora escutem, sério, escutem! Tem um senhor de idade apoiando o candidato dele. Ele não está fazendo nada. Vocês não têm que se preocupar com ele. (...) Primeiro, vivemos em um país que respeita a liberdade de expressão. Em segundo lugar, parece que ele serviu a nossas Forças Armadas, e temos que respeitar isso. Em terceiro, ele é idoso, e temos que respeitar nossos idosos. E em quarto: não vaiem, votem.

O presidente expressou nítida frustração por perder o controle sobre a plateia. Obama sabia que, se o idoso fosse ferido fisicamente, seria terrível para Hillary. Convém destacar que as palavras usadas pelo presidente para se comunicar com a multidão foram totalmente adequadas.

Juntando forças com Hillary e Obama, hoje Tim Kaine está na Flórida, Joe Biden está em Wisconsin, Sanders está em Iowa e Nebraska, Bill Clinton está no Colorado, e Chelsea está em New Hampshire. Hillary está recebendo ainda um impulso extra de celebridades como Beyoncé, Cher, Jay-Z, Pharrell Williams, Katy Perry, Bon Jovi e Stevie Wonder.

Pharrell Williams usou um argumento particularmente estranho para defender o voto em Hillary: "Ela foi desonesta sobre as coisas? Claro. Vocês não?". Em Cleveland, Ohio, em show com a presença de Hillary, Jay-Z foi por outro caminho, totalmente sem censura no linguajar. Para completar, cantou "No Church in the Wild", cujo videoclipe começa com um homem acendendo e lançando um coquetel Molotov contra a polícia.

No lado republicano, Trump apelou aos eleitores da Flórida, Pensilvânia e Carolina do Norte. Pence fez o mesmo em Michigan, Carolina do Norte e Flórida. Trump está se esforçando para aplacar as críticas sobre não estar qualificado: "Tenho um temperamento vitorioso", proclama. Já comentei que a trajetória empresarial de sucesso de Trump impacta este ciclo. Questões econômicas e a economia em si são elementos centrais em qualquer disputa política nacional.

Curiosamente, a alta no mercado de ações que costuma ocorrer antes das eleições presidenciais não está acontecendo neste ano. Um relatório da CNBC resume o humor do mercado: "Esses comícios resultaram em aumento médio de 1,8% no S&P 500 na semana anterior a todas as eleições presidenciais desde 1928. (...) Se o S&P 500 continuar com o desempenho fraco e for menor após o fechamento da próxima terça-feira, será apenas a terceira vez em 23 eleições presidenciais que o mercado de ações cai na semana anterior. Até ontem, o índice S&P caiu 1,1% desde o fechamento de terça-feira".

Hoje o Dow Jones registrou queda pelo nono dia consecutivo. As outras duas eleições que tiveram um desempenho tão negativo desde 1928 foram em 1968 (Richard Nixon foi eleito) e 1988 (George H. W. Bush foi eleito).

O último boletim econômico antes do dia da eleição foi revelado hoje e trouxe boas notícias para os democratas. O Departamento de Estatísticas do Trabalho informou que a taxa de desemprego do país é de 4,9%. Em outubro, 161 mil novos empregos foram ocupados – 142 mil em empresas e dezenove mil nos governos federais, estaduais e locais. De acordo com uma pesquisa da Bloomberg, os economistas esperavam 175 mil novos empregos para o período. A pergunta é: será que o americano comum sente melhoras no seu dia a dia? É nisso que reside o poder central da candidatura de Trump, independentemente dos indicadores econômicos.

Para concluir, a má notícia de hoje para os democratas veio da CNN. O mapa eleitoral mostrou Hillary abaixo dos 270 votos pela primeira vez. A CNN computou apenas os estados nos quais os resultados podem ser assumidos com mais certeza, prevendo 268 votos eleitorais para Hillary e 204 para Trump. Como o Colégio Eleitoral é composto por 538 votos, há 66 votos à disposição. Quem dá por certo que Hillary Clinton será a 45ª presidente dos Estados Unidos parece mais mal informado do que nunca.

5 de novembro, sábado

A média das pesquisas do Real Clear Politics informa:

- Clinton + 1,5 / Clinton, 46,5%; Trump, 45%

Todos os envolvidos nas candidaturas estão na pista nesta reta final, de reis e rainhas a peões e fanáticos. O personagem principal é chamado cidadão americano (ou eleitor). A CNN informou que começamos o fim de semana com 30 milhões de votos já depositados. Hillary, Trump e seus partidários garimpam cada voto possível; todos investem nos *battleground states*.

O candidato republicano chegou ao último fim de semana sem produzir manchetes polêmicas há muitos dias – provavelmente você deduziu isso, já que eu não trouxe nenhum assunto novo. Trump enfim começou a deixar as coisas acontecerem, renunciando à primazia absoluta nas notícias. O ápice da nova fase foi se abster de dar entrevistas nacionais, conforme informou Bill O'Reilly, da Fox News, ontem à noite.

Trump começou o final de semana proferindo o discurso semanal republicano, a resposta ao discurso semanal do presidente (*Weekly Address*) – quando o cargo é ocupado por um democrata, a cada semana um membro distinto do partido republicano realiza a missão, e vice-versa. Trump afirmou:

> Nos últimos dezessete meses, viajei por toda a nação e conheci pessoas incríveis do nosso país. Suas esperanças se tornaram minhas esperanças, e seus sonhos se tornaram meus sonhos. Isso não é apenas uma campanha, é um movimento. É uma chance única na vida de retirar nosso governo dos doadores e dos interesses especiais e devolver o poder para vocês, o povo americano. (...) É hora de fechar os livros de história sobre os Clinton e abrir um novo e brilhante capítulo, focado nos grandes cidadãos do nosso país. Estou pedindo o voto e a ajuda de vocês para eleger uma maioria republicana no Congresso, para que possamos finalmente mudar esse sistema quebrado e tornar a América grande outra vez. E quando digo grande, quero dizer grande para todos. Muito obrigado.

O primeiro comício de Trump foi em Tampa, na Flórida, onde ele declarou: "Hillary Clinton é a candidata de ontem, nós somos o movimento do futuro". Em Tampa, Trump teve um momento simples e poderoso. Ele viu um bebê no meio da multidão. Caminhou em direção à família, pegou o bebê nos braços e voltou ao palco. O bebê fofinho permaneceu calmo enquanto era abraçado, beijado e erguido por Trump. Ele apresentou o bebê à multidão como "futuro operário da construção civil". Sobre e para os pais, disse: "Fizeram um ótimo trabalho, uau! É um bebê lindo e maravilhoso, parabéns". Esse é um exemplo de empatia que proporciona uma conexão surpreendente não só com os que testemunham o momento em pessoa, mas também para todos os que assistem pela TV. Para fechar o ato, Trump disse: "Esse é um fã precoce de Trump, certo? É um fã precoce dos Estados Unidos! Enfim, de volta ao básico...".

Em meio ao básico, Trump zombou da linguagem de Jay-Z no show de Hillary na noite anterior: "Eu realmente gosto de Jay-Z, mas vocês sabem, o linguajar de ontem à noite. Oh. Oh. Fiquei pensando, quem sabe eu tento? Devo usar esse linguajar em um evento? Conseguem imaginar se eu dissesse aquilo? Não vou usar nem as iniciais porque vou me meter em encrenca, vão me encrencar. Ele usou tudo que é palavrão ontem à noite".

O que não faz parte do básico é Melania Trump apresentar o marido em comícios. Ocorreu hoje pela primeira vez, em Wilmington, na Carolina do Norte:

> Conheço este homem, Donald Trump, há dezoito anos. (...) Donald é um marido, pai e avô maravilhoso. Ele é forte, determinado, audacioso e decidido. (...) Donald se importa profundamente com este país, não podia mais ficar sentado e permitir que se perdessem os empregos americanos e que os americanos ficassem cada vez menos seguros. (...) Senhoras e senhores, por favor digam olá para o meu marido e futuro presidente dos Estados Unidos, Donald Trump!

Em vez de apresentar o marido como o próximo presidente, Melania disse "futuro presidente". É uma espécie de comentário atemporal; caso Trump não conquiste a Presidência em 2016, a apresentação de Melania permanecerá válida para futuras tentativas.

À noite, durante um evento em Reno, Nevada, Trump foi retirado do palco por agentes do serviço secreto depois que alguém na plateia gritou "arma". Uma pessoa que segurava um cartaz dizendo "Republicanos contra Trump" foi levada sob custódia, mas nenhuma arma foi encontrada. Enquanto isso, a multidão gritava "USA, USA". De volta ao palco, Trump comentou: "Ninguém disse que seria fácil para nós, mas nunca irão nos fazer parar. Nunca, jamais, serei parado. (...) Quero agradecer ao serviço secreto. Esses caras são fantásticos, não recebem crédito suficiente". O episódio foi positivo para Trump. Ele ficou à altura da ocasião ao não explorar o fato.

No campo democrata, a dinâmica do dia foi uma repetição do que temos visto. O impressionante, para mim, foi descobrir a enorme operação logística por trás dos shows de Hillary para estimular os eleitores a votar. Esses eventos são para isso. Vou explicar.

As plateias dos grandes shows oferecidos pela campanha de Hillary, cheios de celebridades e com entrada franca, têm que... Bem, é melhor ouvirmos a explicação da estrategista democrata Mary Anne Marsh. Sem qualquer constrangimento, ela detalhou o estratagema durante uma entrevista na noite de hoje, no programa *Justice with Judge Jeanine*, da Fox News:

> Esses eventos realmente produzem votos. Todo mundo que vai aos eventos acaba votando depois. Você tem que pegar o ingresso pessoalmente. Inevitavelmente, você vai buscar o ingresso em frente a um ponto de cadastramento eleitoral e a um local de votação. Quando o evento acaba, você sai e vota. Se o local de votação fica a mais de alguns quarteirões, colocam você em ônibus de traslado para ir até lá. Então, estão se produzindo votos depois de todos esses eventos, e essa é a grande diferença aqui. (...) É muito inteligente.

Como podemos ver, nada é de graça. Na verdade, durante os shows, as celebridades costumam fazer uma pausa para pedir à multidão que vote em Hillary – geralmente ao lado da candidata. O discurso contém todos os tipos de argumento. Parece que esse exército de celebridades representa os argumentos finais de Hillary.

Fiquei impressionado porque não fazia ideia de que no *anno Domini* de 2016 o partido governante da mais rica democracia da Terra colocaria em prática um meio tão frívolo e fugaz de contentamento da massa, historicamente conhecido como pão e circo. De acordo com a Wikipédia, o termo "pão e circo" remonta à *Sátira 10* do poeta romano Juvenal (c. ano 100) e:

> Faz referência à prática romana de fornecer trigo de graça aos cidadãos romanos, bem como dispendiosos jogos de circo e outras formas de entretenimento, como meio de obter poder político. (...) No caso da política, a frase é usada para descrever a geração de

> aprovação pública não por meio de serviço público ou de políticas públicas exemplares ou excelentes, mas pela diversão, distração ou mera satisfação das exigências imediatas e superficiais de uma população, como um paliativo.

Vejo que a verdadeira questão da versão democrata de pão e circo de 2016 é que talvez não seja tão inteligente quanto alguns estrategistas pensam. Os figurões democratas se esqueceram de atender a primeira e mais importante regra da equação: o pão. Assim, no cenário de escassez de pão, mesmo com todas as celebridades fazendo grandes elogios a Hillary, as pessoas desfrutando do entretenimento oferecido e agentes democratas encurralando cidadãos em cabines de votação a fim de que votem sob a influência de um sentimento de gratidão pelo divertimento, o estratagema pode ter efeito nulo.

Acredito que meu ponto foi bem resumido pela afro-americana Brunell Donald-Kyei, vice-presidente da Coalizão Nacional de Diversidade para Trump, em entrevista à Fox News:

> Donald Trump está dizendo (...) "olha, não vou entretê-los, mas o que vou fazer é...", de modo que todos os americanos, sejam negros, brancos, hispânicos, árabes, tenham uma chance no sonho americano. (...) Isso é o importante para os eleitores negros. Você não pode comer um Jay-Z. Você não pode colocar todas aquelas outras celebridades nas mamadeiras do seu bebê para alimentá-lo.

O contraste é agudo. E logo saberemos com certeza qual caminho os americanos vão escolher.

6 de novembro, domingo

Vamos ver como duas atrações matinais da TV estão definindo este momento das eleições. Na CNN, Jake Tapper, do *State of the Union*, afirma: "O estado da nossa união está na reta final, a poucas horas de o povo americano escolher um novo presidente". Na ABC News, George Stephanopoulos, do *This Week*, corrobora e vai além: "Restam 48 horas de uma campanha que foi tudo menos normal: imprevisível, amarga e feia. Dois dos candidatos menos apreciados da história lutando duro com muita coisa em jogo". Acredito que sejam representações corretas do humor geral da nação.

Em um mundo binário, ou seja, em um ecossistema dominado por dois partidos, as vantagens exibidas nas pesquisas favorecendo determinado candidato são das mais fugazes. Se presumirmos que qualquer ponto percentual perdido por um concorrente vai para o outro, superávits positivos devem ser tomados por apenas 50% do seu valor nominal. Levando isso e tudo o que sabemos em conta, afirmo que esse teste de nervos de fato irá até o último segundo.

Neste ponto, a dança dos dois candidatos e de seus correligionários de primeira classe fica absolutamente frenética. As agendas podem mudar de hora em hora, como resultado da análise e compreensão das tendências mais recentes do eleitorado. É indiscutível que existem várias mutações ainda em andamento. Portanto, os concorrentes devem dar a impressão de estar em todos os lugares, persuadindo e acolhendo aqueles que se decidem tardiamente. Nesse quesito Hillary tem uma vantagem esmagadora, com seu esquadrão incomparável de partidários.

Outra característica que contribui para as escolhas de destino dos candidatos neste estágio é o fato de alguns *battleground states* não permitirem a votação antecipada, ou seja, 100% desses eleitorados ainda estão teoricamente disponíveis. Por causa disso, Michigan, Pensilvânia, Virgínia e New Hampshire estão duplamente no olho desse furacão político de categoria 5. Isso pode nos ajudar a entender as programações de Trump e Hillary para hoje. O candidato republicano tem Michigan, Pensilvânia, Virgínia, Minnesota e Iowa na agenda. A democrata tem Pensilvânia, New Hampshire e Ohio.

Já sabemos que o principal militante de Hillary, o presidente Obama, está em todo lugar não apenas fisicamente, mas também por meio de incontáveis entrevistas. Como também sabemos, o presidente não mede palavras na tentativa de persuadir os americanos a votar em Hillary. Obama está usando parte de seu discurso final para dar um aviso enfático: "Neste momento, qualquer um que fique à margem ou decida por um voto de protesto é um voto para Trump. E isso seria muito prejudicial para este país e seria prejudicial para o mundo. Então, sem complacência desta vez. Saiam dessa!". Sabemos que assegurar alta participação de seus eleitores está entre as principais preocupações democratas, pois é vital para a preservação da muralha azul e, portanto, para a vitória.

Nessa espécie de "Sunday Bloody Sunday", enquanto o "U2" – Hillary e Trump – luta as últimas batalhas do álbum chamado *War*, seria inteiramente justo o povo americano se juntar a Bono Vox cantando: "I can't believe the news today" (Não consigo acreditar nas notícias de hoje). A novidade é mais uma carta enviada pelo diretor do FBI, James Comey, ao Congresso:

> Escrevo para complementar minha carta de 28 de outubro de 2016, que notificou que o FBI estaria tomando medidas investigativas adicionais com relação ao uso de um servidor de *e-mail* pessoal pela ex-secretária de Estado Clinton. Desde a minha carta, a equipe de investigação do FBI tem trabalhado 24 horas por dia para processar e revisar um grande volume de *e-mails* de um dispositivo obtido em conexão com uma investigação criminal não relacionada. Durante esse processo, inspecionamos todas as comunicações para ou de Hillary Clinton enquanto era secretária de Estado. Com base em nossa inspeção, não mudamos as conclusões que expressamos em julho em relação à secretária Clinton. Sou muito grato aos profissionais do FBI por fazerem uma quantidade extraordinária de trabalho de alta qualidade em um curto período de tempo.

Assim, a investigação do servidor de *e-mail* pessoal de Hillary é novamente fechada. A investigação reaberta de modo tão inesperado há nove dias agora é completa e inesperadamente fechada outra vez. Acredito que seja justo declarar: o mundo político olha para o diretor do FBI – de novo. Quando este ciclo eleitoral estiver concluído, o debate sobre ele continuará. Todos os tipos de avaliações serão feitos, e acredito que, seja qual for a ideologia do analista, todos concordarão que James Comey foi um personagem central dessa peça. Não consigo imaginar outra pessoa que tenha sido demonizada e canonizada com a mesma veemência que Comey pelos dois principais partidos políticos do país – e tudo durante a mesma campanha. Agora o ciclo se reinicia, e democratas e republicanos trocarão de papéis mais uma vez.

Nos nove dias entre as duas cartas ao Congresso, Trump aproveitou a situação. Teve a chance de cristalizar sua mensagem para os eleitores indecisos e fazer com que os republicanos o respaldassem como nunca. Já havia um nítido movimento nessa direção, mas o impulso positivo assegurado pela primeira carta do diretor do FBI é inegável.

A bordo do navio democrata, doravante todos os marinheiros compartilharão a mesma tarefa: trabalhar contra o relógio para garantir que todos os passageiros estejam bem informados da decisão do chefe do FBI. Infelizmente para os democratas, parte do dano é irreversível. Para ilustrar o esforço gigantesco de divulgar a notícia: mais de oito horas depois da divulgação da nova carta, a CNN ainda anunciava o fato como saindo do forno. Durante esse período, a CNN exibiu quase que permanentemente na barra da tela: "Notícia de última hora: FBI inocenta Clinton – de novo".

O domingo singular chegou ao fim com Hillary em campanha em Manchester, New Hampshire, e Trump em Leesburg, Virgínia. Ambos ajustaram suas narrativas à carta inesperada.

7 de novembro, segunda-feira

É véspera do último dia de votação – chegou o momento das últimas declarações. É também o dia de nossos relatórios finais sobre as pesquisas e previsões. Às 16h, o mapa do Real Clear Politics aponta vitória democrata amanhã, por 301 a 237. Quanto aos nossos onze *battleground states* em específico, a projeção é de que a chapa democrata vença em sete (Colorado, Flórida, Michigan, New Hampshire, Pensilvânia, Virgínia e Wisconsin) e a republicana em quatro (Carolina do Norte, Iowa, Nevada e Ohio).

Aqui estão as médias das pesquisas nacionais de novembro pelo Real Clear Politics e os números dos *battleground states*.

- 1º de novembro: Clinton + 2,2 / Clinton, 47,5%; Trump, 45,3%
- 2 de novembro: Clinton + 1,7 / Clinton, 47%; Trump, 45,3%
- 3 de novembro: Clinton + 1,3 / Clinton, 46,6%; Trump, 45,3%
- 4 de novembro: Clinton + 1,6 / Clinton, 46,4%; Trump, 44,8%
- 5 de novembro: Clinton + 1,5 / Clinton, 46,5%; Trump, 45%
- 6 de novembro: Clinton + 1,8 / Clinton, 46,6%; Trump, 44,8%
- 7 de novembro: Clinton + 3 / Clinton, 47,2%; Trump, 44,2%

- Carolina do Norte: empate em 44% (*The New York Times*/Siena, 4 a 6 de novembro) (margem de erro de 3,5%)
- Colorado: Clinton + 5 / Clinton, 48%; Trump, 43% (Public Policy Polling, 3 a 4 de novembro (margem de erro de 3,7%)
- Flórida: Clinton + 1 / Clinton, 46%; Trump, 45% (Universidade Quinnipiac, 3 a 6 de novembro) (margem de erro de 3,3%)
- Iowa: Trump + 7 / Clinton, 39%; Trump, 46% (*Des Moines Register*, 1º a 4 de novembro) (margem de erro de 3,5%)
- Michigan: Clinton + 5 / Clinton, 46%; Trump, 41% (Fox 2 Detroit/Mitchell Research, 3 de novembro) (margem de erro de 3,1%)
- Nevada: Clinton + 1 / Clinton, 47%; Trump, 46% (Faculdade Emerson, 4 a 5 de novembro) (margem de erro de 3,9%)
- New Hampshire: Clinton + 1 / Clinton, 45%; Trump, 44% (Faculdade Emerson, 4 a 5 de novembro) (margem de erro de 3%)
- Ohio: Trump + 7 / Clinton, 46%; Trump, 39% (Faculdade Emerson, 4 a 5 de novembro) (margem de erro de 3,2%)
- Pensilvânia: Clinton + 4 / Clinton, 44%; Trump, 40% (*The Morning Call*/Faculdade Muhlenberg, 30 de outubro a 4 de novembro) (margem de erro de 5,5%)
- Virgínia: Clinton + 6 / Clinton, 48%; Trump, 42% (Universidade Christopher Newport, 1º a 6 de novembro) (margem de erro de 3,6%)
- Wisconsin: Clinton + 8 / Clinton, 49%; Trump, 41% (Remington Research, 1º a 2 de novembro) (margem de erro de 1,9%)

Creio ser oportuno ver como os outros dois candidatos a presidente – Gary Johnson (Partido Libertário) e Jill Stein (Partido Verde) – se situam neste momento. Assim, vamos conferir os resultados de duas pesquisas divulgadas hoje.

Os números do Bloomberg Politics são: 44% Clinton, 41% Trump, 4% Johnson, 2% Stein, 3% não vão votar, 1% não tem certeza/não lembra, 4% não querem dizer. Foram entrevistados 799 prováveis eleitores, e a margem de erro é de 3,5%. O total não é de 100% devido ao arredondamento.

Os números da Fox News são: 48% Clinton, 44% Trump, 3% Johnson, 2% Stein, 0% não vai votar, 1% não sabe e 2% outras respostas. Foram entrevistados 1.410 eleitores cadastrados, e a margem de erro é de 2,5%.

Considerando as margens de erro, as duas pesquisas indicam empate em nível nacional – com inclinação para os democratas – e um gigantesco espaço de manobra. Sabemos que as eleições presidenciais não são decididas pela maioria dos votos populares nacionais – como já explicamos –, mas é pertinente informar os números, pois eles podem influenciar os ainda indecisos.

Na campanha eleitoral, as famílias Obama e Clinton organizam um evento juntas hoje: Barack, Michelle, Hillary, Bill e Chelsea. O comício de estrelas terá shows de Jon Bon Jovi e Bruce Springsteen. O local é o Salão da Independência (Independence Hall), o coração da Filadélfia, cidade que sediou a convenção democrata em julho e a estreia solo de Obama na campanha, em setembro. A Filadélfia é o berço da nação, e a Pensilvânia é um estado onde os democratas têm obrigação de vencer. Ainda hoje, Obama vai a Michigan e New Hampshire, Hillary passa por Michigan e pela Carolina do Norte, e o candidato a vice, Tim Kaine, se concentra em seu estado, a Virgínia.

Mike Pence, o vice de Trump, faz um giro por Minnesota, Michigan, Pensilvânia, New Hampshire e volta para Michigan. Trump começa uma blitz por cinco estados na Flórida, seguindo para a Carolina do Norte, Pensilvânia, New Hampshire e Michigan. Os destinos implicam a última ofensiva dos republicanos sobre a muralha azul e a ação defensiva dos democratas. Amanhã descobriremos qual estratégia foi mais eficaz.

Hillary Clinton e Donald Trump passaram o dia apresentando seus argumentos finais para os eleitores. O que ocorre de diferente na véspera do dia da eleição são os clássicos comícios da meia-noite (*midnight rallies*). Na verdade, Hillary e Trump subiram ao palco para seus *midnight rallies* já no dia 8.

À 0h44, Hillary e sua família apareceram no palco em Raleigh, Carolina do Norte, precedidos por Lady Gaga e Jon Bon Jovi. A candidata democrata explicou em seu discurso o tipo de América que os eleitores deveriam escolher, e suas últimas palavras na campanha foram as seguintes:

> Então, quero que vocês saibam e quero que vocês espalhem: eu quero ser presidente de todos os americanos, não de apenas alguns, não apenas das pessoas que me apoiam e votam em mim. Quero ser presidente de todos porque todos nós temos um papel a desempenhar na construção de um futuro melhor para o nosso país e para cada um de vocês. Então, se vocês ainda não votaram, acessem iwillvote.com. Vocês podem obter todas as informações de que precisam. E vocês ainda podem se inscrever para ser voluntários. Certo? Vão até hillaryclinton.com ou enviem um texto para *join*, j-o-i-n, para 47246 ou para um de nossos escritórios. Convidamos vocês para ajudar a garantir que todos saiam para votar amanhã, porque nenhum de nós quer acordar na quarta-feira de manhã e desejar ter feito mais. Certo? Daqui a alguns anos, quando seus filhos e netos perguntarem o que vocês fizeram em 2016, quando tudo estava em jogo, vocês poderão dizer que votaram por uma América mais forte, mais justa e melhor. Uma América onde construímos pontes, não muros, e onde provamos conclusivamente que, sim, o amor supera o ódio! Obrigada! Vamos votar, Carolina do Norte! Deus abençoe vocês! Muito obrigada a todos.

Donald Trump realizou seu comício da meia-noite em Grand Rapids, Michigan, ao lado do companheiro de chapa, Mike Pence. Trump subiu ao palco à 0h32. O candidato republicano explicou em seu discurso por que os eleitores deveriam escolhê-lo para liderar o país, e suas últimas palavras na campanha foram as seguintes:

> Estamos lutando por todos os cidadãos que acreditam que o governo deve servir ao povo, não aos doadores, não aos interesses especiais. E estamos lutando para nos unir como americanos; estamos vivendo em uma nação dividida, estamos vivendo em uma nação muito dividida. Vamos nos unir. Imaginem o que nosso país poderia realizar se começássemos a trabalhar juntos, como um só povo, sob um único Deus, saudando a bandeira americana. Certo? Estou pedindo para vocês sonharem alto. Porque, com o voto de vocês, estamos a apenas algumas horas da mudança que vocês esperaram a vida inteira. Então, para todos os pais que sonham com seus filhos e para todas as crianças que sonham com seu futuro, digo estas palavras para vocês nesta noite: eu estou com vocês, lutarei por vocês e vencerei por vocês. Eu prometo. Nesta noite, para todos os americanos em todas as nossas cidades e em todos os nossos povoados, prometo a vocês mais uma vez: juntos, tornaremos a América rica outra vez, tornaremos a América forte outra vez, tornaremos a América segura outra vez e tornaremos a América grande outra vez! Obrigado a todos! Obrigado! Deus abençoe a todos! Vão para a cama, vão já para a cama, levantem-se e votem! Obrigado a todos! Obrigado, Michigan! Nós amamos todos vocês! Nós voltaremos! Vamos ganhar! Obrigado!

Deixe-me observar como a mídia avaliou os argumentos finais dos dois candidatos, e o *New York Times* é uma perfeita representação disso: "Otimismo de Hillary Clinton e obscuridade de Donald Trump no final da campanha".

Enquanto Hillary e Trump faziam seus clássicos comícios da meia-noite, outra tradição, a votação da meia-noite (*midnight voting*), começava em New Hampshire. A lei do estado permite às localidades com menos de cem eleitores abrir as urnas à meia-noite. As três comunidades que se enquadram na categoria são Dixville Notch, Hart's Location e Millsfield. Assim que todos os eleitores registrados nesses povoados votam, as urnas são fechadas e os votos são contados. Há uma espécie de competição por trás dessa tradição, e o orgulho de ser o primeiro local do país a declarar os resultados da votação.

Dixville Notch foi a primeira a fechar a apuração. "Hillary Clinton derrotou Donald Trump por 4–2. O libertário Gary Johnson recebeu um voto, e o candidato republicano de 2012, Mitt Romney, recebeu um voto-surpresa escrito na cédula. Na vila ligeiramente maior de Hart's Location, Clinton venceu Trump por 17-14. Johnson teve três votos; Bernie Sanders e John Kasich tiveram um voto escrito na cédula cada um. E, em Millsfield, Trump teve uma expressiva vitória por 16-4, com um voto escrito para Bernie Sanders", informou o *USA Today*, anunciando: "Trump assume liderança por 32-25 em New Hampshire na votação da meia-noite".

Como acabamos de respirar esse primeiro ar de decisão, gostaria de aludir ao que denominei de "um partidarismo por vez" no Capítulo 2. Talvez o lado reverso do bipartidarismo disfuncional americano seja a consistência, por assim dizer, dos dois principais partidos. Em teoria, creio eu, as eleições no país são principalmente a escolha de um partido, e não de um candidato. Ou seja, quando os cidadãos americanos votam em determinado candidato presidencial, sabem as políticas que tal pessoa implementará.

Posso estar sendo impreciso, mas é assim que avalio o quadro político-ideológico dos Estados Unidos. Vejo grande mérito nesse aspecto; no entanto, devido às características muito singulares deste ciclo e dos dois principais candidatos, a situação pode não ser exatamente assim desta vez. Refiro-me ao fato de que, junto ao hemisfério de políticas bem conhecidas, existe uma zona de miscigenação e mutação que traz certa indefinição ao pacote que poderia ser realizado por uma presidente Clinton ou um presidente Trump. Só teremos condições de entender plenamente o pacote quando o vencedor começar a exercer o poder da caneta presidencial.

6

O DIA DA ELEIÇÃO

Hoje é o dia D, e a hora H está prestes a chegar. Essa maravilhosa campanha política atinge seu clímax – a hora é agora! Hoje é terça-feira, 8 de novembro de 2016, nosso último dia de votação. Que jornada até chegar a este momento... Na capital da nação, o sol nasce às 6h43 e se põe às 16h59. É um dia nublado, a temperatura ao amanhecer é de 4,4ºC, e a máxima é de 20ºC. No entanto, em toda a nação a temperatura atingirá o ponto de ebulição, que para a água é de 100ºC.

De acordo com o Projeto Eleitoral dos Estados Unidos (United States Elections Project – USEP), a população elegível para votar é de 231.556.622. Vamos manter em mente o fato de que, ao falarmos de eleitores e população em geral, falamos de vidas – as maiores estrelas a serem consideradas nessa coisa toda. O nosso último dia de votação começa com 47.015.596 cédulas já depositadas, conforme o USEP. Esse número inclui votos antecipados e votos à distância, considerando os relatórios de todas as juntas do país. Assim, pode-se dizer que o dia começa com cerca de 20% das eleições já concluídos. Dependendo do comparecimento, esse percentual pode disparar.

Hillary e Bill Clinton chegaram à Escola Elementar Douglas G. Grafflin, perto de sua casa em Chappaqua, Nova York, pouco depois das 8h. Uma turma de entusiastas saudou o casal, amplamente fotografado enquanto votava, é óbvio. Hillary definiu a sensação de votar em si mesma como "um sentimento de profunda humildade" e prometeu: "Eu sei quanta responsabilidade isso acarreta. O que significa para o nosso país. (...) Farei o melhor que puder, se tiver sorte o suficiente para vencer hoje".

Três horas depois, Donald Trump, sua filha Ivanka e sua esposa, Melania, chegaram à Escola Pública 59 de Manhattan, em Nova York. Como Nova York é predominantemente liberal, a multidão não estava muito entusiasmada com a presença deles. Na verdade, os outros eleitores reclamaram porque o local teve de ser fechado para atender aos critérios de segurança. Enquanto votava lado a lado com Melania, Trump foi pego espiando a cédula da esposa. Com certeza esse momento será implacavelmente explorado em tiradas cômicas. Trump declarou: "Estamos muito animados. É uma excelente oportunidade. Há um tremendo entusiasmo de todos, você vê por toda parte".

Ambos os candidatos fazem suas festas da vigília/vitória em Nova York. Hillary realiza seu evento a partir das 18h no Centro de Convenções Jacob K. Javits, um gigantesco prédio de vidro com um átrio de teto de vidro, a representar a quebra do teto de vidro (*break the glass ceiling*) que ainda evita que os Estados Unidos elejam uma mulher para a Presidência. Às 16h45, Hillary deixou sua casa, a cerca de 55 quilômetros do Central Park, com uma enorme comitiva. Trump permaneceu com a família e os assessores mais próximos, na Trump Tower, na 5ª Avenida, onde sua casa e seu escritório estão localizados. Sua festa será virando a esquina, no New York Hilton Midtown, a partir das 18h30.

Donald Trump e Hillary Clinton estão administrando a justificável ansiedade a cerca de três quilômetros de distância um do outro. É a primeira vez desde a Segunda Guerra Mundial que tal circunstância ocorre com os candidatos dos dois maiores partidos. A proximidade provoca preocupações adicionais de segurança. Caminhões-caçamba cheios de areia cercam os locais das festas e a Trump Tower, formando uma barricada de proteção em caso de bombardeio. No final da noite, espera-se que os dois candidatos façam seus discursos – seja o discurso da vitória, seja o de admissão da derrota.

Às 17h, as primeiras enquetes de boca de urna são divulgadas, e a mídia começa a fazer todo tipo de projeção. Às 19h, as primeiras sessões eleitorais são fechadas, e começa a apuração. Nesse momento, o índice do *New York Times* – Chance of Winning Presidency – prevê 80% de chance de vitória de Hillary e 20% de Trump. Durante a hora seguinte, só há incertezas. Especulações de todo tipo e muita tensão somam-se a uma nota de surpresa: os analistas estão espantados, pois Hillary não expande sua liderança como por eles esperado. Na verdade, a contagem está bem apertada. Às 20h15, as curvas gráficas de Hillary e Trump no *New York Times* mostram uma pequena aproximação de um para o outro, e às 21h a previsão de vitória é de 66% para Hillary e 34% para Trump.

Às 21h06, ouvi alguém admitir pela primeira vez a possibilidade de Trump ser eleito. Chris Wallace, da Fox News, diz: "Ele pode ser o próximo presidente". Antes das 21h30, as duas curvas do *New York Times* se encontram. Antes das 22h, Trump já está significativamente à frente, com 61% de chance de vitória, contra 39% de Hillary.

Que momento! Os especialistas passaram meses e meses explicando o caminho impossível de Trump para a Presidência. Agora, começam a detalhar o caminho improvável de Hillary para a Presidência. O jogo virou.

A Bloomberg informa: "Futuros do S&P 500 despencam com o peso mexicano enquanto os votos nos Estados Unidos são contados".

Um mundo aturdido assiste aos acontecimentos. Meu WhatsApp é inundado, muitos amigos me pedem ajuda para decifrar o que estão testemunhando. Um sentimento de tensão colossal está se transformando em absoluta incredulidade. A audiência global foi informada durante meses de que Hillary seria a próxima presidente com 100% de certeza. Agora essa noção está em colapso.

Às 23h, a projeção do *New York Times* é de mais de 95% de chance de vitória de Trump contra menos de 5% de Hillary. Às 23h30, a Fox News projeta a vitória de Trump em Wisconsin e Iowa, o que garante 238 votos para Trump no Colégio Eleitoral contra 209 de Hillary. A Geórgia também fica vermelha, e a contagem de Trump sobe para 254 contra 209 de Hillary.

Estou emocionado. Lamento a manifestação abrupta, mas é a realidade. Vou tentar explicar. Tenho vivido esta disputa de uma forma tão intensa e longa que não há palavras adequadas para descrever. Desde 8 de setembro de 2015, dedico horas incontáveis a este projeto todos os dias. Embora cada um dos quase 7,5 bilhões de habitantes da Terra tenha observado a disputa pelo menos de passagem, meu esforço tem sido absolutamente solitário. Para ser preciso, não é tão solitário se eu considerar meus pensamentos, meu *laptop* e, o mais importante, minha família, sempre ao meu redor. Agora o ápice desta jornada está batendo à porta – e, para mim, isso de fato é comovente. Agradeço por sua compreensão.

Enquanto escrevo estas linhas, tenho minha esposa, Melaine, e meus filhos, Iago e Caique, aqui ao meu lado. Iago está superinteressado em descobrir todos os detalhes e animado com o resultado prestes a ser confirmado. Caique se vira para mim e pergunta: "Pai, quando o Trump ganhar, posso estourar um balão?". "Com certeza meu amor!", respondo. Sim, meus dois filhos são simpatizantes de Trump. Quanto a mim, no final deste livro vou esclarecer onde me situo na equação democrata-republicano-independente.

Neste instante, não vejo mais volta. Donald John Trump assumirá como o 45º presidente em 20 de janeiro de 2017. No entanto, como não é oficial, vamos manter entre você e mim. Trump previu que seria "Brexit mais, mais, mais". E assim é.

Ao lembrar as últimas declarações de Barack Obama e Hillary Clinton há cerca de 24 horas, percebo que o povo americano respondeu com um sonoro "não". Tenhamos em mente que todos os simpatizantes democratas que decidiram não votar foram um membro silencioso desse coro ensurdecedor.

A gerente de campanha de Trump, Kellyanne Conway, posta no Twitter: "Coisas que eram verdade: voto não declarado em Trump, @mike_pence para vice-presidente, o piso e o teto de Hillary são iguais, as multidões em comício importam, expandimos o mapa". Ela está correta. O mapa vermelho de fato se expandiu – a muralha azul colapsou.

Às 2h02 de 9 de novembro, o gerente de campanha de Hillary, John Podesta, sobe ao palco do Centro de Convenções Jacob K. Javits. O local estava perfeitamente arrumado para a incrível celebração da quebra do teto de vidro quando Hillary Clinton se tornasse a primeira mulher presidente. O palco é uma miniatura do mapa dos Estados Unidos. Tudo é impressionante e glamouroso. A exceção é o anúncio de Podesta:

> Bem pessoal, sei que vocês estão aqui já faz tempo. Foi uma longa noite, e foi uma longa campanha. Mas podemos esperar um pouco mais, não podemos? Ainda estamos contando votos, e todos os votos contam. Vários estados estão próximos demais para computar, então não teremos nada a dizer hoje à noite. Então me escutem. Todos devem ir para casa, vocês devem dormir um pouco. Teremos mais a dizer amanhã. (...) Ela [Hillary] fez um trabalho incrível e ainda não deu por encerrado.

Hillary Clinton não apareceu, e a derrota não foi reconhecida. Depois de tanta controvérsia sobre Trump se recusar a aceitar os resultados desta eleição, é uma situação irônica. No entanto, com tanta coisa em jogo, vejo a prudência de aguardar até mesmo as maiores probabilidades se transformarem em certezas conclusivas.

O presidente eleito Donald Trump e o discurso *Urbi et orbi*

Está se aproximando a hora em que os caminhos das corujas e dos madrugadores se cruzam. Às 2h21, a imprensa informa que Donald Trump chegou ao New York Hilton Midtown. A apreensão aumenta. Ninguém sabe o que Trump vai fazer ou dizer. Não há informações confiáveis. É uma espécie de caça ao tesouro em busca de pistas. Enquanto procuramos a agulha no palheiro, devemos nos controlar e evitar agir como uma biruta em dia de fortes ventos. Com certeza posso testemunhar esse comportamento por parte da mídia.

Finalmente, às 2h40, Danna Bash, da CNN, informou que está concluído. Hillary Clinton telefonou para Donald Trump e reconheceu a vitória dele. Ato contínuo, mudei para a Fox News, que anunciava: "Donald Trump conquista a Presidência".

O episódio expõe a mais recente descortesia da candidata democrata. Em nome de Hillary Clinton e, podemos supor, autorizado por ela, o gerente de campanha John Podesta afirmou às 2h02 que ela ainda não considerava a disputa encerrada. Dezenove minutos depois, Trump está no Hilton. Nesse ínterim, nada mudou na contagem de votos. O candidato republicano teria saído da Trump Tower antes de receber o telefonema de Hillary? É possível, mas eu diria que é muito improvável.

Infelizmente, as evidências sugerem que o eleitorado de Hillary foi enganado de forma premeditada; não só os participantes que esperaram horas e horas sob aquele singular teto de vidro para ver Hillary "quebrá-lo", mas também os milhões que estavam assistindo em suas casas e em estabelecimentos públicos por todo o país. Os participantes enganados deixaram o Centro Jacob Javits, e o teto permaneceu intacto. Quanto aos telespectadores, quem desligou a TV ou foi tirar uma soneca confiando no conselho de Podesta logo perceberá que foi enganado. Isso é muito desrespeitoso com o eleitorado – vidas.

Como estamos testemunhando uma virada política fenomenal e histórica, vamos nos concentrar nisso.

Às 2h44, o vice-presidente eleito, Mike Pence, subiu ao palco com sua família e às 2h47 apresentou o próximo presidente. Donald J. Trump entrou com toda a família e seus assessores próximos para aplausos em massa. Às 2h50 o presidente eleito iniciou o que, embora não seja um pronunciamento papal, considero uma espécie de discurso *Urbi et orbi*:

> Muito obrigado a todos. Desculpem por manter vocês esperando; negócio complicado, complicado. Muito obrigado. Acabei de receber uma ligação da secretária Clinton. Ela nos parabenizou – isso é sobre nós, sobre a nossa vitória, e eu parabenizei a ela e sua família por uma campanha de muita luta, muito dura. Quero dizer, ela, ela lutou muito duro. Hillary trabalhou muito e muito duramente durante um longo período de tempo, e temos com ela uma grande dívida de gratidão por seu serviço ao nosso país. Digo isso muito sinceramente.
>
> Agora é hora de a América suturar as feridas da divisão; de se juntar. Para todos os republicanos, democratas e independentes

por toda esta nação, eu digo que é hora de nos unirmos como um só povo. Está na hora. Prometo a todos os cidadãos de nossa terra que serei presidente de todos os americanos, e isso é muito importante para mim. Para aqueles que optaram por não me apoiar no passado, que foram uns poucos [risos], (...) estou indo a vocês em busca de orientação e ajuda para que possamos trabalhar juntos e unificar o nosso grande país.

Como eu disse desde o início, a nossa não foi uma campanha, mas sim um grande e incrível movimento, formado por milhões de homens e mulheres trabalhadores que amam seu país e querem um futuro melhor e mais brilhante para si e para suas famílias. É um movimento composto de americanos de todas as raças, religiões, origens e crenças que querem e esperam que o nosso governo sirva às pessoas, e servir às pessoas ele irá. (...)

Ao mesmo tempo, nos daremos bem com todas as outras nações dispostas a se dar bem conosco. Teremos ótimos relacionamentos. (...) Quero dizer à comunidade mundial que, embora colocando sempre os interesses da América em primeiro lugar, lidaremos de forma justa com todos, com todos – todas as pessoas e todas as outras nações. Buscaremos bases em comum, não hostilidade; parceria, não conflito. (...)

Embora a campanha esteja encerrada, nosso trabalho nesse movimento está começando agora. Vamos começar a trabalhar imediatamente para o povo americano. E vamos fazer um trabalho que espero que deixe vocês muito orgulhosos de seu presidente. Vocês ficarão muito orgulhosos. Mais uma vez, é uma honra. Foi uma noite incrível. Foi um período incrível de dois anos. E eu amo este país. Obrigado. Muito obrigado. Obrigado a Mike Pence. Obrigado.

Trump falou por quinze minutos. Para todos que sempre exigiram um Trump presidencial, aí está ele. O presidente eleito foi tão gentil quanto é possível. Assim, começou a combater uma percepção quase unânime durante a campanha: quem quer que vencesse se tornaria o presidente mais impopular de todos os tempos. Legitimado pelo que parece uma ampla vitória, Trump propôs um recomeço e acenou de forma amigável para todas as outras nações do mundo. Do meu ponto de vista, as palavras iniciais foram impecáveis. Agora é imperativo que ele desencadeie uma onda de ações auspiciosas.

Por falar em ondas, o que acaba de ocorrer nos Estados Unidos foi um verdadeiro tsunami. Vermelho. Trump é o líder de fato de um movimento tsunami, e o Partido Republicano é um componente, e não a onda em si. O Partido Republicano está sendo reinventado, e o arauto que se tornou o legítimo presidente veio do nada para vencer uma eleição que gerará uma profunda mudança no sistema político-institucional do país – em inglês esses casos são descritos pelo termo *realigning election*, eleição de realinhamento.

Portanto, neste momento, você e eu estamos trocando olhares com a história. E agora, grato por ter vivenciado essa oportunidade única, vou dormir um pouco. São 4h22 da quarta-feira 9.

7

TRUMP CONQUISTA A AMÉRICA E ASSOMBRA O MUNDO

Após a minha rápida soneca, aqui estamos nós: oficialmente no dia após a eleição.

Incorporei em minha vida a ideia de que devemos sempre nos perguntar quando foi a última vez que fizemos algo pela primeira vez. Essa é uma boa métrica para mim; quanto mais recente a última vez em que fiz algo pela primeira vez, melhor me sinto.

Tendo esse conceito como uma forma de restaurar o vigor juvenil, depois de uma campanha de 511 dias, hoje Donald John Trump se torna um adolescente de 70 anos de idade. Afinal de contas, ele ganhou não apenas uma eleição política pela primeira vez em sua vida, mas também a votação mais importante do mundo. Eu também acrescentaria que a disputa de 2016 está em uma posição de destaque entre todas – uma *realigning election*, como já vimos, e uma bem especial. Deixe-me explicar a razão disso.

Inicialmente, é oportuno recapitular algumas citações. O ex-presidente Bush afirmou: "Temo ser o último presidente republicano". Tim Kaine, o vice de Hillary, profetizou "uma vitória muito grande e histórica para Hillary Clinton". Nada disso aconteceu.

Os americanos decidiram colocar Trump na Casa Branca e garantiram ao seu partido o controle da Câmara e do Senado. Assim, ele irá nomear ministros para a Suprema Corte que devem ser confirmados sem problemas. No curto prazo, a primeira nomeação para o assento vago do ministro

Antonin Scalia, falecido em fevereiro de 2016, quebrará o atual empate de 4 a 4 em muitas questões polêmicas. Ao longo do mandato presidencial de quatro anos, que podem se tornar oito, Trump pode reformular a Suprema Corte com mais duas ou mesmo três indicações.

Dessa maneira, o resultado Trump-republicano na eleição assegurou o domínio no Legislativo por pelo menos dois anos, garantiu a predominância no Executivo por pelo menos quatro anos e proporcionou a maioria no Judiciário por muitos anos, talvez por uma geração. As repercussões na mais alta corte do Judiciário desempenham papel fundamental na vida dos americanos e podem moldar e remodelar toda a nação. Por isso, acredito ser bastante justo declarar que esta foi uma eleição de pleno realinhamento.

Donald Trump está com 70 anos e 149 dias de idade. *Ceteris paribus*, será o presidente de mais idade a assumir o cargo. Trump superará Ronald Reagan, que permanecerá como o presidente de mais idade no cargo, que deixou aos 77 anos e 349 dias de idade.

Agora que a disputa de 2016 é coisa do passado, o elemento central não são mais os partidos e candidatos. Neste momento, o que importa é a Presidência e o país. O vencedor deve ser sábio o suficiente para ir ao encontro da nação, cortejar e persuadir a todos. Reafirmo que o presidente eleito deu um pontapé inicial muito bom, com o discurso perfeito para a ocasião. Agora é a hora da ação!

A fórmula básica é a apresentação de uma visão ainda mais inspiradora e a seguir a implementação desta. Isso é imperativo para impedir que o tecido social seja dilacerado e para assegurar a restauração da fé entre a maioria dos cidadãos americanos. Agora Trump terá de lidar com todo o *establishment* que tão selvagemente criticou, e vice-versa. Esse é apenas o conjunto elementar de fatores que o presidente terá de administrar.

Nada mais típico do que Trump começar o dia com uma postagem no Twitter: "Que noite linda e importante! O homem e a mulher esquecidos nunca mais serão esquecidos. Vamos nos unir como nunca antes", publicou ele às 3h36 de 9 de novembro. Posso estar errado, mas algo me diz que desta vez Trump não será atacado por postar no meio da madrugada. Ironias à parte, o futuro presidente herdará a conta do Twitter da Presidência, que tem mais de 11 milhões de seguidores. A conta pessoal de Trump tem mais de 13 milhões de seguidores.

O atual presidente fez uma ligação para o sucessor. Obama convidou Trump para uma reunião na Casa Branca amanhã, quinta-feira, dia 10. O presidente age de modo impecável. Essa é a melhor maneira de iniciar uma transição suave do poder.

Embora não seja necessário dizer, permita-me ressaltar que paira no ar a sensação de uma ressaca mastodôntica. Parte considerável do mundo está paralisada. Os democratas e todos os que apoiavam Hillary estão petrificados. Já está aberta a temporada de acusação de culpados dentro da campanha de Hillary.

Entre os especialistas, 99% estão inconsoláveis. Depois de tantos meses expressando a mesma ladainha, ensinando às pessoas o que deveriam fazer, os "estudiosos", se você preferir, foram ignorados pelos americanos mais simples. Os analistas de pesquisa não conseguiram captar o impacto do "movimento tsunami". O enorme espaço de manobra, por exemplo, nas margens de erro das pesquisas, não justifica o erro dramático. Esses analistas já estão se reinventando, definindo-se agora como "especialistas em comunicação".

A mídia está procurando desculpas para a sua cegueira. Com essa ação em curso, a criatividade vazia prepondera. De modo desconcertante, a mídia está fazendo engenharia de obra pronta. Vejamos as manchetes de quatro jornais:

Dia 8

- *USA Today*: "Finalmente chegou o dia da decisão"
- *The New York Times*: "Embate final com rajadas na blitz pelos *battleground states*"
- *The Washington Post*: "Depois dos discursos finais, a hora da verdade para a nação ansiosa"
- *The Wall Street Journal*: "Clinton e Trump batalham até o fim"

Dia 9

- *USA Today*: "Força de Trump provoca assombro na eleição"
- *The New York Times*: "Corrida para a Presidência depende da contagem em um punhado de estados"
- *The Washington Post*: "Trump triunfa"
- *The Wall Street Journal*: "Decisão em aberto até o último instante"

Aqui não faremos engenharia de obra pronta. Não vou gastar páginas e páginas lutando para explicar as razões pelas quais Donald Trump foi eleito o 45º presidente. Primeiro, porque expor esses motivos é o que tenho feito desde o início, registrando os fatos e pensamentos que tentam esclarecer esses eventos. Qualquer um que esteja familiarizado com o conteúdo deste livro poderia definir o desfecho dessa eleição como algo como o resultado óbvio que foi negligenciado. Segundo, porque os historiadores e pessoas em geral passarão anos desenvolvendo todo tipo de tese sobre o que acabou de ocorrer.

Deixe-me ser bem claro: considero a conquista de Trump fruto de uma convergência e combinação de todos os possíveis fatores favoráveis. Trump tinha todas as probabilidades a seu desfavor, e ele as desafiou e as derrotou. Por favor, não confie em ninguém que tenha uma razão única para explicar o que aconteceu. Ela não existe. A vitória de Trump é como um quebra-cabeça de um milhão de peças que se encaixaram suavemente no instante perfeito – pouco antes de o jogo acabar. Tudo esmagadoramente negligenciado, apesar de óbvio, portanto, inesperado e chocante. É uma experiência única na vida.

Considerando tudo isso, acredito ser útil fazer uma lista com algumas dessas peças para que nos ajude a relembrar certos acontecimentos. Assim, cada um de nós pode ficar à vontade para dissecar em particular, a sós, as nuances e as minúcias desses aspectos-peças, construindo assim uma lógica própria que melhor elucide essa vitória-derrota:

- Alto comparecimento republicano nas urnas *versus* baixo comparecimento democrata.

- Principal atributo de Trump: o que você vê é o que você leva *versus* o principal atributo de Hillary: "Em busca de Hillary. (...) A mulher superfamosa cujos assessores dizem que ninguém conhece" e "talvez não exista uma pessoa real por baixo".
- Uma mensagem direta e clara, que aborda questões complexas usando poucas e simples palavras colocadas em frases curtas, *versus* uma mensagem vaga, apresentada em explicações longas demais, que se tornavam muito chatas e difíceis de digerir.
- Agenda de segurança nacional e crescimento econômico *versus* falta de agenda distinta, basicamente concorrendo por um terceiro mandato, ou candidata do legado de Barack Obama e Bill Clinton.
- A disseminação de direitos econômicos emergentes *versus* a disseminação de direitos civis bem conhecidos, com foco, por assim dizer, em coisas repugnantes como sexismo, racismo e misoginia.
- Agente de mudança *versus* mais do mesmo.
- Um neófito *versus* uma antiga camarada muito suspeita.
- Um independente, arrojado e batalhador principiante *versus* uma experiente especialista, morna, fazendo campanha com a certeza da vitória.
- Uma escolha feita pela base *versus* imposição de cima para baixo.
- Grandes comícios com multidões animadas *versus* plateias pequenas e pouco entusiasmo.
- Eleger a mídia "corrupta e desonesta" como inimiga pessoal e pública *versus* ter a mídia como grande aliada e protetora.
- Aproveitar a audiência plural de todas as mídias *versus* rejeitar a interação com a parte desfavorável da mídia.
- Uma atitude espontânea de saturação com o politicamente correto *versus* desempenho teatral engessado pelo roteiro previamente definido.
- Abordagem ousada, não ideológica e abrangente *versus* moderação antiquada.
- Reimplementação do conceito de "liderar pelo poderio" *versus* a manutenção de uma estratégia de "liderar pela retaguarda".

- Jogar o jogo da reforma *versus* manter o *status quo*.
- Jogo digital *versus* o tradicional jogo em campo.
- Na reta final, uma estratégia de ser legal e bacana, ficar firme, sem desvios, *versus* um modelo colossalmente suicida.
- Em contato com a realidade (eficazmente instigando a base conservadora) *versus* fora da realidade ("ela [Hillary] parece não saber em que planeta vivemos").
- A tendência Brexit. Seria justo dizer que tanto o Brexit quanto Trump ter instigado a base conservadora com êxito foram expressão parcial do fato de que, enquanto as metrópoles estão indo muito bem, o campo nem tanto.
- Surpresas de outubro: o WikiLeaks desmascarou a "salsicha política" preparada no mundo de Hillary; o FBI foi a gota d'água.
- O voto para Trump em segredo, a fim de evitar a condenação social.
- Eleitores que demoraram a se decidir escolheram Trump.
- O iminente colapso do Obamacare, a única iniciativa doméstica de Obama sustentada por lei.
- O servidor de *e-mail* privado de Hillary e a percepção de que os Clinton jogam pelas próprias regras.
- A Fundação Clinton e a percepção de que os Clinton estão acima da lei.
- Alegações de pagamento para ter acesso e de corrupção vinculadas aos Clinton.
- O envelhecimento cronológico e mental dos líderes democratas em geral.
- O pecado mortal de Obama de não ter promovido nenhum novo líder transformador.
- Os democratas escolherem um candidato do passado para liderar o futuro.
- O desmantelamento do Partido Democrata.
- O fator Bernie Sanders.
- Estratégia "100% de 100%" bem-sucedida de Trump.

- Os americanos acolheram a ideia de um líder sincero e genuíno, que diz como é de acordo com a forma dele de avaliar as coisas. Também acolheram a ideia de um empreendedor eficiente, que faz mais gastando menos.
- O "trumpismo" é pragmático – tornar a América grande outra vez – e sugere um renascimento da nação.
- "A América primeiro" é uma proposta aberta ao mundo. Centra-se em um capitalismo nacionalista, que tem como sustentáculo a geração de emprego e a pujança econômica. O comércio internacional baseia-se em certa dose de protecionismo e prioriza acordos bilaterais a multilaterais, permitindo que os Estados Unidos melhor aproveitem seu poder de fogo.
- Os americanos refutaram a ideia de que os políticos precisam de uma posição pública e outra privada e disseram "não" à falta de credibilidade.
- Saturação de desordens civis e prevalência da lei e da ordem.
- Oposição ao *establishment* e à classe política.
- Restauração da honestidade na política e fim da corrupção: "drenar o pântano".
- Rejeição da estrutura que funciona como "produção de salsicha", desejo de consertar o "sistema manipulado".
- Robustez militar, reconstrução do atual propagado esgotamento.
- Política firme de imigração, simbolizada na ideia de construir uma muralha na fronteira com o México.
- Segurança nacional como preocupação de nível máximo.

Fiquei surpreso com o fato de a dívida pública – praticamente igual a um PIB, próximo dos US$ 20 bilhões – permanecer uma questão periférica nas discussões deste ciclo político. Parece que não é uma preocupação que mantenha os americanos acordados à noite, e arrisco dizer que a maior razão disso é o fato de o dólar ser a principal moeda de reserva do mundo.

Curiosamente, o primeiro presidente a ser eleito prometendo tornar a América grande outra vez não foi Trump, mas Bill Clinton. Em 3 de outubro de 1991, em Little Rock, Arkansas, o então governador lançou sua candidatura a presidente na eleição de 1992. Na ocasião, concluiu o discurso afirmando: "Acredito que juntos podemos tornar a América grande outra vez. Com sua ajuda, seu coração, sua devoção e seu esforço, podemos construir uma comunidade de esperança que irá inspirar o mundo. Deus os abençoe, e muito obrigado".

Trump conferiu uma ênfase totalmente diferente para a frase. Não obstante, ele e Bill Clinton conseguiram saborear um gosto notável. Afinal, como disse o general norte-americano Douglas MacArthur (1880–1964), "não há substituto para a vitória".

O discurso de Hillary Clinton reconhecendo a derrota

São 10h20 de quarta-feira, 9 de novembro. Aguardamos a primeira aparição de Hillary Clinton encerrada a eleição. Ela está prestes a deixar o elegante Península Hotel, na 5ª Avenida, 700, onde passou a noite. A apenas 125 metros, no número 725, fica a Trump Tower, que agora está em adaptação. Barreiras de segurança de concreto mais forte e outros elementos estão sendo instalados, já que o futuro presidente reside e trabalha no prédio.

As ações em curso nos dois locais são muito discrepantes. Vencedor e derrotada estão fisicamente mais próximos do que nunca, mas suas auras temporárias não poderiam ser mais distantes e distintas. A situação tem uma semelhança satírica com o mundo dos jogadores em geral, em que uma conquista saborosa e um amargo revés são separados pelo ínfimo mais sutil. Assim é a vida!

Para o discurso de reconhecimento da derrota (*concession speech*), Hillary trocou o simbólico teto de vidro do Centro de Convenções Jacob Javits pelo New Yorker Hotel – a novecentos metros de distância. Às 11h34, Tim Kaine sobe ao palco. Às 11h40, Hillary Diane Rodham Clinton finalmente aparece, junto com Bill e Chelsea. E declara para os americanos e para o mundo:

> Ontem à noite, parabenizei Donald Trump e me ofereci para trabalhar com ele em nome de nosso país. Espero que ele seja um presidente bem-sucedido para todos os americanos. Esse não é o resultado que queríamos ou para o qual trabalhamos muito, e lamento que não tenhamos vencido esta eleição. (...) Eu sei o quão decepcionados vocês se sentem, pois eu também assim me sinto. E também dezenas de milhões de americanos. (...) É doloroso e será por muito tempo. (...) Vimos que nossa nação está mais profundamente dividida do que pensávamos. Mas ainda acredito na América e sempre acreditarei. E, se vocês também acreditam, então devemos aceitar esse resultado e então olhar para o futuro. Donald Trump será nosso presidente. Devemos a ele uma mente aberta e a chance de liderar. Nossa democracia constitucional consagra a transferência pacífica de poder. (...) Nós não apenas respeitamos isso. Nós apreciamos isso.

Ótimo! Hillary fez um discurso adequado. Incluí acima apenas o núcleo benigno, é claro. Estou ignorando, por exemplo, quando ela se virou para seus partidários e disse: "Vocês representam o melhor da América". Bem, não estou mais ignorando, já que acabei de mencionar. Contudo, não vou interpretar o que está implícito na sentença, nem acrescentar menções potencialmente controversas feitas pela candidata derrotada.

Para concluir, Hillary tem 69 anos e 10 dias de idade, e de certa forma sua mensagem continha a ideia de passar o bastão. Isso é inevitável. Quando não somos autocríticos o bastante, a realidade bate à nossa porta e impõe à força a sua amargura. A realidade se instaurou.

A mensagem do presidente Barack Obama

Na mesma manhã, o presidente Barack Obama também transmitiu sua mensagem. Corretamente, o presidente esperou Hillary Clinton finalizar o pronunciamento dela. Eram 12h20 quando Obama e o vice, Joe Biden, se aproximaram da tribuna no Rose Garden da Casa Branca. O presidente dirigiu-se à nação e à comunidade internacional:

> Boa tarde a todos. Ontem, antes de os votos serem contados, gravei um vídeo (...) em que eu disse ao povo americano, (...) independentemente de o seu candidato ganhar ou perder, o sol nasceria de manhã. E esse foi um belo prognóstico que realmente se tornou realidade: o sol já está alto. Eu sei que todos tiveram uma longa noite. Eu também tive. Tive a oportunidade de conversar com o presidente eleito Trump na noite passada, por volta das 3h30, para parabenizá-lo por ter vencido a eleição. E tive a oportunidade de convidá-lo para vir à Casa Branca amanhã para conversar sobre como garantir uma transição bem-sucedida entre nossas presidências. Agora, não é segredo que o presidente eleito e eu temos algumas diferenças bastante significativas. Mas instruí minha equipe a seguir o exemplo que a equipe do presidente Bush estabeleceu oito anos atrás e trabalhar o máximo possível para garantir que esta seja uma transição bem-sucedida para o presidente eleito, pois agora todos estamos torcendo por seu sucesso em unir e liderar o país. A transição pacífica do poder é uma das marcas da nossa democracia. E nos próximos meses, vamos mostrar isso ao mundo. Eu também tive a oportunidade de conversar com a secretária Clinton ontem à noite e ouvir seus comentários. (...) Todo mundo fica triste quando seu lado perde uma eleição. Mas no dia seguinte temos de lembrar que estamos todos em um único time. É um torneio intramuros. Não somos democratas antes de tudo. Não somos republicanos antes de tudo. Somos antes de tudo americanos. Somos antes de tudo patriotas. Todos queremos o

> melhor para este país. Foi o que ouvi nas observações do Sr. Trump na noite passada. Foi o que ouvi quando conversei diretamente com ele. E fiquei animado com isso (...) e estou ansioso para fazer tudo o que puder para garantir que o próximo presidente seja bem-sucedido. Eu já disse antes: penso neste trabalho como uma corrida de revezamento – você pega o bastão, corre a sua melhor corrida na esperança de, no momento de passar o bastão, estar um pouco mais à frente, ter feito um pequeno progresso. Posso dizer que fizemos isso, e quero garantir que a passagem seja bem executada, porque no final estamos todos no mesmo time. Certo? Muito obrigado a todos.

O presidente se expressou com grandiosidade; ele costuma ser muito feliz com as palavras. Cumprir o necessário protocolo altruísta está longe de ser um passeio para Barack Obama. O presidente e seu sucessor vêm se atacando há anos. Sabemos quão severo o ativista Obama foi com o candidato Trump nos últimos dias. Os dois não se suportam. No entanto, isso não importa. A cordialidade pós-eleitoral é obrigatória. Os americanos falaram, e a democracia agora está no banco do motorista, conduzindo a nação. No momento em que essa robusta democracia assume o comando, Barack Obama e Donald Trump deixam de ser os protagonistas. Viva a democracia!

Alguns resultados e algumas conclusões

Agora é um momento oportuno para conferir alguns resultados da 58ª eleição presidencial quadrienal. Por "resultados" me refiro a um pouco mais do que os números, mais do que o significado direto desse substantivo. Vamos verificar quem conseguiu grandes resultados.

O presidente dos Estados Unidos com certeza não obteve uma resposta notável a seus apelos. A estratégia de desconsiderar o mau cheiro, prender o nariz e votar em Hillary Clinton foi totalmente contraproducente. O último recurso ocorreu durante uma entrevista à MSNBC em 6 de novembro, quando Obama apelou: "Nem tudo na vida tem que ser inspirador.

Às vezes você faz apenas o que tem de fazer e pronto. E uma das coisas que vocês precisam fazer agora é se certificar de votar em Hillary Clinton". Pouco antes do fim do jogo, Obama reconheceu em público o quanto a candidatura de Hillary era morna. E ele fez isso apenas como uma tentativa de estimular a ação de sua base.

Por um lado, essa fala exibe uma boa dose de contradição com a retórica ao longo da campanha, quando Obama afirmou incansavelmente que "nunca houve nenhum homem ou mulher mais qualificado para esse cargo do que Hillary Clinton, jamais. E essa é a verdade". Por outro lado, torna mais provável do que nunca a minha tese de que o presidente Obama conduziu o processo para evitar ser ofuscado por um grande sucessor democrata. Portanto, um candidato democrata "não inspirador", para dizer o mínimo, se encaixava nas pretensões de Obama como uma luva. Por isso acredito que Hillary era a sucessora dos sonhos de Obama.

Quanto ao fracasso da estratégia de Obama, talvez a prova mais visível tenha vindo dos *battleground states*. Deixe-me lembrar o que gravei na véspera da eleição: "O mapa eleitoral do Real Clear Politics aponta uma vitória democrata amanhã, por 301 a 237. Quanto aos nossos onze *battleground states*, a projeção é de que a chapa democrata vença em sete (Colorado, Flórida, Michigan, New Hampshire, Pensilvânia, Virgínia e Wisconsin) e a republicana em quatro (Carolina do Norte, Iowa, Nevada e Ohio)". Foi o contrário. Os eleitores deram sete *battleground states* para os republicanos (Carolina do Norte, Flórida, Iowa, Michigan, Ohio, Pensilvânia e Wisconsin) e quatro para os democratas (Colorado, New Hampshire, Nevada e Virgínia).

Hillary acabou com menos eleitores do que o Real Clear Politics havia projetado para Trump, que assim venceu com um número maior de votos do que o previsto para a democrata. A votação popular gerou 306 votos para Trump–Pence e 232 para Clinton–Kaine no Colégio Eleitoral.

Em última análise, Hillary e Obama não conseguiram evitar a desintegração da muralha azul, causada pela rachadura desencadeada pelo dilúvio de Trump.

O movimento tsunami que rompeu a muralha foi impulsionado por uma coalizão operária propensa a certo populismo; isto é, homens, mais brancos, não tão jovens, sem diploma universitário e mais residentes suburbanos e rurais. A inundação de Trump também foi levada adiante por substancial participação dos evangélicos.

Nos sete *battleground states* recém-conquistados pelos republicanos, os eleitores de classe média de seus subúrbios e áreas rurais que haviam votado em Obama em 2008 desta vez escolheram Trump. É nesses estados que podemos localizar o epicentro da vitória de Trump.

Hillary Clinton obviamente não foi capaz de obter um resultado notável ou bem-sucedido. O Partido Democrata ofereceu os anos 1990 aos eleitores, e eles encontraram outro lugar para ir. Junto com os democratas, os ocupantes da Casa Branca nos últimos 28 anos apoiaram essa oferta de passado chamada Hillary Clinton. Estou errado? Talvez. Vamos então verificar. Para fazer isso, temos que somar: quatro anos de George H. W. Bush; oito anos de Bill Clinton; oito anos de George W. Bush; e oito anos de Obama, ou seja, 28. Em resumo, o primeiro presidente afro-americano e duas dinastias políticas dos Estados Unidos acabaram de cair.

É uma enorme derrota para o *establishment*. Até onde posso compreender, o *establishment* pode ser mais bem definido e é visto pelos americanos mais simples como uma superclasse de elite com direito intrínseco a todo tipo de exclusivos privilégios que são negados aos demais. Por inúmeros motivos, Hillary incorpora esse conceito.

É claro que Trump também era um membro pleno dessa sociedade. No entanto, Trump veio a público e assinou seu decreto de emancipação, prometendo utilizar sua sagacidade e conhecimento acumulado para enfrentar seu antigo ecossistema e trabalhar para as pessoas comuns. Podemos afirmar sem hesitação que a ideia foi muito bem compreendida e acolhida. O cidadão comum que se sente impotente para consertar o "sistema manipulado" escolheu Trump para fazê-lo. Assim, Trump veio a ser o principal inimigo público da classe dominante, incitou milhões de cidadãos que estavam fartos de ser marginalizados e criou uma vitória esmagadora histórica.

Para enfrentar essa nova realidade, o Partido Democrata precisa de mais do que um momento de avaliação – precisa de uma autópsia. Só depois poderá buscar o renascimento adequado. Nesta nova fase, todos os democratas devem cumprir integralmente um novo mandamento fundamental: levarás Donald Trump a sério.

É possível alguém discordar e alegar que o Partido Democrata e Hillary Clinton ganharam na votação popular em todo o país. Isso é totalmente verdade. Hillary Clinton teve 65.794.399 de votos; Donald Trump, 62.955.202. Mas isso é totalmente irrelevante. Vou explicar por quê. Nem Hillary nem Trump fizeram campanha em busca de votos populares em geral. Ambos buscavam votos eleitorais nos *battleground states*. O projeto de Trump foi o vitorioso e com plena legitimidade.

Desde 1787, a Constituição estabelece que o vencedor é quem acumula maioria no Colégio Eleitoral. Assim, como já vimos, a eleição presidencial norte-americana não é uma competição nacional única; de fato, são 51 disputas, nos cinquenta estados e em Washington, D.C.

Donald Trump não é o primeiro a vencer uma eleição presidencial de forma justa e honesta com menos votos populares do que o principal adversário, mas o quinto. Os demais foram John Quincy Adams (sexto presidente, 1824), Rutherford B. Hayes (19º presidente, 1876), Benjamin Harrison (23º presidente, 1888) e George W. Bush (43º presidente, 2000). Para ser preciso, embora tais resultados tenham sido legais de acordo com a Constituição, foram até certo ponto controversos e questionáveis.

8

A TRANSIÇÃO OBAMA–TRUMP

Os Estados Unidos têm dois presidentes. Barack Hussein Obama II é o atual presidente até as 11:59:59 de 20 de janeiro de 2017. Entretanto, a partir de agora, embora detendo pleno poder, é basicamente o presidente de direito. Donald John Trump é o próximo presidente dos Estados Unidos, do meio-dia de 20 de janeiro de 2017 até as 11:59:59 de 20 de janeiro de 2021. Entretanto, a partir de agora, é o presidente de fato.

Independentemente disso, só um presidente por vez tem plena competência para "cumprir os poderes e deveres do ofício". Aquele que detém o poder deve cumprir o mandato e nunca baixar a guarda; caso contrário, o país pode ter dois meio-presidentes e nenhum por inteiro. Um eventual vácuo de liderança é potencialmente prejudicial e pode ser mais agudamente percebido em momentos de crises internas e externas.

Talvez o principal ato impactante e irreversível que o presidente de direito ainda produzirá seja o perdão de Hillary Diane Rodham Clinton e seus assessores. Anteriormente observei que Obama poderia estar planejando conceder o perdão caso Hillary se tornasse presidente. Agora vou considerar a possibilidade sob as circunstâncias atuais.

A determinação amenizaria parte da agonia causada pela derrota que Hillary de modo algum esperava e evitaria problemas criminais para ela. Haveria outras repercussões abrangentes; entre essas, o fato de que o presidente de saída estaria de certa forma auxiliando o presidente de fato. No momento em que o presidente de fato se tornasse também de direito, não teria que cumprir sua promessa de campanha de prender Hillary Clinton. Então, como o perdão pode trazer também certo alívio a Trump, Obama deverá optar pelo mais cômodo: simplesmente deixar tudo como está.

Na sequência desse preâmbulo, permitam-me abordar o encontro simbólico e tradicional entre os dois presidentes. Obama recebeu Trump na Casa Branca na manhã ensolarada e amena da quinta-feira 10 de novembro.

O presidente e seu sucessor são os mesmos que se digladiaram de modo feroz na arena pública nos últimos anos e cuja rivalidade atingiu o auge nas últimas semanas. A brutalidade dos ataques pessoais mútuos traz um componente único para o encontro no Salão Oval da Casa Branca a portas fechadas. Infelizmente não somos moscas na parede.

Às 9h, o presidente eleito saiu da Trump Tower seguido por uma grande comitiva até o aeroporto La Guardia. Antes do particular Boeing 757 decolar, às 9h44, dois veículos de bombeiros da Autoridade Portuária lançaram um arco gigante de água sobre o avião. O gesto é conhecido como "saudação da água" – tradicionalmente uma homenagem ao Air Force One, e também pode ser usado para saudar oficiais militares e líderes internacionais. Após um voo de 42 minutos, a aeronave pousa às 10h26 no aeroporto doméstico de Washington, D.C. – o Ronald Reagan, situado na realidade em Arlington, Virgínia.

Nesse momento, o Fox Business Network informa que as ações das cinco grandes empresas de tecnologia estão afundando na NASDAQ: Amazon.com, -5,23%; Facebook, -4,89%; Alphabet Inc. (Google), -3,58%; Apple, -2.44%; Microsoft, -1,94%. As grandes corporações financeiras vão na direção oposta: Citi, +3,8%; SunTrust, +3,9%; Bank of America, +4,6%; JP Morgan Chase, +4,7%; Wells Fargo, +7,9%.

Decidi incluir esses números para você ter um gostinho do que está acontecendo enquanto escrevo. Como a vitória de Trump foi uma surpresa avassaladora, os mercados refletem as incertezas inerentes ao resultado. Também houve queda acentuada durante a noite de 8 para 9 de novembro, mas durante o dia pôde ser observada uma reviravolta drástica nas ações nos

Estados Unidos. Os mercados nem sempre são lógicos, mas o surto de alta faz mais sentido e deve ser a tendência predominante. Afinal, o presidente eleito é um empreendedor de sucesso do setor privado.

Trump foi pontual no primeiro compromisso extraordinário; sua comitiva entrou na Casa Branca às 10h50 – a reunião estava marcada para as 11h. Às 11h02 a imprensa informou que os dois líderes estavam conversando no Salão Oval. Enquanto isso, a primeira-dama, Michelle Obama, mostrava a residência presidencial para a sucessora, Melania Trump.

O primeiro encontro cara a cara de Obama e Trump foi muito mais longo do que o planejado. Às 12h42 as primeiras imagens foram divulgadas, mostrando os dois presidentes sentados em poltronas. Atrás deles, um retrato de George Washington e uma lareira. Às 12h46 foi divulgado um vídeo gravado, no qual o presidente comenta:

> Acabo de ter a oportunidade de ter uma excelente conversa com o presidente eleito Trump. Foi ampla, conversamos sobre algumas das questões organizacionais a serem providenciadas na Casa Branca. Conversamos sobre política externa, falamos de política interna. Como eu disse ontem à noite, minha prioridade número um nos próximos dois meses é tentar facilitar uma transição que garanta que nosso presidente eleito seja bem-sucedido. E fui muito encorajado pelo interesse do presidente eleito Trump em querer trabalhar com minha equipe em muitas das questões que este grande país enfrenta. Acredito que seja importante para todos nós, independentemente de partidos e preferências políticas, trabalhar juntos agora para lidar com os muitos desafios que enfrentamos. Enquanto isso, Michelle teve a chance de recepcionar a próxima primeira-dama, e tivemos uma excelente conversa com ela também. Queremos ter certeza de que eles se sintam bem-vindos enquanto se preparam para a transição. Acima de tudo, quero enfatizar para você, senhor presidente eleito, que agora vamos querer fazer tudo o que pudermos para ajudá-lo a ter sucesso, porque, se você for bem-sucedido, o país será bem-sucedido.

A seguir Obama cede a palavra a Trump, que diz:

> Bem, muito obrigado, presidente Obama. Era para ser uma reunião de uns dez ou quinze minutos, mas estávamos apenas começando a nos conhecer. Nunca havíamos nos encontrado – eu tenho grande respeito; a reunião durou quase uma hora e meia e, no que tange a mim, poderia ter continuado por muito mais tempo. Realmente, discutimos muitas situações diferentes, algumas maravilhosas e algumas difíceis. Quero muito tratar com o presidente no futuro, inclusive aconselhamento. Ele explicou algumas das dificuldades, alguns dos ativos em alta e algumas das coisas realmente ótimas que foram alcançadas. Então, senhor presidente, foi uma grande honra estar com você, e aguardo estar com você muitas, muitas vezes mais no futuro.

"Obrigado a todos, não vamos responder perguntas", encerrou Obama, e, virando-se para Trump, disse: "Uma regra que sempre é boa: não responda quaisquer perguntas quando começam a falar alto todos juntos".

Observando o que transpareceu da reunião ao grande público, ambos empregaram uma linguagem corporal razoavelmente amigável e palavras perfeitamente adequadas. No entanto, não posso deixar de notar que eles mal se entreolharam e que não houve imagens dos dois casais juntos. Ainda assim, Trump e Obama reforçaram a mensagem que agora ressoará pelo país e no cenário mundial. Sublinho que não se trata mais de pessoas, mas de instituições sólidas; os dois ativistas cederam lugar aos dois estadistas, pelo menos por enquanto. Para coroar o momento, trocaram um aperto de mãos.

Trump deixou a Casa Branca às 12h52 e fez uma parada de uma hora no Comitê Nacional Republicano. Foi um ato de reconhecimento e empoderamento do partido e de seu presidente, Reince Priebus. No discurso de vitória, Trump já havia feito uma referência especial a Priebus, ao convidá-lo a dizer "algumas palavras". A declaração de Priebus resume seu discernimento: "Senhoras e senhores, o próximo presidente dos Estados Unidos, Donald Trump. Obrigado. Foi uma honra. Deus abençoe. Graças a Deus".

Às 13h54, o presidente eleito chegou ao Capitólio para um almoço. Foi recebido pelo presidente da Câmara, Paul Ryan, e pelo vice-presidente eleito, Mike Pence, que será também o próximo presidente do Senado. O almoço ocorreu na asa sul, Câmara dos Deputados, e depois os dois líderes eleitos caminharam para a asa norte, o Senado; ali conversaram com o líder da maioria, Mitch McConnell. A futura primeira-dama também participou dos eventos no Capitólio.

Enquanto a agenda na Casa Branca teve por base a democracia americana e questões práticas da transição, no cardápio do Congresso constou a relação entre os poderes Executivo e Legislativo. Nesse momento, a preservação do saudável sistema de pesos e contrapesos deve estar em mente, afinal, haverá apenas um partido controlando esses dois poderes a partir da posse de Trump.

A principal intenção prática é promover uma cooperação harmônica entre os dois poderes independentes, garantindo o bom funcionamento da próxima administração. No curto prazo, a cooperação concentra-se na agenda de cem dias do presidente eleito, focada em três frentes principais: imigração, sistema de saúde e emprego.

Cem dias iniciais prósperos serão cruciais para a administração promover a cura de uma nação dividida e ferida. Quanto mais cedo os não apoiadores sentirem resultados positivos, maiores as chances de terem uma mente mais aberta em relação ao novo governo. Será também um período para o novo governo mostrar à sua base original de apoio que a plataforma de campanha está sendo cumprida.

As reuniões de hoje marcaram o início da transição. O vice-presidente, Joseph Robinette Biden Jr., recebeu seu sucessor, Michael Richard Pence. Para finalizar esta seção e resumir o dia de sonho transformado em realidade de Trump, o "presidente do Twitter" postou: "Um dia fantástico em D.C. Encontro com o presidente Obama pela primeira vez. Realmente um bom encontro, ótima química. Melania gostou muito da Sra. O!".

"Não é nosso presidente"

Enquanto o presidente eleito começa a montar sua administração, há várias formalidades a serem cumpridas. Após a eleição, o vencedor é chamado de presidente eleito (*president-elect*). No entanto, a terminologia mais adequada seria presidente designado (*president-designate*). Sendo preciosista, devo dizer que Donald J. Trump é o presidente designado, que se tornará presidente eleito assim que as formalidades institucionais inerentes ao processo do Colégio Eleitoral forem concluídas.

Neste momento é oportuno retratar reações extremadas por conta da vitória de Trump. Houve protestos por todo o país. "Não é o nosso presidente" e "Love trumps hate" (O amor supera o ódio) são os lemas mais comuns.

Depois de um processo tão brutal e demorado, é aconselhável que todos se alinhem ao resultado. É uma boa política em termos individuais e também coletivos. É a coisa certa a fazer pelo bem de toda a nação. O presidente eleito abordou as ocorrências no Twitter: "Acabamos de sair de uma eleição presidencial muito aberta e bem-sucedida. Agora, manifestantes profissionais, incitados pela mídia, estão protestando. Muito injusto!", e: "Adoro o fato de que os pequenos grupos de manifestantes de ontem à noite tenham paixão pelo nosso grande país. Vamos nos unir juntos e nos orgulhar!".

Enquanto certa grosseria violenta, prejudicial e desnecessária ocorre em cidades de todo o país, várias universidades se unem à irracionalidade. Vamos deixar de lado as marchas contraproducentes nos *campi* contra o resultado da eleição e focar no comportamento de certos professores. Docentes de muitos estados estão alterando as aulas, adiando tarefas e avaliações e fazendo o que podem para abrandar a agenda dos alunos. "Universidades tentam confortar alunos transtornados pela vitória de Trump", publicou o *Wall Street Journal*, enquanto o *New York Post* anunciou: "Alunos perturbados recebem cães de terapia para lidar com vitória de Trump".

Os professores alegam que os estudantes estão muito abalados com o resultado da eleição. Sério? Dá para crer que esses educadores acreditem que esse tratamento superprotetor contribuirá para ensinar os alunos a se tornarem pessoas melhores? Da minha humilde perspectiva, esse tipo de comportamento estimula seres humanos fracos. A prevalência da superproteção deve provocar uma preocupação real, que se resume à seguinte pergunta: como será a próxima geração de líderes americanos? As universidades devem considerar a liderança que estão moldando para este país – o que acabará afetando o mundo todo, dado o papel-chave dos Estados Unidos.

Minhas preocupações ficam exacerbadas quando testemunhamos um diretor de admissões em uma destacada instituição de ensino superior definir os apoiadores de Trump como um "pedaço de lixo inútil" (*worthless piece of trash*). Com essa declaração, Andrew Bunting, da Universidade George Mason, localizada na grande Washington, D.C., em Fairfax, Virgínia, torna-se o símbolo desse cenário que não pode ser definido como auspicioso. Infelizmente.

Hillary: "Madame presidente"

Nesse conturbado ambiente, de modo imprevisto o *New York Times* emitiu uma espécie de *mea culpa* pela cobertura das eleições. Em 11 de novembro, em uma carta "Aos nossos leitores", o jornal declarou:

> À medida que refletimos sobre o importante resultado e os meses de reportagem e pesquisa que o precederam, pretendemos nos dedicar de novo à missão fundamental do jornalismo do *Times*, (...) esforçando-nos sempre para compreender e refletir todas as perspectivas políticas e experiências de vida nas histórias que levamos a vocês. (...) Não podemos produzir o jornalismo independente e original pelo qual somos conhecidos sem a lealdade de nossos leitores.

Todo o modelo de negócio dos jornais enfraqueceu-se nas últimas décadas, e o *Times* não é exceção; portanto, todos precisam ter plena consciência de cada palavra que imprimem e valorizar cada um dos leitores. O momento de avaliação do *Times* pode ser a ponta do *iceberg* no colapso da mídia tradicional.

A *New York Magazine* de 31 de outubro trouxe na capa um close do rosto de Donald Trump em preto e branco. O semblante está contorcido e feio – uma careta desagradável. Uma tarja vermelha enfatiza a frase promulgada pela revista: "Perdedor".

A revista *Newsweek* preparou uma "edição comemorativa especial" e enviou 125 mil cópias. A capa tem uma bela imagem do rosto de Hillary Clinton, com a inscrição "Madame presidente". Apenas como um aparte, a trágica ironia para os democratas é que Hillary foi fotografada autografando a desafortunada *Newsweek* em 7 de novembro depois de um comício em Pittsburgh, Pensilvânia. Essa atitude é tão inconcebível que fala por si só.

Um trecho da reportagem que detalhava a vitória de Hillary dizia:

> À medida que o tom da eleição ficou mais sombrio e bizarro a cada dia, a presidente eleita Hillary Clinton "foi por cima" enquanto seu oponente foi ainda mais baixo. Acostumada a caminhar em meio à lama da misoginia na carreira como primeira-dama, senadora e secretária de Estado, a presidente eleita continuou a pressionar por uma campanha baseada em propostas, mesmo quando um punhado dos apoiadores mais deploráveis de Trump, ao perceber a larga margem de Clinton entre os eleitores do sexo feminino, pediu a revogação da 19ª Emenda. No dia da eleição, americanos em todo o país rejeitaram o tipo de medo e conservadorismo baseado no ódio promovido por Donald Trump e elegeram a primeira mulher na história dos Estados Unidos para a Presidência.

Incrível, não? O texto lembra os pontos citados por Hillary Clinton. Não estou desenvolvendo um argumento para reforçar a relação íntima, apaixonada e emaranhada entre Hillary e a mídia. Estamos bem cientes disso.

O crucial aqui é você. Você, eu e cada um de nós que consumimos os produtos da mídia. Meu argumento é uma chamada de despertar para todos nós. Devemos ter sempre em mente que a beleza – ou a feiura – está nos olhos de quem vê.

Quando alguém analisa certa pessoa ou circunstância, a imparcialidade está presente apenas até certo ponto. É o mesmo quando se examinam dados e os transformam em informação. Nesses casos, pode-se basicamente escolher três caminhos: tendenciosamente focar apenas no que há de bom; tendenciosamente focar apenas no que há de ruim; e tentar verdadeiramente retratar o mundo real, com prós e contras, e assim se tornar um analista que se baseia na realidade dos fatos. A maioria esmagadora da mídia se encaixa nos dois primeiros grupos, e por isso o mundo inteiro foi enganado.

A mídia informou implacavelmente à comunidade internacional e à população doméstica que Hillary iria ganhar de forma glamourosa e Trump amargaria uma derrota terrível. Também temos nossa parcela de responsabilidade nisso. Via de regra, você, eu e cada um de nós nem sempre ficamos propensos a esmiuçar as informações e separar o joio do trigo. Uma vez que escolhemos um meio para consumir informação, pegamos o que é oferecido. Posso ser impreciso, mas é assim que avalio nosso padrão geral. O fato é que este mundo contemporâneo já não permite indivíduos ingênuos; portanto, devemos aperfeiçoar nosso comportamento para o nosso próprio bem.

Começam as nomeações

Transições de governo nacional são um processo enorme e exaustivo, especialmente quando envolvem partidos de oposição, e nos Estados Unidos não é diferente. O novo governo tem, em teoria, mais de quatro mil nomeados para substituir. O processo de contratação pode ser muito mais complexo do que no setor privado. Os candidatos potenciais passam por exame intenso, focado na qualificação pessoal e competência para cargos distintos. Mais adiante vêm os agentes federais (*feds*) para uma verificação de antecedentes.

Dependendo do nível do cargo, pode ser obrigatório o FBI fornecer credencial de segurança (*security clearance*) antes da nomeação, e a conclusão da checagem de antecedentes pode levar semanas. Atualmente, existem 1.212 postos no nível federal que exigem liberação do FBI e confirmação do Senado.

Em 11 de novembro, o vice-presidente eleito, Mike Pence, assumiu a coordenação da equipe de transição, anteriormente a cargo de Chris Christie. Vejo a mudança não necessariamente como uma maneira de rebaixar Chris Christie; por um lado, pode até preservar o governador de New Jersey e, por outro, amenizar a disputa interna de poder.

O fato é que Pence é a única pessoa, além do presidente eleito, é claro, com uma posição definitiva no Executivo nos próximos quatro anos. Portanto, ninguém contestará sua legitimidade e autoridade para realizar o trabalho. Além disso, em termos de personalidade, Mike Pence é um verdadeiro presente para Donald Trump. E cabe lembrar que quatorze dos 44 presidentes serviram antes como vice-presidentes, o que representa cerca de 32% de todos os presidentes americanos.

No domingo, 13 de novembro, Trump nomeou Reince Priebus chefe de Gabinete. O ocupante desse posto é, por assim dizer, o porteiro do Salão Oval; trata-se do cargo interno mais importante da Presidência. Já havia algumas setas apontando nessa direção, como o convite de Trump para Priebus falar no discurso da vitória e a parada do presidente eleito no Comitê Nacional Republicano entre suas reuniões na Casa Branca e no Congresso, já mencionadas aqui.

Reince Priebus é uma mente muito talentosa de 44 anos, um fiel aliado, mas não subserviente. Além de proclamar Trump o candidato republicano durante profunda controvérsia em 3 de maio, ele teve papel de destaque em muitas frentes durante toda a campanha. Da minha humilde perspectiva, a escolha é um ótimo começo para a administração de Trump.

O presidente eleito também anunciou o CEO de sua campanha, Stephen Bannon, como estrategista-chefe e conselheiro sênior. Bannon é uma figura controversa, comumente ligada ao movimento "alt-right". A nomeação reforça a percepção de que o futuro presidente não aceitará interferências ao escolher os assessores próximos. Controvérsias à parte, Stephen Bannon tem um histórico de alto nível nas universidades de Georgetown e Harvard.

Enquanto Bannon é um *outsider*, Priebus é um *insider*. Ambos atuam suavemente nos bastidores e, a partir de agora, terão de trabalhar juntos. Eu diria que as apostas são altas. Por um lado, Trump está recompensando dois personagens centrais que o acompanharam em sua caminhada vitoriosa. Por outro lado, para a administração fazer o melhor uso de Priebus e Bannon, pode ser preciso mediação próxima do presidente. Vamos ver o que acontece.

O legado de Barack Obama: sete sinais mortais

Hoje é 15 de novembro. Uma semana depois da eleição, o presidente eleito passa a ter o direito de começar a receber o mesmo relatório de inteligência que o atual presidente. Também hoje o deputado Paul Ryan recebeu o apoio unânime dos colegas republicanos para mais um mandato como presidente da Câmara.

A conquista de Paul Ryan é uma evidência do pragmatismo inteligente de Donald Trump, sempre focado nos resultados. Embora o Legislativo seja outro poder, o presidente eleito poderia ter usado sua influência política para tentar afastar uma pessoa que o negou várias vezes durante a disputa presidencial. A pergunta é: por que Donald Trump faria isso? Por que perderia tempo e se empenharia em brigas internas quando há tantas coisas mais importantes a fazer?

Como Paul Ryan está pronto para agir, empolgado para colocar sua liderança a serviço da administração de Trump e do país, a coisa certa a fazer é simplesmente aceitá-lo, é claro. Ryan definiu o sentimento geral após a renovação do mandato, ao cumprimentar a imprensa cordialmente dizendo: "Bem-vindos ao amanhecer de um novo governo republicano unificado".

O poder do presidente da Câmara ofusca a liderança da maioria, independentemente do partido que detenha as duas posições. Dito isso, é relevante mencionar que Kevin McCarthy, da Califórnia, continuará a ser o líder da maioria. No Senado, os republicanos reelegeram Mitch McConnell, do Kentucky, líder da maioria, e Orrin Hatch, de Utah, presidente *pro tempore*.

Do lado democrata, o senador Chuck Schumer, de Nova York, foi escolhido como novo líder da minoria sem muita contestação, sucedendo Harry Reid, de Nevada. Na Câmara a realidade é bem diferente. A deputada Nancy Pelosi, da Califórnia, tem enfrentado resistência em sua reeleição como líder da minoria. Como ex-presidente da Câmara de janeiro de 2007 a janeiro de 2011, Pelosi é a mulher de maior estatura na história política americana. Um novo nome desafiou formalmente a liderança de Pelosi – Tim Ryan, de Ohio, 43 anos de idade, que argumenta o seguinte:

> O que estamos fazendo neste momento não está funcionando. Sob nossa liderança atual, os democratas foram reduzidos à menor minoria parlamentar desde 1929. Isso deve indicar a todos que manter nossa equipe de liderança completamente inalterada simplesmente levará a mais decepção em futuras eleições.

Do meu ponto de vista, o deputado está 100% correto. A decisão mais prejudicial do presidente Obama foi confinar os líderes emergentes. Esse é o pecado mortal de Barack Obama, não apenas contra seu partido, mas também contra o próprio país, o que é obviamente muito pior. Vejamos a idade dos ocupantes das cinco primeiras posições próximas ao presidente: Joe Biden, vice-presidente, 74 anos; John Kerry, secretário de Estado, 73 anos; Harry Reid, líder da minoria no Senado, 77 anos; Nancy Pelosi, líder da minoria na Câmara, 76 anos; Hillary Clinton, sucessora escolhida pelo presidente, 69 anos. Essas cinco pessoas são muito abençoadas. Trabalham ativamente e com certeza têm muito o que compartilhar. Eu nunca advogaria contra a maturidade; no entanto, sempre defenderei a renovação da juventude.

No centro das minhas observações está a necessidade de novos rostos para o trabalho. A rotação da liderança é a garantia de que ninguém está ficando muito confortável com o *status quo* e fazendo cada vez menos.

Donald Trump é a personificação dessa crença, como já expliquei. Com 70 anos, Trump será o presidente de maior idade a assumir o cargo e o rosto mais jovem de todos os tempos.

Uma vez que o presidente Barack Obama, de 55 anos, não promoveu a liderança de um único novo nome auspicioso durante seu mandato, os resultados frustrantes são explícitos, e o deputado Tim Ryan grita: ei, estamos aqui! E, para ser ouvido, retrocede 87 anos, lembrando que os democratas têm a menor representação parlamentar desde 1929. Essa é indiscutivelmente uma declaração justa. Outra maneira de argumentar seria a seguinte: quando Barack Obama se candidatou a presidente em 2008, o Partido Democrata tinha maioria na Câmara e no Senado; quando Hillary Clinton se candidatou, cerca de sete anos e meio depois de Obama assumir o poder, o partido não tinha a maioria nem na Câmara nem no Senado. A primeira foi perdida na eleição de meio de mandato de 2010, e a última, na de 2014.

São maneiras diferentes de avaliar o mesmo declínio, com uma distinção fundamental entre elas: a abordagem do congressista Tim Ryan preserva a imagem do presidente Obama. Todavia, é impossível varrer para debaixo do tapete o fato de que Obama não teve a capacidade de manter, nem de ampliar, a vantagem democrata no Legislativo. O Partido Democrata também diminuiu em todo o país durante sua Presidência.

Via de regra, o partido que controla o Executivo de um país sempre cresce. Obama tornou-se a exceção que confirma a regra. Deixe-me atualizar a contagem das perdas do Partido Democrata durante o governo Obama, segundo a Fox News Politics: nove cadeiras no Senado (de 55 para 46), 62 na Câmara (de 256 para 194), doze governadores (de 28 para dezesseis) e 958 assentos nos legislativos estaduais. Devido à grande autonomia dos estados, é difícil identificar o número total de assentos no Legislativo do país, situado em torno de 7,4 mil, distribuídos entre 99 senados e câmaras estaduais – o Legislativo de Nebraska é o único corpo unicameral no país.

Ao se refletir sobre os números decrescentes do Partido Democrata, pode-se perguntar: como isso poderia ter sido evitado? Ou ainda: poderia ter sido evitado? Acredito que não haja uma resposta única para essas perguntas, mas posso afirmar que um sinal irrefutável da insatisfação geral com a administração Obama veio com os resultados de sua reeleição em 2012: o presidente teve 33 votos eleitorais a menos do que em 2008, uma queda de 9,04%, de 365 para 332. O total de votos populares de Obama também caiu, de 69,3 milhões em 2008 para 65,44 milhões em 2012. Os números contavam uma história e previam o futuro; no entanto, o que os democratas fizeram? Fecharam os olhos para a sólida evidência.

Desde o final da Segunda Guerra Mundial, em 1945, todos os cinco presidentes reeleitos antes de Obama obtiveram maior número de votos populares e no Colégio Eleitoral do que na primeira eleição, de acordo com a Administração Nacional de Arquivos e Registros. Vejamos os números dos cinco reeleitos no Colégio Eleitoral: o republicano Dwight Eisenhower obteve 442 em 1952 e 457 em 1956; o republicano Richard Nixon, 301 em 1968 e 520 em 1972; o republicano Ronald Reagan, 489 em 1980 e 525 em 1984; o democrata Bill Clinton, 370 em 1992 e 379 em 1996; o republicano George W. Bush, 271 em 2000 e 286 em 2004.

Em termos de economia, o legado do atual presidente também não é muito brilhante. Mesmo um palpite otimista sobre o crescimento da economia dos Estados Unidos em 2016 não ultrapassa os 2%. Conforme o Bureau de Análise Econômica do Departamento de Comércio, o índice de crescimento econômico da administração Obama foi de 2,8% em 2009, 2,5% em 2010, 1,6% em 2011, 2,2% em 2012, 1,7% em 2013, 2,4% em 2014 e 2,6% em 2015.

Deixe-me ser o mais claro possível: reconheço as muitas questões não econômicas e sociais que desempenham papéis importantes na sociedade moderna há algum tempo, como a identidade das pessoas. Nessa área, o principal problema é que o presidente sempre legislou por ordens executivas. Tudo o que é implementado por esse instrumento pode igualmente ser desfeito por ele no primeiro dia da próxima administração. Nos Estados Unidos um ditado diz: "Se você vive por decreto, você morre por decreto" (If you live by executive order, you die by executive order).

Além disso, as decisões de Obama na esfera social podem não ter sido as melhores. Na questão racial, por exemplo, o Gallup revelou que a porcentagem de americanos que sentem grande preocupação com as relações raciais disparou de 13% em março de 2010 para 35% em março de 2016, um *boom* de cerca de 270%, durante a administração do primeiro presidente afro-americano do país. As decisões e a retórica de Obama parecem não ter ajudado. Os dados estão aí para todo mundo ver. Se adotarmos a história que esses números contam, durante os oito anos de governo, Obama:

1. Enfraqueceu o Partido Democrata.
2. Foi o único presidente desde 1945 a reeleger-se com menos votos no Colégio Eleitoral e na votação popular do que no primeiro mandato.
3. Conseguiu ser o único presidente eleito desde a Grande Depressão (1939) a não ter uma taxa de crescimento econômico de três dígitos no currículo.
4. Governou fundamentalmente pelo poder dos decretos a fim de contornar o Congresso.
5. Provocou aumento na porcentagem de americanos que expressam grande preocupação com as relações raciais.
6. Esforçou-se para eleger seu sucessor, mas falhou.
7. Negligenciou a promoção de novos líderes transformadores para servir à nação.

Para finalizar, tenho plena consciência de que há muitas percepções diferentes do legado de Barack Obama por aí e vejo mérito na maioria delas. Gostaria de enfatizar também que a história sempre precisa de tempo para fazer avaliações conclusivas.

P.S.: em 30 de novembro de 2016, depois de quatorze anos de liderança democrata na Câmara, Nancy Pelosi foi reeleita como líder da minoria. Pelosi teve 134 votos contra 63 de Tim Ryan e contou com firme respaldo do presidente Obama. É isso, nossas decisões falam por si, e a vida me ensinou a prestar menos atenção no que as pessoas falam e mais no que elas fazem!

Palpites sobre futuras candidaturas presidenciais

Com a chegada do final de novembro, vamos dar uma olhada nas nomeações mais recentes para a administração Trump:

- Embaixadora na ONU: Nikki Haley, governadora da Carolina do Sul.
- Secretária de Educação: Betsy DeVos, bilionária, filantropa e ativista educacional.
- Secretário do Tesouro: Steven Mnuchin, diretor financeiro da campanha de Trump, banqueiro e produtor de filmes.
- Secretário de Comércio: Wilbur Ross, investidor bilionário.
- Secretária dos Transportes: Elaine Chao, ex-secretária do Trabalho no governo Bush 43 e esposa do senador Mitch McConnell.
- Secretário de Saúde e Serviços Humanos: Tom Price, deputado da Geórgia.

Nikki Haley e Betsy DeVos não apenas são as primeiras mulheres nomeadas para o primeiro escalão do próximo governo, como também têm enorme potencial como opções de Trump e dos republicanos para no futuro quebrar o teto de vidro rachado por Hillary Clinton. Para começar, as duas são ótimas opções para reforçar a chapa presidencial republicana após uma eventual administração Trump de dois mandatos. *Ceteris paribus*, a chapa eleitoral de 2020 por certo refletirá a de 2016. Assim, após uma eventual reeleição, o vice-presidente Mike Pence se tornaria o candidato mais forte para a indicação republicana em 2024. Haley e DeVos seriam companheiras de chapa muitíssimo oportunas para Pence.

Estou ciente da eternidade entre hoje e até lá. No entanto, prevejo que Mike Pence será o pilar despercebido na esfera político-congressional-partidária da administração de Trump e um confidente leal do presidente. Além disso, uma presença feminina ultraqualificada é sempre bem-vinda, trazendo no mínimo graça e um amplo espectro de atributos intangíveis.

Para concluir essa passagem pelo agitado mar das previsões, agora vou olhar a minha bola de cristal democrata. Ela diz que a atual primeira-dama seguirá os passos de outra ex-primeira-dama. Será que fui claro? Acho que sim. Outros que deverão ter seus nomes na disputa pela indicação democrata são Joe Biden e Bernie Sanders. Assim, a chapa democrata para 2020 poderia revelar alguma combinação de Michelle Obama, Joe Biden e Bernie Sanders.

Dito isso, faço um convite arriscado: anote minhas palavras e me responsabilize por elas.

O dia em que Donald Trump foi de fato eleito o 45º presidente

Houve muitas tentativas de influenciar os desígnios do Colégio Eleitoral – e é nesse ambiente em que nos encontramos ao chegar a este momento crucial. Há protestos por todo o país na intenção de pressionar os eleitores republicanos a não honrar a decisão popular em seus estados e votar em Hillary. Como sabemos, a eleição presidencial é composta de 51 eleições distintas (cinquenta estados e Washington, D.C.). Em 8 de novembro, os votos populares selecionaram os 538 eleitores. Hoje, 19 de dezembro, é o dia do encontro desses eleitores em seus respectivos estados e em Washington, D.C.

Embora os eleitores tenham a obrigação ética e moral de cumprir a determinação popular de seu estado, não há um mandamento legal que os obrigue a fazê-lo. Ou seja, eles podem votar em quem julgarem mais adequado para o trabalho presidencial. Por isso houve diferença nos números finais. Como já mencionado, a votação popular resultou em 306 votos eleitorais para a chapa Donald Trump–Mike Pence e 232 para Hillary Clinton–Tim Kaine. No Colégio Eleitoral, foram 304 votos para Trump e 227 para Hillary. Assim, ambos os candidatos tiveram menos votos do que o esperado devido aos "infiéis".

No dia em que foi eleito o 45º presidente, Trump postou no Twitter às 15h51: "Conseguimos! Obrigado a todos os meus grandes apoiadores, acabamos de ganhar oficialmente as eleições (apesar de toda a mídia distorcida e imprecisa)".

O Colégio Eleitoral pode não ser tão injusto

O esforço para mudar o resultado da eleição a qualquer custo continua. Começou com a recontagem de votos em Wisconsin, Pensilvânia e Michigan. Não funcionou. Veio uma tentativa de influenciar os votos do Colégio Eleitoral. Não funcionou. Agora, bem, deixe-me reproduzir uma postagem do documentarista Michael Francis Moore no Twitter às 17h13 de 19 de dezembro: "Ele só será presidente daqui a quatro semanas e meia. Próxima ideia?". Isso é altamente simbólico, altamente insano e encapsula um sentimento que parece continuar vivo.

Após essa mensagem, Moore postou mais duas: "Trump não é presidente até as 12h do dia 20 de janeiro. Então vamos continuar a lutar"; "Hillary Clinton venceu as eleições em 8 de novembro com 2,8 milhões de votos a mais que Donald Trump. Ou seja, ela perdeu. Você está certo, não é uma democracia". Em referência a esta última, deixe-me oferecer a seguinte reflexão:

Já sabemos que a chapa democrata recebeu 65.794.399 de votos populares contra 62.955.202 da republicana, ou seja, 2.839.197 de votos a mais. Agora, vamos verificar os resultados no estado mais populoso, a Califórnia: Hillary somou 8.753.788 de votos, e Trump, 4.483.810. Ou seja, só na Califórnia, a chapa democrata somou 4.269.978 votos a mais do que a republicana. Agora, vamos imaginar os Estados Unidos sem a Califórnia. Refazendo as contas, a chapa republicana teria somado 1.430.781 de votos a mais do que a democrata.

Tenho ruminado sobre a justiça ou injustiça do Colégio Eleitoral e levantei os resultados acima para nos ajudar nesse esforço. A história que esses números nos contam é a seguinte: se o Colégio Eleitoral não existisse, apenas um estado teria escolhido o próximo presidente do país. Podemos reconhecer a distorção que isso seria. Aqui reside a motivação dos Pais Fundadores quando estabeleceram o sistema atual em vez do modelo de um voto por pessoa. Esse lado favorável do Colégio Eleitoral impede que os estados mais populosos assumam a Presidência, distribui a influência eleitoral e ajuda os estados menores a serem ouvidos.

Considerando essas reflexões, peço a gentileza de ponderar que o Colégio Eleitoral pode não ser tão injusto. Essa é a minha conclusão.

O Colégio Eleitoral chega ao auge

Hoje, 6 de janeiro de 2017, o processo do Colégio Eleitoral chega ao ápice. O Congresso se reúne em sessão conjunta para contar as cédulas eleitorais e fornecer sua certificação. O vice-presidente Joe Biden, como presidente do Senado, preside a reunião, acompanhado do presidente da Câmara, Paul Ryan.

As caixas com o precioso conteúdo – os certificados de voto dos eleitores – passaram pelo esplêndido Salão de Estátuas (Statuary Hall) e às 13h entraram na Câmara. Às 13h07, Joe Biden abriu a cerimônia. Depois disso, os quatro escrutinadores – a senadora Amy Klobuchar (Minnesota) e o deputado Robert Brady (Pensilvânia), do Partido Democrata; o senador Roy Blunt (Missouri) e o deputado Gregg Harper (Mississippi), do Partido Republicano – tomaram seus lugares à mesa.

À medida que os escrutinadores confirmavam a veracidade dos certificados, os votos eram contados. Nesse momento, o Congresso está investido de plena autoridade como árbitro final da listagem. Congressistas democratas esforçaram-se sem sucesso para refutar a lista de alguns estados.

Às 13h39, Joe Biden começou a proclamar os resultados. Três desordeiros gritaram em uma sequência orquestrada das galerias, interrompendo-o. Às 13h42, o presidente do Senado declarou a sessão conjunta dissolvida. Naquele instante, Donald John Trump foi certificado como o próximo presidente dos Estados Unidos. O processo das eleições presidenciais de 2016 foi oficialmente encerrado. Em duas semanas, em 20 de janeiro, Donald John Trump prestará juramento como 45º presidente.

O democrata Joe Biden conduziu a sessão com mão de ferro, evitando obstruções de membros de seu partido – obstruções inteiramente vazias, a propósito. Contudo, após pronunciar solenemente Donald Trump e Mike Pence como os próximos presidente e vice e bater o martelo com firmeza, foi pego no microfone a sussurrar em tom irônico: "Deus salve a rainha".

Nossa missão está chegando ao fim, no momento culminante de tudo isso: a posse de Donald J. Trump. Então, até lá!

9

A POSSE DE DONALD TRUMP

Para que você possa ter uma ideia da atmosfera nos dias anteriores à posse, decidi incluir duas breves ilustrações e um pensamento. Primeiro, a *W Magazine* lançou um vídeo com celebridades interpretando a letra da música "I Will Survive" (Eu sobreviverei), de Gloria Gaynor. Segundo, o congressista democrata John Lewis, da Geórgia, recebeu ampla cobertura da mídia quando afirmou: "Não vejo Trump como um presidente legítimo".

Eu poderia mencionar muitos outros exemplos, falar sobre as manifestações planejadas para o dia da posse e assim por diante, para fundamentar meu argumento, que é uma espécie de lembrança. Quero dizer, vejo todos esses acontecimentos, e muitos episódios da campanha me vêm à mente.

Lembro-me do lema de Hillary, "Mais fortes juntos" e da mensagem de "tornar a América inteira outra vez". Lembro-me de Hillary dizer aos eleitores que a ideia de não aceitar os resultados da eleição era "horripilante" e "uma ameaça direta à nossa democracia".

Lembro-me do presidente Obama na Casa Branca afirmando que "não há pessoas sérias por aí que sugiram de alguma forma que você possa fraudar as eleições americanas". Lembro-me do presidente Obama declarando em tom professoral: "Convido o Sr. Trump a parar de choramingar e tentar montar um argumento para obter votos".

Lembrando-me disso, fiquei me perguntando se agora poderia ser um bom momento para os republicanos declararem: democratas, além das eleições especiais, há eleições regulares todos os anos neste país, então aconselho a todos vocês que parem de choramingar e tentem montar um argumento para obter votos nas próximas eleições.

"Um dia importantíssimo antes de um dia histórico"

O nosso dia da posse começa na véspera do evento, com o início da agenda oficial do presidente e do vice eleitos. O ponto de partida é a cerimônia de colocação da coroa (wreath-laying ceremony), no Cemitério Nacional de Arlington, tradição solene a cargo do comandante em chefe das Forças Armadas. Ao depositar uma coroa de flores no Túmulo ao Soldado Desconhecido, os próximos presidente e vice homenageiam todos os servidores que pagaram o preço final pelo país – e todos os veteranos.

Após a solenidade, o concerto "Tornar a América grande outra vez! Celebração de boas-vindas" tem lugar no Lincoln Memorial. Vários artistas se apresentam, e o presidente e o vice eleitos saúdam americanos de todos os estados que vieram para a capital.

As festividades da posse vão muito além. A cada quatro anos, Washington, D.C., se transforma em uma cidade de comemoração, com muitos bailes, galas e todo tipo de evento. Os bailes são divididos em oficiais e não oficiais. Os oficiais têm a presença daquele que acaba de tomar posse como presidente. Trump vai comparecer a três bailes. Um é militar – o Armed Services Ball, no National Building Museum. Os outros dois são no Centro de Convenções Walter E. Washington: o Liberty Ball e o Freedom Ball.

O espectro é amplo. Vai do "Deplora-Ball", referência à "cesta de deploráveis", organizado por membros do movimento "alt-right", ao "Vozes da Esperança e da Resistência", organizado por figuras da extrema esquerda. Embaixadores, diplomatas e autoridades eleitas se reunirão no "Sister Cities International's Inaugural Gala Ball".

O evento texano "Black Tie & Boot's Ball", o "Deplorables Nation" e o "Gilded Age" adicionam diversidade à mistura. O movimento Gays for Trump promove a "Gayest Gala in DC", e a "Animals' Party" foi organizada pela PETA (People for the Ethical Treatment of Animals).

A véspera da posse foi descrita pelo vice-presidente eleito, Mike Pence, como "um dia importantíssimo antes de um dia histórico". Mike Pence tuitou a frase e a proferiu em uma aparição inesperada para a imprensa. Na ocasião, anunciou que a transição seria encerrada "dentro do prazo e abaixo do orçamento". O vice-presidente eleito prometeu que 20% das verbas serão devolvidas. A Fox News informou que o custo total da posse ficará entre US$ 275 milhões e US$ 300 milhões e que o Comitê da Posse Presidencial, financiado pelo setor privado, levantou US$ 90 milhões, bancando parte significativa das despesas e diminuindo a necessidade de dinheiro público.

O presidente eleito deixou sua cobertura na 5ª Avenida, em Nova York, por volta das 10h30. A viagem da Trump Tower para a Casa Branca terá uma escala na Blair House. Desde Jimmy Carter, em 1977, todos os presidentes eleitos passam a noite anterior à posse na Blair House – localizada em frente à Casa Branca e disponibilizada para hospedagem de alguns chefes de Estado em visitas oficiais ao país. Às 11h27, Trump decolou para Washington, D.C. Trump não voa mais em seu avião particular. Em vez disso, um avião militar transportou a ele e sua família. Pelo menos nos próximos quatro anos, não haverá mais pousos no aeroporto Ronald Reagan, apenas na base Andrews, onde o avião pousou às 12h05.

Após o desembarque dos familiares, às 12h17, o novo primeiro-casal apareceu no topo da escada. Em solo o presidente eleito recebeu a saudação militar formal apropriada à ocasião. O primeiro destino foi a avenida Pensilvânia, mas não a Casa Branca. Trump participou de um almoço com lideranças no Trump International Hotel. Legisladores, membros do novo governo e apoiadores importantes, entre outros, participaram do encontro.

A seguir Trump liderou a cerimônia no Cemitério Nacional de Arlington e participou do concerto de celebração, já mencionados. Assim, terminamos onde começamos.

Donald Trump presta juramento

Hoje é sexta-feira, 20 de janeiro de 2017, dia da 58ª posse presidencial dos Estados Unidos. A capital da nação acorda com o nascer do sol, às 7h22. A temperatura logo após o amanhecer é de 4,4ºC, a mesma do dia da eleição. E o céu novamente está quase todo nublado. Desta vez, há previsão de chuva. Ao que parece, o sol está entregando sua brilhante autoridade à inspiração das personalidades americanas.

Washington, D.C., agora é o salão do baile de gala de outra posse histórica. A cortina se fecha para Barack Hussein Obama II. O horizonte saúda Donald John Trump.

Eu e minha família moramos na capital da nação há 24 meses e 12 dias. Nos últimos dezesseis meses e doze dias, tenho acompanhado de perto essa história inesquecível. Foi um privilégio notável. E sou grato e honrado por coroar essa jornada informando-o sobre a atmosfera deste dia memorável.

Às 8h33 Donald e Melania Trump apareceram do lado de fora da Blair House. Às 8h38 a comitiva da futura primeira-família ruma para a Igreja Episcopal de São João (St. John's Episcopal Church), onde entra às 8h41. Junto com a família Pence, a família Trump ora pelo país e por uma administração abençoada.

Desde James Madison (quarto presidente, de 1809 a 1817), todos os presidentes frequentaram a igreja. Acredita-se que Abraham Lincoln (16º presidente, de 1861 a 1865) foi o mais dedicado, considerando a presença habitual. Madison instituiu a tradição de um banco reservado ao presidente (*president's pew*), e John Tyler (décimo presidente, de 1841 a 1845) pagou pelo uso perpétuo daquele banco pelos presidentes. Por causa dessa tradição, o templo é conhecido como a "igreja dos presidentes".

O presidente eleito sai da igreja cinquenta minutos mais tarde. Enquanto isso, Barack Obama visita simbolicamente o Salão Oval pela última vez. É o momento em que o presidente que sai deixa a tradicional carta do dia da posse para o sucessor. Obama foi gravado ao colocar a carta manuscrita dentro de um envelope e depositá-lo em uma gaveta da famosa mesa presidencial, a Resolute Desk.

O próximo destino das famílias Trump e Pence é através da praça Lafayette. Primeiro os Biden recebem os Pence, e os Obama enfim recebem os Trump, na entrada principal da Casa Branca. O aperto de mãos dos dois presidentes ocorre às 9h42. A seguir os casais Obama e Trump têm um encontro com chá e café a portas fechadas.

Os quatro casais partem para o Capitólio na seguinte formação: segundas-damas, primeiras-damas, vice-presidentes e presidentes. Às 10h50 os presidentes entram na Limousine One, também conhecida como "A Besta". Às 11h02 estão no Capitólio.

Enquanto a atenção de parte considerável do mundo está focada no Capitólio, outra grande operação acontece nos bastidores. A equipe da Casa Branca tem cerca de cinco horas para esvaziar totalmente a Casa Branca dos Obama e aprontar totalmente a Casa Branca dos Trump.

Às 11h24 o presidente Obama e o vice-presidente Biden são anunciados, junto com os líderes democratas no Congresso. Quatro minutos depois, o vice-presidente eleito se junta aos VIPs na plataforma exclusiva. Logo depois, os membros da liderança do comitê conjunto do Congresso que organiza a festividade são convidados a escoltar o presidente eleito. Às 11h31 é anunciada a chegada do presidente eleito.

Como presidente do comitê conjunto do Congresso, o senador republicano Roy Blunt, do Missouri, fala em nome do Congresso. A seguir o cardeal Timothy Dolan faz a primeira leitura, o reverendo Samuel Rodrigues, a segunda, e a pastora Paula White-Cain faz a invocação. Depois, a performance do coral da Universidade Estadual do Missouri.

O senador democrata Chuck Schumer, de Nova York, introduz o juiz da Suprema Corte Clarence Thomas, que faz o juramento de posse do vice-presidente, Pence. O juiz foi o primeiro afro-americano a fazê-lo. Às 11h53 Michael Richard Pence torna-se o 48º vice-presidente dos Estados Unidos.

A Banda dos Fuzileiros Navais lindamente apresenta "Hail to the Chief". A banda é conhecida como "banda do presidente" e toca nas posses presidenciais desde Thomas Jefferson (terceiro presidente, de 1801 a 1809) sem interrupção. "Hail to the Chief" serve como hino formal do presidente, anunciando a sua chegada.

Às 12h em ponto, o presidente da Suprema Corte, John Roberts Jr., administrou o juramento presidencial a Trump, que ergueu a mão direita e colocou a esquerda sobre a Bíblia. O gesto é uma marca da pompa e circunstância inaugural. Para sua posse, Trump escolheu duas bíblias, a que sua mãe lhe deu em 1955 e a de Abraham Lincoln. Ao prestar juramento, Donald John Trump tornou-se o 45º presidente dos Estados Unidos.

O novo presidente cumprimentou a família, trocou apertos de mão com o ex-presidente Obama e o ex-vice-presidente Biden e saudou a multidão. Às 12h02 iniciou seu discurso inaugural, concluído às 12h18.

O rabino Marvin Hier e o reverendo Franklin Graham fizeram leituras, e o bispo Wayne T. Jackson deu a bênção. O ato conclusivo foi o Hino Nacional, interpretado por Jackie Evancho, cantora clássica de 16 anos.

Após a cerimônia, os Pence escoltaram os Biden até a limusine. A seguir, os Trump acompanharam os Obama até o helicóptero "Executive One" ("Marine One" é a designação do helicóptero que transporta o presidente). Às 12h42, quando embarcou com sua amada Michelle, o ex-presidente Obama era todo sorrisos e acenos. Os casais Trump e Pence aguardaram a decolagem nas escadas do Capitólio. Às 12h45 a aeronave partiu, sobrevoou o National Mall, proporcionando aos Obama uma última volta sobre a capital; às 13h, pousou na base Andrews.

Às 13h09 Barack Obama já se dirigia a uma plateia pela primeira vez como ex-presidente. Posteriormente, os Obama iriam para Palm Springs, na Califórnia, onde permanecerão por período indeterminado antes de retornar para Washington, D.C., onde continuarão a residir.

Enquanto o ex-presidente falava na base Andrews, o novo presidente partia para a ação no Capitólio. Trump assinou uma série de decretos para desfazer decretos de Obama e nomear seu gabinete – a maioria dos nomes ainda está para ser confirmada. Também assinou sua primeira proclamação presidencial (*presidential proclamation*), estabelecendo "20 de janeiro de 2017 como Dia Nacional da Devoção Patriótica, a fim de fortalecer nossos laços uns com os outros e com o nosso país – e para renovar os deveres do governo com o povo".

Às 13h37 teve início o tradicional almoço de posse, que marca o fim das cerimônias inaugurais no Capitólio e é realizado desde 1953, quando Dwight Eisenhower assumiu o poder. Desde a posse de Ronald Reagan em 1981, o almoço mantém o formato e é oferecido no Statuary Hall. O evento é a ocasião em que o Poder Legislativo cumprimenta os novos membros do Poder Executivo.

Líderes republicanos e democratas participaram do encontro, incluindo o líder da minoria do Senado, Chuck Schumer, e a líder da minoria da Câmara, Nancy Pelosi. As presenças mais significativas foram os Clinton, que testemunharam a posse de Trump e ficaram para a refeição. A cordialidade exemplar de Bill e Hillary foi reconhecida na mesma proporção pelo presidente: "Fiquei muito honrado, muito, muito honrado quando soube que o presidente Bill Clinton e a secretária Hillary Clinton viriam hoje, acho apropriado dizê-lo. Honestamente, não há mais nada que eu possa dizer, porque tenho muito respeito por essas duas pessoas". Por certo Trump e os Clinton continuarão lutando entre si como sempre. Todavia, uma trégua é sempre aconselhável e bem-vinda. Como tal, deve ser destacada e valorizada.

Encerrado o almoço festivo, o desfile de posse presidencial (Inaugural Parade) permite um tempo para a digestão. O desfile, que costuma ser realizado pelo novo presidente e seu vice, tem um trajeto estabelecido há muito tempo: percorre 1,9 quilômetro da avenida Pensilvânia, indo do Capitólio à Casa Branca, situada no número 1.600.

Dessa vez, o novo presidente passará em frente a um edifício icônico que tem seu nome. Trump adquiriu o prédio da antiga sede dos correios, na avenida Pensilvânia, 1.100, e o transformou no Trump International Hotel.

Às 15h30 o presidente e o vice, com as esposas, apareceram do lado de fora do Capitólio para iniciar a procissão. A enorme caravana começa a se deslocar às 15h45. Às 16h13 a limusine "A Besta" para, e o primeiro-casal caminha por dois minutos. O ambiente é complexo e sob muitos aspectos hostil, mas o serviço secreto faz um ótimo trabalho. Estamos cientes da atmosfera inamistosa que nos trouxe até hoje. Além disso, Washington, D.C., é uma cidade democrata. Seria justo dizer que a eleição para prefeito consiste em uma disputa pela indicação democrata.

Às 16h29, em frente ao Departamento do Tesouro, a primeira-família faz mais uma caminhada de dois minutos. Às 16h36, em frente à Casa Branca, a terceira caminhada, que termina às 16h40. A comitiva entra na residência. Às 17h21, presidente, vice-presidente e familiares chegam ao mirante construído em frente à Casa Branca para assistir à parada inaugural.

Enquanto isso, o Senado confirmou o primeiro membro do gabinete de Trump: o general James Mattis, secretário de Defesa. O secretário de Segurança Interna, general John Kelly, também foi confirmado.

O desfile terminou às 18h35, e às 19h33 o presidente foi gravado trabalhando no Salão Oval pela primeira vez. Ele assinou outros decretos e a nomeação dos dois secretários confirmados pelo Senado.

Às 19h43 o vice-presidente, Mike Pence, recebeu o juramento dos generais Mattis e Kelly e deu posse. O número de cargos cruciais desocupados ainda é muito significativo. Por causa disso, Trump teve de pedir a cerca de cinquenta altos funcionários da administração Obama que permanecessem temporariamente em suas funções.

Às 21h35 o presidente Trump e a primeira-dama, Melania, ocuparam o palco do Liberty Ball. O presidente fez uma rápida fala, e o primeiro-casal teve sua primeira dança. Os Pence se juntaram a eles. A seguir, o restante de suas famílias. Às 22h06 eles já estavam participando do Freedom Ball. Ambos os bailes ocorreram no Centro de Convenções Walter E. Washington.

Para finalizar o dia, mais um baile, o Armed Services Ball, no National Building Museum. O presidente saudou os militares, os agentes da lei e os socorristas e interagiu com tropas americanas no Afeganistão por videoconferência. Assim Donald J. Trump encerrou as aparições públicas no dia em que tomou posse como 45º presidente dos Estados Unidos.

Comentei há pouco que a família Obama permanecerá na capital. Agora vou acrescentar detalhes. O novo endereço não é tão "branco" quanto o anterior ou quanto o dos Clinton em Washington, D.C. (avenida Whitehaven Noroeste, 3.067); com certeza tampouco é escuro. Na verdade, as duas famílias permanecerão muito próximas, pelo menos geograficamente. Os Obama vão residir na Belmont Road Noroeste, 2.446, a um quilômetro dos Clinton. Esses endereços se situam em bairros de alto nível. Os Obama vão montar casa nova em Kalorama, e os Clinton têm a deles em Observatory Circle. Aliás, Observatory Circle, 1, é o endereço da residência oficial do vice-presidente dos Estados Unidos.

Uma curiosidade: a avenida Massachusetts une as ruas Belmont e Whitehaven, das casas dos Obama e Clinton, e é informalmente chamada de *Embassy Row*, porque a maioria das representações diplomáticas da capital está concentrada lá. A Embaixada do Brasil situa-se na confluência da Massachusetts com Whitehaven; a chancelaria e a residência do embaixador ocupam dois prédios distintos no local. Assim, as residências dos Clinton e dos Obama ficam praticamente equidistantes do solo brasileiro.

Por fim, Ivanka Trump e Jared Kushner também escolheram Kalorama para sua casa na capital. O endereço da primeira-filha e primeiro-genro é Tracy Place Noroeste, 2.449. A trezentos metros da casa de Barack e Michelle Obama.

O último evento das celebrações de posse ocorreu no dia seguinte, consistindo em uma tradição que remonta a George Washington: a missa de oração nacional (*National Prayer Service*), com a presença do presidente, do vice e de suas famílias. A cerimônia religiosa é realizada na emblemática Catedral Nacional de Washington, onde minha família e eu temos a bênção de participar dos cultos em Washington, D.C. O estilo neogótico marca a arquitetura do templo episcopal, a sexta maior catedral do mundo e a segunda maior dos Estados Unidos.

A seguir, Trump realizou sua primeira reunião de trabalho. Sabiamente escolheu um encontro estratégico com funcionários da CIA na sede da agência, em Langley. Estranhamente, embora Trump tenha indicado o deputado republicano Mike Pompeo, do Kansas, para diretor da CIA em 18 de novembro, o congressista ainda não teve o nome confirmado.

Para finalizar este segmento, gostaria de explicar que não reproduzi nem analisei o conteúdo do discurso inaugural de Donald Trump porque sua mensagem está presente neste livro de ponta a ponta. Contudo, deixo registradas as manchetes de três dos principais jornais do país após a posse.

- *The New York Times*
  "Trump presta juramento e lança convocação: 'Essa carnificina americana vai parar'"

- *The Washington Post*
  "Trump assume o poder – Novo presidente promete acabar com 'carnificina americana'"
- *The Wall Street Journal*
  "Alvorecer da era Trump – 'Estamos transferindo o poder de Washington, D.C., e devolvendo para vocês, o povo'"

P.S.: no início de setembro de 2017, o conteúdo da carta manuscrita do presidente Obama para o presidente Trump entregue no dia da posse foi revelado pela mídia, com destaque no *New York Times*, *Washington Post*, CNN e revista *Time*. Considero apropriado incluí-la aqui.

> Caro Sr. Presidente
> Parabéns por uma campanha notável. Milhões depositaram as esperanças em você, e todos nós, independentemente de partido, devemos esperar mais prosperidade e segurança durante o seu mandato.
>
> Esse é um cargo único, sem um modelo específico para o sucesso, por isso não sei se algum conselho meu será particularmente útil. Ainda assim, deixe-me oferecer algumas reflexões dos últimos oito anos.
>
> Primeiro, nós dois fomos abençoados, de formas diferentes, com grande sorte. Nem todo mundo é tão sortudo. Cabe a nós fazer tudo o que pudermos para construir mais escadas para o sucesso para cada criança e família que estejam dispostas a trabalhar arduamente.
>
> Segundo, a liderança americana neste mundo é realmente indispensável. Cabe a nós, por meio da ação e do exemplo, sustentar a ordem internacional que se expandiu constantemente desde o fim da Guerra Fria e da qual dependem nossa riqueza e segurança.
>
> Terceiro, somos apenas ocupantes temporários desse cargo. Isso nos torna guardiões das instituições e tradições democráticas

– como o estado de direito, a separação de poderes, a proteção igualitária e as liberdades civis – pelas quais nossos antepassados lutaram e sangraram. Independentemente da pressão da política diária, cabe a nós deixar os instrumentos de nossa democracia pelo menos tão fortes quanto os encontramos.

Por fim, reserve tempo, em meio à correria dos eventos e responsabilidades, para os amigos e familiares. Eles vão fazê-lo atravessar os inevitáveis trechos acidentados.

Michelle e eu desejamos tudo de bom a você e Melania ao embarcar nessa grande aventura; saiba que estamos prontos para ajudar no que pudermos.

Boa sorte e vá com Deus,

BO

10

MUDA BRASIL: UMA PROPOSTA UTÓPICA VIÁVEL, UMA REFLEXÃO E UMA MENSAGEM

Está na hora de colocar tudo de lado e encarar a sério os obstáculos das pessoas e das nações. Todos devem dar as boas-vindas a este momento e torná-lo sua prioridade máxima – com foco no longo prazo. Essa é a premissa para essa proposta. Não importam as circunstâncias, do ponto de vista humano, é inaceitável agirmos com o desejo de desmantelar os esforços dos outros. Competições fazem parte da vida; também é natural admirar o que os outros fazem e o que os outros têm. Da mesma forma, é louvável trabalhar em direção ao mesmo nível de realização.

Se nossa motivação é evitar que os outros alcancem sucesso em vez de desejar sucesso para nós mesmos e para os outros, estamos exibindo os sintomas de uma doença letal chamada inveja. Na política, esse sentimento destrutivo gera apenas divisão, ódio e rivalidade sem sentido. Para evitar tais situações, devemos nos conduzir de acordo com o que consideramos melhor para todos nós, individual e coletivamente.

A busca do melhor para todos garante uma discussão justa de todos os pontos de vista, com o reconhecimento de que todas as perspectivas têm mérito. O resultado desse tipo de debate sincero é uma nova realidade na qual todos ficaremos em melhor situação. Acredito nessa pedra angular.

Do meu ponto de vista, é essa a crença de que o Brasil precisa e pela qual nós brasileiros ansiamos profundamente. É o sentimento de reconciliação e a capacidade de regeneração. Em muitos casos, a melhor maneira de se alcançar tal estágio é evitando a dissenção altamente perturbadora. A única maneira de todas as partes alcançarem a vitória em guerras impossíveis de vencer é ser proativo e evitar sabiamente envolver-se em tais brigas. Para mim, guerras impossíveis de ganhar são aquelas em que ambas as partes – os perdedores e os supostos vencedores – perderão de forma inequívoca.

O que nos enobrece não é apenas lutar o bom combate, mas também se recusar a travar lutas sem sentido. Conter nossos instintos impulsivos e primitivos exige o reconhecimento de que existem metas nobres e consensuais que só podem ser alcançadas se trabalharmos juntos, em cooperação. Devemos também reconhecer que objetivos consensuais são muito maiores do que qualquer um dos nossos objetivos individuais e do que a soma de todos os objetivos individuais.

Deixe-me começar a esmiuçar essa abordagem pretensiosamente filosófica. Temos a democracia como nossa fundação indiscutível. A partir desse postulado, uma boa equação para o governo nacional – estou me referindo exclusivamente ao Poder Executivo – consiste em ter um plano estratégico singular e unificado de vinte anos. Apesar do foco aqui ser o Brasil, essa ideia pode ser apreciada e aplicada por qualquer nação democrática. O projeto incluiria quatro macrocorpos de iniciativa:

- Metas universalmente compartilhadas (MUC)
- Metas específicas de grupo (MEG)
- Políticas proibidas (PP)
- Novas ideias (NI)

As metas universalmente compartilhadas são o cerne do plano. Representam todos os objetivos que a nação considera dignos de serem buscados. As metas específicas de grupo são apoiadas apenas por parcelas da população. Se agregássemos todas as metas específicas em quatro partes, possivelmente faríamos com que cada cidadão se sentisse integrado ao sistema. Ou seja, acredito que um conjunto de MEG em quatro porções acomodará todos e nos unirá em vez de nos separar.

Uma vez que tenhamos identificado nossos objetivos universalmente compartilhados e alocado as metas específicas de grupo à respectiva parcela da população, podemos atribuir um quarto do período de implementação de vinte anos a cada uma das quatro equipes de apoio de cada conjunto de metas específicas. Assim, os representantes de cada uma das quatro forças – eleitos por seus respectivos apoiadores – ocupariam as primeiras posições no governo nacional durante cinco dos vinte anos. Quanto às políticas proibidas, elas consistem em iniciativas e objetivos que todos concordam que nunca devam ser executados ou buscados. Tendo as partes interessadas atribuído ideias a essas três categorias – MUC, MEG e PP –, o acordo geral se torna uma espécie de cláusula pétrea até o final do período de vinte anos.

As novas ideias representam uma porta de entrada para se tirar vantagem de conceitos de ponta que emergirão organicamente com o tempo; assim, podemos aperfeiçoar o projeto à medida que avançamos. Ou seja, ao examinarmos as NI à medida que surgem, devemos alocá-las em um dos outros três macrocorpos de iniciativas – MUC, MEG e PP. As novas ideias não poderiam revogar o que foi originalmente acordado.

No último ano, todo o experimento deve ser escrupulosamente analisado em todas as minúcias. Essa avaliação determinaria se o modelo deveria ser descontinuado, amplamente revisado ou apenas ajustado.

Coloco essa proposta utópica viável ao escrutínio público motivado por duas regras básicas que mencionei na Introdução, assim como pela sabedoria de Albert Einstein ao definir insanidade: 1) compartilhar fatos e *insights* que possam ser examinados e que possam dar origem a novos pensamentos, novas teorias e novas conclusões; 2) honrar a ideia de que todos nós temos o direito de fazer críticas de forma respeitosa e franca, bem como de fazer avaliações e tomar decisões livremente e 3) "insanidade é fazer sempre a mesma coisa e esperar resultados diferentes". Com base nesses princípios, minha proposição se concentra em "o que", e não em "como".

Considero fundamental nunca, jamais deixarmos de revelar nossos *insights* de esperança apenas porque nos sentimos desconfortáveis ou com receio de, por exemplo, sermos ridicularizados. A vida e todas as suas nuances estão em permanente mutação. É crucial compartilhar pensamentos críticos e consequentes sobre potenciais iniciativas inovadoras. Afinal, conclusões acuradas só podem ser obtidas por meio de experiência e experimentos. Não há outra maneira de saber o que ocorreria no final do plano aqui proposto a não ser aprimorá-lo e implementá-lo, seja no Brasil, nos Estados Unidos ou em outro país.

Entre os benefícios potenciais, eu enfatizaria a quantidade de tempo, dinheiro, energia e outros recursos inestimáveis que seriam preservados ao se evitarem as batalhas que se tornaram o padrão das eleições políticas atuais. Ao direcionar todos esses recursos para finalidades melhores, os resultados coletivos gerais seriam bastante compensadores.

Acredito ainda que o altruísmo poderia ser fomentado e materializado com o plano aqui exposto. No mínimo poderíamos reconhecer que, quando o coletivo se beneficia, nós naturalmente também somos beneficiados em termos individuais. Com isso, talvez pudesse começar a surgir uma sociedade com mais solidariedade e compaixão.

O que proponho aqui é um momento de avaliação – sem ansiedade. Embora eu entenda que não é fácil, não devemos simplesmente aceitar tudo o que está acontecendo de modo tão rápido e furioso. O *snapshot* de nossa sociedade contemporânea é o seguinte: a comida deve ser consumida depressa, as opiniões têm de ser resumidas em 140 caracteres, as conversas *on-line* têm prioridade sobre as conversas em pessoa, e os *smartphones* são o amigo mais próximo das pessoas.

Estamos renunciando a um direito fundamental: a capacidade de pensar com calma, de refletir em profundidade, de examinar e apreciar os assuntos antes de externar nossas percepções, ideias e decisões. O ritmo prepondera sobre a direção. A ansiedade predomina sobre a serenidade. Esse comportamento gera pensamentos vazios, pois que baseados em primeiras impressões vagas. Como se não bastasse, essas opiniões inconsistentes podem se tornar virais em segundos através de nosso ambiente de mídia social.

A combinação do ímpeto de exibição com uma progressão geométrica na qual juízos infelizes são compartilhados em excesso tem sido contraproducente e prejudicial à nossa coexistência harmoniosa. O *snapshot* que ofereci vai muito além, e pode ser explosivo. Por causa disso, nossas estratégias individuais de longo prazo devem reconhecer nossa missão subjacente e unânime na Terra, que é fazer a melhor tentativa sincera de levar avante a era do reino perfeito.

Do meu humilde ângulo e reconhecendo o mérito em diferentes perspectivas, independentemente de qualquer "como", o "o que" é a prioridade. Com isso em mente, devemos estar cientes da urgência e reconhecer que chegou a hora. Como o líder dos direitos civis norte-americano Martin Luther King Jr. (1929–1968) sabiamente advertiu, "Devemos aprender a viver juntos como irmãos ou a morrer juntos como tolos".

Deixe-me iluminar o futuro com outras belas palavras do passado: "Podemos nos dar bem todos nós? Podemos nos dar bem? Podemos parar de tornar horrível para os mais velhos e as crianças?", disse Rodney Glen King (1965–2012) durante os distúrbios de 1992 em Los Angeles. Para dar uma ideia do quão crítico esse momento foi, o *Los Angeles Times* relatou: "Durante os seis dias de tumultos, mais de sessenta pessoas morreram em meio a saques e incêndios e mais de duas mil ficaram feridas".

Deixemos de lado eventuais transgressões e nos concentremos na declaração perspicaz de Rodney King. A versão mais popular é mais simples do que a declaração original. Provavelmente, é por isso que é ainda mais profunda: "Não podemos todos apenas nos dar bem?". É sem dúvida a pergunta que devemos nos fazer.

Convido cada um de nós a eliminar o último resquício de resistência e, com mente e coração abertos, refletir sobre a questão. Aqui está o núcleo do nosso momento de avaliação; portanto, considere-o sem ansiedade. Depois de nossa contemplação, permita-me responder com confiança – usando o famoso *slogan* de Barack Obama: "Sim, nós podemos".

Estou ciente de que "sou uma gota d'água, sou um grão de areia", como o compositor e cantor Renato Russo (1960–1996) ensinou. Embora ciente disso, quero simples e humildemente encorajar cada um de nós a fazer o melhor que puder de verdade.

Afinal, encerrada a trajetória terrestre, é incrivelmente gratificante sentir que não negligenciamos nada e que não poderíamos ter feito nada melhor. Em contraste, lamentar não ter tentado é possivelmente o pior sentimento que alguém pode experimentar. Vamos olhar para o horizonte e considerar as dimensões das expectativas que temos sobre nós mesmos. Vamos ver como conseguimos corresponder a essas expectativas durante a nossa vida e pensar no legado de exemplos que deixaremos para as próximas gerações.

Graças às enormes evoluções do passado e considerando os enormes desafios do presente, estou confiante de que as maiores conquistas ainda estão por vir. Para alcançá-las, é útil prestar muita atenção à frase inspiradora de John Kennedy: "Estou certo de que, depois que a poeira dos séculos tiver passado sobre nossas cidades, nós também seremos lembrados não por vitórias ou derrotas na batalha ou na política, mas por nossa contribuição ao espírito humano".

Aí está. Vamos aperfeiçoar o espírito humano. Para aperfeiçoá-lo, "é preciso amar as pessoas como se não houvesse amanhã". Isso também é de Renato Russo, cujo otimismo realista merece ser disseminado: "Quem me dera, ao menos uma vez, acreditar por um instante em tudo que existe e acreditar que o mundo é perfeito e que todas as pessoas são felizes". Tenho certeza de que, no fundo, nosso maior desejo e esperança é que assim fosse. Vamos acreditar profundamente que ainda existe poesia em nosso próprio mecanicismo disfuncional, apertar o botão de reiniciar e dar um salto de fé.

11

COMENTÁRIOS FINAIS

Me pergunto como o mundo entende a democracia americana. Como o mundo viu as eleições gerais de 2016. Como o mundo compreendeu o resultado final dessa disputa.

Barack Hussein Obama II agora é ex-presidente dos Estados Unidos. A sua singular capacidade de oferecer palavras maravilhosas é indiscutível, mas uma das principais dificuldades de Obama é a inconsistência. Na arena global, isso pode passar despercebido. Assim, a imagem de homem extremamente articulado e líder inspirador prevalece, e o mundo fica encantado. Eu mesmo fiz parte desse clube.

Mas em nível doméstico os cidadãos mais simples tornaram-se "os caçadores de mitos" da ilusão delirante de Obama sobre inclusão e felicidade completas. Com humildade e esperteza, eles nos ensinaram a discernir se existe uma lacuna entre palavras e conduta. A distinguir a fala do comportamento. A incorporar a consciência para reconhecer o valor baseado em atitudes, não em retórica. Essa é uma conclusão fundamental.

Curiosamente, embora alguns sentimentos possam ser sentidos de forma intensa, permanecem densos ou rudes demais para serem demonstrados por um discurso dialético. A insensibilidade nos torna não apenas complacentes em nossas zonas surreais de conforto, mas também hostis – ou mesmo beligerantes – em relação a qualquer um que ouse nos iluminar com realismo. Há mais de vinte séculos, o filósofo grego Platão (cerca de 425–350 a.C.) sabiamente usou a alegoria da caverna (livro 7 da *República*) para explicar didaticamente o caminho agonizante para o mundo real.

Em 7 de março de 2016, outro ex-presidente, William Jefferson Clinton, resumiu o que eu vi nos Estados Unidos. Bill Clinton estava fazendo campanha por Hillary em Raleigh, na Carolina do Norte, quando proclamou:

> Por que esta é uma eleição tão louca? Porque milhões, milhões, milhões e milhões de pessoas olham para aquela bela imagem da América que ele [Obama] pinta e não conseguem se encontrar nela para salvar suas vidas. Isso explica tudo. (...) As pessoas estão aborrecidas; francamente, estão ansiosas, desorientadas, porque não se veem naquela imagem.

Essas observações implodiram o mundo imaginário alternativo dos democratas a partir do interior. Sendo uma declaração apenas da boca para fora ou não, o fato é que Bill Clinton demonstrou empatia e grande capacidade de olhar pelas lentes daqueles que realmente importam: milhões e milhões de pessoas simples. No entanto, foi um pouco tarde demais. O *establishment* não conseguiu perceber a tempo que os cidadãos estavam fartos de estar fartos.

Inspirados pelo exemplo de Bill Clinton, vamos tentar olhar pelas lentes das pessoas mais simples. Assim, trago um artigo do *New York Times* de 23 de abril de 2016, "Hillary Clinton é desonesta?", escrito pelo colunista de opinião Nicholas Kristof. O texto nos dá uma pista sobre a disposição dos americanos em relação a Hillary: "Quando o Gallup pede que os americanos digam a primeira palavra que vem à mente quando ouvem 'Hillary Clinton', a resposta mais comum pode ser resumida como 'desonesta/ mentirosa/ não confie nela/ caráter fraco'. Outra categoria comum é 'criminosa/ trapaceira/ ladra/ merece ir para a cadeia'". Não é difícil identificar a incompatibilidade abissal entre a visão dos americanos e a do presidente Obama, que propagava: "Nunca houve nenhum homem ou mulher mais qualificado para cargo do que Hillary Clinton, jamais. E essa é a verdade".

Ao longo da jornada, pude observar um sentimento de cansaço em relação aos Clinton, em diferentes formas e níveis de intensidade, que ficou mais óbvio a cada dia – e o casal foi responsável por isso, com um comportamento comparável a um dispositivo de autoimplosão. O legado de coisas negativas produziu uma pilha gigantesca de questões que não pôde mais ser equilibrada ou sustentada, resultando em um colapso.

Esse conceito foi descrito pelo jornalista e autor Malcolm Gladwell em *O ponto da virada: como pequenas coisas podem fazer uma grande diferença*. A carta que o diretor do FBI, James Comey, enviou ao Congresso em 28 de outubro, informando que a investigação sobre o servidor de *e-mail* pessoal de Hillary Clinton fora reaberta, encaixa-se nessa categoria. Claro que não foi uma pequena coisa. Na época considerei – e ainda considero – a maior "surpresa de outubro", de longe. A carta foi decisiva, mas não em um vácuo; foi decisiva porque fez desabar a pilha gigantesca de questões dos Clinton. Foi o ponto da virada.

Expresso que vejo mérito em entendimentos alternativos da situação e que eu poderia até não ter 100% de certeza de que o que foi dito acima explica tudo. No entanto, estou inteiramente confiante de que essas avaliações do mundo de Obama e do mundo de Hillary explicam muita coisa.

Por fim, para tornar essa receita perfeitamente trágica, foi tudo cuidadosamente preparado com um tempero mortal que, invocando e parafraseando o general Colin Powell, pode ser definido como a arrogância que estraga tudo. Ao longo dessa jornada, tivemos oportunidade de observar sólidas evidências dessa arrogância.

O ex-presidente Obama também se destaca nessa frente; no entanto, gostaria de recordar o seguinte. Queiramos ou não, Hillary Clinton é o ser humano que definiu todos os que não a apoiaram durante as primárias como um "balde de perdedores". Gostemos ou não, Hillary Clinton é o ser humano que definiu todos os que não a apoiaram durante as eleições gerais como uma "cesta de deploráveis" e parte deles como "irremediáveis" que "não são a América". Gostemos ou não, infelizmente é a realidade. Essa arrogância profundamente enraizada é de fato incontestável.

Portanto, em nome da didática, recapitulo os quatro elementos-chave na derrota de Hillary: o fato de que os americanos mais simples preponderantemente não se veem na América pintada por Obama para se salvar;

a ampla percepção negativa que existe sobre o caráter de Hillary; a carta do diretor do FBI de 28 de outubro, que fez com que tudo entrasse em colapso; e a arrogância e prepotência arraigadas.

Para mim, é evidente que os quatro elementos que acabei de mencionar desempenharam papel decisivo no resultado final dessa experiência única na vida. E resumiria os quatro na seguinte declaração: isso é o que de fato aconteceu. Como resultado, a convicção cega dos democratas fez uma vitória inevitável tornar-se uma derrota monstruosa.

O que escrevi acima está no cerne do meu entendimento, mas devemos ter em mente que é apenas uma perna do tripé. As outras duas são o vencedor e o povo.

Vamos começar com o vencedor. Donald Trump exibiu tremendo mérito no decorrer do que os Beatles chamaram de "a estrada longa e sinuosa que leva à sua porta" – no caso, a ardentemente desejada Casa Branca. Acho que entendo as razões pelas quais tanta gente rebaixa Donald Trump publicamente; no entanto, apesar de todos os problemas que poderíamos apontar, a excelência de Trump durante esta campanha é inquestionável.

Gostaria de registrar uma declaração de Trump. O Al Smith Dinner é tradicionalmente o último ato que conta com a presença dos candidatos democrata e republicano antes do dia da eleição presidencial dos EUA, e por ocasião do encontro, em 20 de outubro, ao cumprimentar os presentes no jantar, Trump também fez uma emocionante saudação à realidade:

> Um olá especial a todos vocês nesta sala que me conhecem e me amam há muitos e muitos anos. É verdade. Os políticos. Eles me levaram para as casas deles, me apresentaram a seus filhos, em muitos casos me tornei seus melhores amigos. Pediram meu endosso e sempre quiseram meu dinheiro. E até me chamaram de querido, amigo querido. Mas, de repente, quando concorri à Presidência como republicano, concluíram que sempre fui um canalha imprestável, podre e nojento. E se esqueceram totalmente de mim. Mas tudo bem.

Donald Trump superou tudo e se tornou o 45º presidente. Foi eleito presidente contra todas as probabilidades. Tenho que dizer, é praticamente impossível, para qualquer um que acompanhou a eleição de fora dos Estados Unidos, ter a exata medida de quanto Donald Trump foi espancado. Para quantificar todos os diferentes golpes que Trump recebeu de quem e de onde quer que seja, poderíamos usar uma medida de socos por minuto. No entanto, seria impossível contar os golpes. Assim, a primeira característica que ressalto é a sua descomunal capacidade de absorver golpes e permanecer de pé. Donald Trump aguentou o tranco e nem vacilou.

Trump foi impiedosamente ridicularizado pela mídia e pelos democratas a cada centímetro do caminho. Foi abandonado pelos líderes de seu Partido Republicano, cuja prioridade era preservar o controle de ambas as casas do Congresso. O único apoio com que Trump sempre pôde contar veio de sua família e de um punhado de assessores leais. Houve momentos em que os únicos caminhos claros de Trump eram desistir ou perder de lavada. Apesar de tudo, o homem provou ter notável resiliência. Por isso, defino sua vitória como uma épica saga de luta e triunfo temporário.

A conclusão irônica é que Trump foi a um só tempo vítima e beneficiário de desconsideração e subestimação generalizadas. Nisso reside a razão pela qual cheguei ao meu novo e vanguardista mandamento para todos os democratas: levarás Donald Trump a sério.

A vitória de Trump só foi possível por causa de outro apoio, além do de familiares e assessores leais: sua base, obviamente o mais importante de todos – a quem Trump chama de "meu povo" e sempre verbaliza: "Eu amo todos vocês". Trump introduziu uma nova maneira de alcançar as massas, que foi como ele desencadeou seu "movimento tsunami". Trump construiu um tremendo relacionamento e estabeleceu uma conexão profunda com sua base – e destaco essa como sua segunda característica-chave.

Trump manifestou sincera empatia com as pessoas. Nunca deu sermão, sempre conversou com o público. Sua mensagem era clara e direta. Abordou questões complexas usando poucas palavras simples em frases curtas. As pessoas podiam sentir o significado de sua fala.

De um lado, tínhamos Hillary personificando o *establishment* crônico, focando seus argumentos em coisas ruins, como medo, sexismo, racismo e misoginia, estratégia cujo ápice defini como dose suicida colossal. De outro lado, tivemos Trump, o agente da mudança, concentrando seus argumentos no populismo econômico.

Trump compreendeu o sentimento de enorme frustração que aflige "milhões, milhões, milhões e milhões de pessoas [que] olham para aquela bela imagem da América que ele [Obama] pinta e não conseguem se encontrar nela para salvar suas vidas". E comunicou com sucesso que seria o agente de mudanças que o presidente Obama poderia ter sido, mas não foi. Essa é a terceira faceta que quero anotar. Nela a marca registrada de Trump, "Tornar a América grande outra vez", foi fundamental.

Trump utilizou implacavelmente outros *slogans* e expressões, como "A América primeiro", "drenar o pântano", "sistema manipulado", "lei e ordem", "vamos cuidar disso" e "homens e mulheres incríveis". Com grande entusiasmo, Trump sempre falou sobre "vencer de novo como vocês nunca viram". A fim de amplificar a ideia vencedora, foi crucial aprimorar a imagem de elemento independente e destemido que conhece o sistema por dentro – uma pessoa que aproveitou as fraquezas do sistema para construir seu império econômico e que agora vai consertar o sistema manipulado, trabalhando duro para a nação como um todo. Esse bilionário destemido e independente diz as coisas nuas e cruas. Independentemente de quão certo ou errado ele possa estar, de contra-atacar com força ou de reconhecer os outros de forma graciosa, o homem é autêntico. O que você vê é o que você recebe. Essa é a quarta característica que vou sublinhar.

Não podemos mudar de assunto antes de recapitular dois elementos adicionais da receita secreta do sucesso de Trump: descrever a mídia como inimiga pública e pessoal e definir seus adversários com apelidos divertidos e depreciativos.

Há duas nuances entrelaçadas no que se refere à mídia. Primeiro, Trump estava ciente de que não teria chance com a mídia. E essa moeda tem dois lados: Trump sabia que a mídia iria bater nele e zombar sem piedade e que protegeria Hillary de forma explícita. Trump teve de neutralizar essa artilharia – e aqui está a segunda nuance. Ele estava ciente do declínio significativo da mídia na confiança do público, então adotou a estratégia de retratar os veículos de comunicação como inimigos públicos e pessoais. Toda vez que era golpeado, Trump contra-atacava com vigor, amplificando a noção de uma mídia corrupta e desonesta.

Já os apelidos divertidos e depreciativos foram usados para identificar os calcanhares de Aquiles de seus vários adversários. Trump desferiu esses *jabs* de forma alegre e persuasiva, e foram muito eficazes. Trump definiu alguns de seus oponentes como "Jeb pilha fraca", "Marco pequeno", "Kasich 1 a 41", "Ted mentiroso", "Bernie maluco" e "Hillary trapaceira". Segundo Trump, todos esses adversários pertencem à mesma categoria: "políticos que só conversam e não fazem nada" (*all talk, no action politicians*).

A soma dos seis aspectos detalhados levou a um feito notável. Como mencionei no Capítulo 4, o vencedor de uma eleição é aquele que convence a maioria de que ele ou ela é a melhor opção para as pessoas alcançarem o que desejam da maneira menos dolorosa. As pessoas sabem que a dor faz parte da jornada e querem apenas amenizá-la. O alívio para os tormentos concretos é um elemento abstrato: a esperança. É assim que vejo o ponto crucial de uma eleição para o Executivo, em especial para presidente. Obama ganhou seu primeiro mandato em 2008 transmitindo esperança. Trump foi o candidato que mais efetivamente transmitiu esperança em 2016. Bingo!

Quanto à perna final do tripé, o povo, permita-me reiterar que os eleitores e a população em geral são os atores principais desse drama. Dito isso, gostaria de observar três nuances.

Considero a sociedade contemporânea intrigante. Os quase 7,5 bilhões de nós estamos contraditória e extremamente muito perto e muito longe uns dos outros. Alguns indivíduos têm uma necessidade ultrajante e feroz de impor sua visão. Em muitos casos, chegam a considerar os outros malévolos apenas por terem crenças diferentes. Isso com certeza se aplica à eleição de 2016.

Em primeiro lugar, os defensores de Trump sentiram fortemente o estigma social, e esse radicalismo absurdo gerou um novo tipo de solidão na política. A urna tornou-se o único lugar onde os cidadãos puderam expressar suas opiniões sem retaliação. Viva a democracia!

Em segundo lugar, presumo que no fundo a maioria dos americanos vê Trump como uma projeção de quem gostariam de ser: bilionário, esposa maravilhosa, filhos talentosos, ótima formação educacional, destemido, celebridade. Acredito que essa admiração secreta se consolidou e aprimorou ao longo da campanha. Respeito quem pensa de forma diferente, mas acredito que as credenciais de Trump, por assim dizer, influenciaram o imaginário social.

A partir daí, a imagem do herói populista gentil com os vassalos e duro com os inimigos, o herói que vai cuidar de tudo, foi calorosamente bem-vinda. Como Trump prometeu "Tornar a América grande outra vez", houve um renascimento do sonho americano para o povo. Afinal, uma maré alta levanta todos os barcos.

Em terceiro lugar, vejo 2016 como um daqueles momentos da vida em que devemos escolher entre uma mentira conveniente e a realidade contundente. É uma decisão muito dura, é como a pílula azul e a pílula vermelha de *Matrix*. Parafraseando o personagem Morpheus, é uma benção ter o livre-arbítrio e a capacidade de ver a realidade por nós mesmos e distingui-la daquilo que é dito; no entanto, devemos ter vontade de fazê-lo.

Os americanos tomaram sua decisão. Em vez de tomar a pílula azul – ironicamente a cor do Partido Democrata – e acordar em suas camas, acreditando no que quer que queiram acreditar, escolheram a desagradável pílula vermelha – a cor do Partido Republicano – e optaram por ver "a profundidade da toca do coelho".

Em *Matrix*, Morpheus não perguntou a Neo qual seria sua decisão, mas apresentou as duas opções. Isso segue um método de interrogação sábio e enigmático: apresentar possibilidades duplas em vez de exigir resposta para uma pergunta específica instiga os indivíduos a se questionar. A reflexão interna estimula um julgamento independente e lógico, gerando maturidade e autoconhecimento. Vejo grande semelhança entre essa ideia retratada em *Matrix* e a escolha que os americanos tiveram de fazer na eleição.

Não há dúvida de que a pílula vermelha é muito mais difícil de engolir. Mas é a única maneira de ver a profundidade da toca do coelho. Pessoalmente, é isso que desejo a todos nós: um reencontro com a verdade.

Pode-se dizer que isso tudo é bobagem. Em primeiro lugar, porque Hillary de fato teve mais votos populares do que Trump. Posso ver o mérito desse argumento. No entanto, sabemos que Hillary não conquistou votos suficientes distribuídos em todo o país para vencer no Colégio Eleitoral. A vantagem de Hillary estava concentrada em um só estado – a Califórnia. Sem contar a Califórnia, Trump teve 1.430.781 de votos a mais que Hillary.

Como isso ocorreu? A resposta é simples. Milhões de simpatizantes democratas por todo o país votaram em Trump. Não, não estou louco. Foi de modo indireto. O presidente Obama pode explicar muito melhor que eu: "Qualquer um que fique à margem ou decida por um voto de protesto é um voto para Trump. E isso seria muito prejudicial para este país e seria prejudicial para o mundo. Então, sem complacência desta vez. Saiam dessa!". O apelo de Obama é o cerne de meu argumento. Os americanos que não votaram em Trump, mas ficaram à margem ou optaram pelo voto de protesto sem dúvida escolheram a pílula vermelha. O presidente Obama pode chamar de complacência, eu chamo de autodeterminação. A despeito de como se descreva, o fato é que a multidão que ignorou o apelo de Barack Obama e rejeitou Hillary Clinton também escolheu a pílula vermelha. E Trump venceu.

Sobre o 45º presidente dos Estados Unidos

Em sua trajetória rumo à Casa Branca, Donald Trump consolidou uma legião de fiéis além de qualquer filiação partidária. Essa multidão é fã de Trump. Para esses seguidores, as palavras de Trump soam como evangelho. A pergunta agora é: por quanto tempo esse relacionamento permanecerá intacto?

Defini a vitória de Trump como uma épica saga de luta e triunfo temporário porque "o sucesso não é definitivo, o fracasso não é fatal. O que conta é a coragem de continuar". A citação é atribuída a Winston Churchill, e eu a relaciono a um conceito familiar nos dias de hoje: para continuar avançando, é preciso continuar aprendendo, inovando e lutando. Para o triunfo temporário durar por mais tempo, o presidente agora tem de assumir o controle. A transição da política de campanha para a política de Estado é obrigatória.

Por mais difícil que seja, o presidente deve resistir à tentação de governar apenas para metade da América, apenas para a sua base. Por mais difícil que seja, o presidente também deve ser o mais gracioso possível com eleitores e simpatizantes democratas. O candidato Trump provou acreditar na máxima em latim *fortitudine vincimus*, "pela perseverança, conquistamos". Tenho certeza de que Donald Trump, o indivíduo, levará esse traço indispensável para o túmulo. Portanto, Trump, o presidente, agora deveria seguir o exemplo. Afinal, são os vencedores e aqueles que ocupam os mais altos cargos que devem sempre estender um ramo de oliveira.

Para que o triunfo do candidato Trump seja ampliado, o presidente Trump deve se concentrar na sustentabilidade e no aprimoramento de tudo o que melhorou a vida do povo americano como atributos da estratégia de longo prazo para o país. A partir daí, deve agregar novos elementos para fazer seus compatriotas se sentirem e ficarem melhor – e me refiro a todos os americanos. Para garantir tudo isso, o presidente Trump terá de atravessar a divisão política. Por mais difícil que seja.

Tudo o que sugiro acima exigirá trabalho incessante do presidente, mas não é o bastante. Esse esforço é uma via de mão dupla e exige uma aliança estratégica. Os americanos também devem fazer sua parte: dar uma chance ao presidente.

Por mais difícil que seja, os membros, eleitores e simpatizantes do Partido Democrata devem fazer isso. A ala democrata deve evitar a busca dos mínimos erros ao longo do caminho e evitar o foco no lado desfavorável da equação.

Donald Trump é perfeito? Claro que não. Assim como eu, você e todo mundo, Donald Trump tem muitas falhas. Por exemplo, quer você goste ou não, Trump vai continuar a usar sua conta no Twitter para orientar os republicanos, comentar sobre os democratas, interagir com a mídia e principalmente conversar com o povo americano sem qualquer mediação. Quer você goste ou não, é assim que trabalha o novo chefe. É assim que opera o "administrador presidente".

No entanto, assim como eu, você e todo mundo, Donald Trump tem muitos pontos fortes. Tente considerá-los. Acima de tudo, eu gostaria de salientar que ele ama seu país. Afinal de contas, esse "administrador presidente" irritante é a mesma pessoa que declarou: "Se eu for presidente, não vamos ter pessoas morrendo nas ruas. Pode chamar do que quiser". Acredito que essa declaração nos diz muito sobre quem é Donald Trump e sobre o que é o "trumpismo". Tentando definir o "definidor", eu diria que Donald Trump é um indivíduo livre de ideologia, pragmático e orientado para resultados. Disso emerge o "trumpismo", que eu resumiria como uma doutrina orientada para resultados, consistindo em um populismo econômico não ideológico que coloca a América em primeiro lugar de modo pragmático, objetivando "tornar a América grande outra vez" e eternizar o dito excepcionalismo americano.

Na arena global, "América em primeiro lugar" constitui um aviso prévio de que a administração Trump sempre priorizará os interesses nacionais acima dos de qualquer outra nação. Por outro lado, também reconhecerá o direito de todos os chefes de Estado fazer o mesmo. Na arena doméstica, a ideia foi um contraponto perfeito ao comportamento do ex-presidente Barack Obama, que priorizou a promoção de sua imagem e legado no exterior.

Presumo que, como o líder que é a cara e a alma dessa nova doutrina, Donald Trump está preocupado com a sustentabilidade no longo prazo. E aqui encontramos a fraqueza mais óbvia da conquista de Trump: a implacável inexorabilidade do tempo. Trump está na faixa dos 70 anos (nasceu em 14 de junho de 1946). Esse fator não permitirá que sua liderança atravesse décadas. Todavia, a doutrina de Trump pode durar muito mais, ainda que em diferentes formatos. Entre esses, talvez um formato feminino com o mesmo nome de família.

De qualquer forma, se tudo o que testemunhamos é apenas uma febre fugaz e logo acabará ou é o começo de uma mudança radical e o auge está por vir, só o futuro dirá.

Concluo reforçando a necessidade de uma aliança estratégica imperativa entre o 45º presidente dos Estados Unidos e todos os americanos. Ela é essencial para a sustentabilidade daquela "cidade brilhante na colina" (*shining city on a hill*), imagem usada pelo presidente Ronald Reagan para se referir à nação em seu discurso de despedida do Salão Oval, em 11 de janeiro de 1989. Essa é a mesma visão original expressa em *E Pluribus Unum* – 13 letras, 13 colônias. Entre muitas nações, uma.

Onde me situo no espectro democrata-republicano-independente

No Capítulo 6 me comprometi a indicar onde me situo no espectro democrata-republicano-independente. Caso você tenha se questionado a respeito, deixe-me tentar ser direto e claro.

Cheguei aos Estados Unidos em 8 de janeiro de 2015 como democrata. Lá me percebi um independente de inclinação republicana. Houve quatro fatores essenciais para esse desenrolar.

Em primeiro lugar, eu nunca, de modo algum, desconsidero a realidade. Procuro observá-la com olhos e ouvidos críticos e com a mente aberta o tempo todo. Portanto, se a América que eu descobrisse ao morar em Washington, D.C., diferisse da América que examinei do Brasil e também durante viagens frequentes ao país, eu teria que atualizar meu entendimento e abraçar a nova versão – e foi o que fiz.

Em segundo lugar, meus instintos me guiam para a crítica sistemática dos governos vigentes. Como o presidente era democrata, quando comecei a identificar as falhas da administração, essa característica me empurrou para o outro lado político. Acredito que nunca devemos ignorar qualquer "transgressão" de pessoas no poder. Temos de expor os fatos e responsabilizar esses indivíduos – afinal, eles estão lá para servir ao público.

Em terceiro lugar, não me considero radical ou desequilibrado em minhas percepções. Nisso sou como uma porção razoável de democratas e republicanos. Faço o meu melhor para ver o panorama amplo, de preferência com a minha mente (razão), antes de vê-lo com o meu coração (emoção). Acredito que compreendo a minúscula fração do que eu sei e sou consciente da imensidade que não conheço. Assim, estudo o que me é desconhecido, para poder mitigar minha ignorância; o conteúdo deste livro é resultado desses estudos.

Em quarto e último lugar, mas não menos importante, sou propenso a me alinhar com aqueles que lutam contra o *establishment*. Minha propensão natural é apoiar pessoas resilientes que têm a coragem de defender suas crenças com, sem apoio ou não obstante a escassez de apoio. Valorizo os que são sinceros e, independentemente do fluxo da maré, são consistentes em suas posições. Aprecio aqueles que falam o que pensam.

Espero que essa avaliação seja justa e precisa; no entanto, reconheço que pode estar incorreta. De qualquer forma, do fundo do coração, afirmo que é assim que me vejo.

Minhas palavras conclusivas

Como uma pessoa nascida há 47 anos em Fortaleza, no Ceará. Como filho dos meus amados pais e como membro da minha querida família. Como marido de uma linda esposa e pai de dois filhos incríveis. Como amigo de tantos amigos queridos. Considerando todas as facetas que expressam quem eu sou, considero-me uma pessoa tremendamente abençoada. E agradeço a Deus por isso todos os dias.

Como um estrangeiro residindo em Washington, D.C., por quase três anos e meio, e como um brasileiro que acompanhou de perto todos os acontecimentos políticos da eleição presidencial norte-americana em 2015 e 2016, preenchi uma lacuna que eu sabia existir. Com certeza essa produção dramática da democracia de 2016 foi inesquecível para mim.

Considerando tudo isso, primeiramente expresso meu pleno reconhecimento e admiração por todos os personagens que emprestaram sua inteligência à grandiosidade desse ciclo político.

Segundo, transmito minha esperança e meu profundo desejo de que o 45º presidente, Donald J. Trump, possa exercer a liderança que não apenas os Estados Unidos da América e seu povo, mas também o mundo inteiro e sua população, precisam e merecem.

Terceiro, falo diretamente com você. Minha primeira frase na Introdução foi: "Caro leitor, expresso minha gratidão por sua vontade de percorrer estas linhas". Agora posso afirmar que você se tornou meu companheiro – meu parceiro, se preferir. Agora posso afirmar que minha gratidão é ainda maior. Por sua causa, tornei-me um penetra nesse evento de gala. Por sua causa, tive a determinação e a resiliência para permanecer alerta durante toda a celebração. Juntos, desfrutamos de cada minuto dessa festança. Juntos, aqui consagramos esse baile para sempre.

Quarto, expresso minha profunda gratidão a Deus, meu eterno e incomparável mentor.

Neste exato instante, me dou conta de que já estou sentindo falta disso tudo. Neste exato instante, percebo que vou sentir saudade de tudo isso, "assim como o deserto sente saudade da chuva".

Tendo comigo essa lembrança notável, acolho o necessário momento de olhar à frente. Afinal, como o líder sul-africano Nelson Mandela (1918–2013) habilmente descreveu: "Descobri o segredo de que, depois de escalar uma grande colina, tudo o que se percebe é que há muitas outras colinas a galgar". Espero um dia ser digno de escalar uma grande colina.

REFERÊNCIAS

- Administração Nacional de Arquivos e Registros (www.archives.gov)
- Congresso dos Estados Unidos / Biblioteca do Congresso (www.congress.gov)
- Senado dos Estados Unidos (www.senate.gov)
- Câmara dos Deputados dos Estados Unidos (www.house.gov)
- Casa Branca (www.whitehouse.gov)
- Suprema Corte dos Estados Unidos (www.supremecourt.gov)
- Banco Central dos Estados Unidos (FED) (www.federalreserve.gov)
- Departamento do Censo dos Estados Unidos (www.census.gov)
- FEC (Comissão Federal de Eleições) (www.fec.gov)
- USEP (Programa de Eleições dos Estados Unidos) (www.electproject.org)
- AP (The Associated Press) (www.ap.org/en-us/)
- ABC News (American Broadcasting Company) (televisão)
- Bloomberg (televisão e rádio)
- Bloomberg Politics (www.bloomberg.com/politics)
- CBS News (Columbia Broadcasting System) (televisão)
- CNBC (Consumer News and Business Channel) (televisão)
- CNN (Cable News Network) (televisão)
- CNN Politics (www.cnn.com/politics)
- C-SPAN (Cable-Satellite Public Affairs Network) (televisão e rádio)
- Fox Business – Fox Business Network (televisão)
- Fox News – Fox News Channel (televisão)
- Forças Armadas dos Estados Unidos (www.military.com)

- National Law Enforcement Officers Memorial Fund (www.nleomf.org)
- MSNBC (MS de Microsoft, e NBC de NBC News) (televisão)
- NBC News (National Broadcasting Company) (televisão)
- NPR (National Public Radio) (www.npr.org)
- OAN (One America News Network) (televisão)
- Pew Research Center (www.pewresearch.org)
- Wikipedia (www.wikipedia.org)
- History (www.history.com)
- Ballotpedia (ballotpedia.org)
- Encyclopedia Britannica (www.britannica.com)
- RCP (Real Clear Politics) (www.realclearpolitics.com)
- Banco Mundial (www.worldbank.org)
- Credit Suisse (www.credit-suisse.com)
- *New York Post* (www.nypost.com)
- *The Wall Street Journal* (www.wsj.com)
- *The New York Times* (www.nytimes.com)
- *The Washington Post* (www.washingtonpost.com)
- *The Washington Times* (www.washingtontimes.com)
- *USA Today* (www.usatoday.com)

SOBRE O AUTOR

Eduardo Diogo graduou-se em direito em 1994 e concluiu mestrado em liderança em 2018 – na McDonough School of Business da Universidade de Georgetown, em Washington, D.C. O título de sua dissertação de mestrado foi "Uma Análise do Papel dos Seguidores ao Influenciar os Líderes: Como os Seguidores Podem Promover uma Nova Geração de Líderes de Princípios e Transformacionais, nos EUA e no Mundo" – o trabalho está disponível no *site* www.eduardodiogo.com.

Entre outras instituições, o autor estudou na Wharton School da Universidade da Pensilvânia (Estados Unidos), na London School of Economics and Political Science (LSE) (Inglaterra), e no International Institute for Management Development (IMD) (Suíça). Também continuou os estudos no campo da psicologia aplicada, com foco em autoconhecimento e autodesenvolvimento.

Trabalhou no Banco Mundial em Washington, D.C., onde viveu por mais de três anos e acompanhou de perto os acontecimentos políticos das eleições presidenciais de 2016 – que levaram Donald Trump ao Salão Oval da Casa Branca.

Antes disso, Eduardo Diogo trabalhou por oito anos no governo do estado do Ceará, como diretor da Agência de Desenvolvimento Econômico e como secretário de Planejamento e Gestão. Durante quase três de seus quatro anos como secretário, também serviu como presidente do CONSAD, conselho que reúne os secretários estaduais de Administração do Brasil.

Anteriormente, havia passado seis anos comprometido em formar jovens e novos líderes de princípios para o Brasil. Por dois desses anos, atuou como presidente da Confederação Nacional dos Jovens Empresários.

Eduardo Diogo foi orador principal de muitos eventos, como conferências sobre liderança e gestão. Também participou de várias missões internacionais sobre múltiplos temas nos seguintes países: Argentina, Austrália, Cabo Verde, Canadá, Chile, China, Coreia do Sul, Emirados Árabes Unidos, Estados Unidos, Inglaterra, Itália e Rússia. Em muitas dessas, foi o chefe da delegação.

Em 2017 o autor comemorou vinte anos de engajamento cívico e público. Para mais informações sobre algumas centenas de iniciativas de Eduardo Diogo durante esse período, visite o *site* www.eduardodiogo.com.

CITADEL
Grupo Editorial